지진파의 스펙트럼 해석 입문

이희현·채원규·남순성 共譯

도서출판 골드

원저자 서문

프리즘을 통하면 7가지 색으로 나타나는 흰색빛의 스펙트럼에 대해서는 이미 국민학교에서 배웠다. 무지개는 자연이 보여주는 거대한 스펙트럼이다. 스펙트럼은 빛에 국한되지 않고 대단히 넓은 범위에 적용되는 개념으로서, 그 개념이 확립된 것은 오래전의 일이다. 그 이래 여러가지 현상이 갖는 본질적인 특성을 그려내는 영상으로서, 자연과학과 공학의 여러분야에 널리 이용되어 왔다.

내진설계에서 문제가 되는 지진동 혹은 지진이 일어날때 구조물의 거동등은 스펙트럼해석의 대상으로서 가장 적합한 것 중의 하나로 볼 수 있다. 그러나 내진공학의 분야에 스펙트럼의 개념이 일반적으로 사용되기 시작한 것은 비교적 최근의 일이 아닌가 생각된다. 건축분야에서는 고층건물의 동적설계, 토목에서는 장대구조물의 출현이 그 단서가 된 것으로 생각되나 지금은 실제 설계를 위한 여러가지 스펙트럼이 나타나서 널리 이용되고 있다.

이책은 스펙트럼해석에 관한 초보적인 입문서이다. 좀 더 자세히 말하면 지진동에 관해서, 쉽게 접할수 있는 여러가지 스펙트럼의 종류와 그 공학적 의의, 그리고 스펙트럼을 구하기 위한 해석법에 관한 평이한 해설서이다. 스펙트럼의 종류로서는 주기-빈도 스펙트럼, 확률밀도 스펙트럼, Fourier 스펙트럼, Power 스펙트럼, 자기상관함수 그리고 응답 스펙트럼 등이 있다.

이 책은 초보자가 알기 쉽고 이해가 빨리될 수 있도록 하기 위해 철저히 평이하게 썼다. 이 목표는 어느 정도 달성된 것이 아닌가 하고 나름대로 생각하고 있지만 오히려 필요한 수식의 유도를 생략하므로 인해 수사적으로 표현된 부분도 있겠지만, 논리의 비약없이 더 이상 알기 쉽게 쓴다는 것은 필자에게 불가능한 일이었다.

그러나 이 책의 어딘가에 이해하기 어려운 점이 있다고 생각되면 다음 두가지 경우를 생각해야 한다. 이 책은 먼저 가장 기본적인 것부터 설명하고 이것을 이해한 다음 그것을 기초로 해서 다음 단계로 나아가는 방식을 취하고 있다. 어디서 읽기 시작하여도 알 수 있는 사전과 같은 요령으로 쓴 것이 아니다. 따라서 알기 어려운 점이 있는 원인 중의 하나는 그 이전의 어딘가에 독자의 이해와 소화해 낼 수 있는 연결고리가 끊어진 경우이다. 이 경우 독자는 다시 처음부터 탐독해 줄 것을 당부하는 바이다.

알기 어려운 또 하나의 원인은 이와 같은 입문서를 쓸 경우 본질에 관련된 문제로서 독자가 무엇을 모르는가 하는 것을 저자가 알지 못하는 경우이다. 중학생의 차남이 고교생의 장남에게 수학질문을 하고 있는 것을 듣고 있노라면, 그들에 비교하면 수준이 높은 고도의 수학지식을 가지고 있는 필자도 때로는 깜짝 놀랄만한 멋진 방법으로 가르치고 있는 것을 볼 수 있다. 이것은 고교생이 아주 최근에 자기의 체험을 통해서 중학생은 어떤 것을 모르고 있는가를 정확하게 알고 가르치기 때문이다. 이 책에 만일 이와 같은 알기 어려운 대목이 있다고 하면 필자는 이와 같은 입문서를 쓸 적격자가 아니라고 생각할 수 밖에 없다.

앞에서 이 책은 스펙트럼을 구하기 위한 해석법을 설명할 것이라고 기술하였다. 그러나 이책의 표제인 스펙트럼의 해석에는 "스펙트럼을 사용한 해석" 이라고 하는 또 다른 면이 있다. 아닌 말로 이것이 스펙트럼해석의 본 무대이며, 본래의 사명일 수도 있다. 그러나 이와 같은 면까지 설명하게 되면 이책의 내용이 너무 광범위해질 것으로 생각되므로 마지」막 장에서는 극히 기본적인 것만을 기술하는데 그쳤다.

이 책을 계기로 하여 독자가 보다 수준 높은 스펙트럼해석의 분야로 나아갈수 있다면 이는 필자로서 더없는 기쁨이 아닐 수 없다. 또 만일 실무에 분주한 독자가 스펙트럼에 대하여 이해를 하고 이것을 이전보다 더 친밀한 것으로 여긴다면 그것 또한 필자로서는 기쁜일이 될 것이다.

저자씀

역자 서문

평소 구조물 및 지반 진동과 계측업무에 관심을 두고 있던 역자들로서, 그동안 진동신호처리기술에 관한 이론을 이해하는데 다소 어려움이 있다는 말을 듣고 마침 일본에서 유학중이던 경갑수 후배로 부터 大崎順彦교수께서 저술한 "地震動 の スペクトル解析入門" 이라는 책을 선물 받았다. 이 책을 통해 역자들은 그동안 확실히 이해하지 못했던 스펙트럼 분석법을 충분히 알게 되어, 이 기회를 통해 이 분야에 관심이 있는 사람들의 이해를 돕기 위해 이책을 번역하게 된 것이다.

이 책은 제목이 의미하는 바와같이 스펙트럼 해석을 위해 반드시 읽어야 할 입문서로서 역자들이 아는 한 이 분야에서 이 보다 더 쉽게 작성된 책은 없지 않나 생각한다.

그동안 이 분야에 관한 국내판 전문서적이 없어 늘 안타까워 했던 역자들로서, 이 분야를 공부하는 학생 및 기술자들에게 이 책은 좋은 참고서로서 큰 도움을 줄 수 있을 것이라는 것을 믿어 의심치 않는 바이다.

이 책을 번역하면서 역자들는 원서의 내용을 그대로 우리말로 옮기도록 노력하였으며 적절한 우리말 용어가 없는 것은 영어로 함께 표기 하였다.

끝으로 이 책을 번역하는데 많은 도움을 주신 전중창군과 이도형군, 그리고 이도형군의 부친께 심심한 사의를 표하며 어려운 여건하에서도 이 책의 출판을 담당해 주신 도서출판 골드 직원 여러분께 깊은 감사를 드린다.

역자일동

목 차

프로그램 목차

계산 프로그램

출력 프로그램

1. 서　　　론

1.1 스펙트럼이란

스펙트럼이라고 하면 제일 먼저 떠오르는 것은 프리즘을 통해서 나타나는 태양광선의 스펙트럼, 즉 빨강, 주황, 노랑, 초록, 파랑, 남색, 보라로 이루어진 아름다운 7색일 것이다. 태양광선은 얼핏 보기에는 아무런 색도 없는, 그러니까 백색광(白色光 white)이다. 이것이 프리즘을 통과하면 7색으로 분해된다는 것은 1666년 뉴우톤이 처음으로 관찰하였다. 분해된 7색은 파장이 약 8000Å의 빨강색에서부터 4000Å의 보라색까지 파장순으로 나열되어 있다.

스펙트럼은 영어로는 spectrum, 이것이 복수가 되면 spectra로 된다. 형용사가 되면, 이를테면 표제의 스펙트럼 해석은 spectral analysis가 된다.

스펙트럼에는 이와같은 빛의 스펙트럼 이외에도 복잡한 음을 단순음으로 분해해서 그 진동수의 순으로 나열한 음향스펙트럼과 입자를 질량순으로 나열한 질량스펙트럼 등 다양한 것이 있다.

스펙트럼이라는 개념을 아주 일반적으로 정의하면 복잡한 성분으로 된 것을 단순한 성분으로 분해해서, 그 성분들을 그것의 특징을 나타내는 어떤양의 크기의 순서로 나열한 것을 말한다.

확률통계론에서 빈도분포 혹은 확률밀도 등으로 불리우는 것도 이런 의미에서 일종의 스펙트럼인 것이다. 학교에서 시험을 실시하여, 평점 5, 4와 같이 그룹으로 분류하여 학생들을 분류하는 것을 성적스펙트럼이라고 해도 틀린 말은 아니다.

앞서 기술한 백색광의 스펙트럼을 관찰해 보면 색과 색사이의 경계가 확실히 구분되어 있는 것은 아니다. 이를테면 빨강색에서 주황색, 초록색에서 파란색으로 서서히 변화해 가고 있다. 즉, 색이 연속적으로 변화해 가고 있다. 따라서 이와 같은 스펙트럼을 연속스펙트럼이라 한다.

이에 반해서 나트륨이 발하는 빛의 스펙트럼은 명확하게 노랑색 하나의 선이다. 또 수소원자가 발하는 빛은 빨강, 파랑, 남색 그리고 보라의 4가지선으로 된 스펙트럼인 것을 알 수 있다. 이와 같이 연속이 아닌 여러 선으로 된 스펙트럼을 불연속스펙트럼 혹은 이산스펙트럼이라 한다.

일반적으로 스펙트럼의 배열 상태는 발광체인 물질의 미시적인 구조에 깊은 관계가 있어서 스펙트럼으로 분해하므로서 물질세계의 정보를 탐구하려는 이학적수단이 보통 사용되고 있는 의미의 스펙트럼해석이 된다. 천체에서 나오는 빛을 매체로 해서 천체나 그 둘레에 있는 물질의 상태를 알아내기 위해서도 스펙트럼해석이 널리 사용되고 있다.

1.2 이 책의 목적

그러나 이 입문서에서는 빛의 스펙트럼해석을 설명하려는 것이 아니라 우리에게 보다 절실히 필요한 내진공학상의 문제가 되는 지진파의 스펙트럼해석에 관해 배우는 것이 이 책의 목적이다.

빛도 전자파라고 하는 일종의 파이기 때문에 지진파의 스펙트럼해석도 본질적으로 다를 바가 없다. 사실 지진파의 분석에도 빛을 분해하여 분석하기 위해 사용되는 단어, 즉 이산스펙트럼 또는 분해능과 같은 단어를 그대로 사용한 것이 상당히 많다. 단지 차이점이라고 한다면 빛의 파의 파장은 옹그스트롱($1Å=10^{-10}$m)란 단위로 측정되는 것과 같이 1mm의 1만분의 1정도의 크기를 갖는다. 이에 반해 지진파의 파장은 수십 미터에서 수백 미터의 길이를 갖는다.

더욱이 내진공학의 이론에서는 구조물과 지반을 일종의 전기회로로 보고 임피던스나 어드미턴스와 같이 전기회로에 관계되는 용어를 사용하는 경우가 많다. 실제로 여기서 말하는 지진파의 스펙트럼해석은 그와 같이 내진공학에 있어서 임피던스, 어드미턴스 등과 대단히 깊은 관계가 있지만, 이 입문서에서는 이러한 내용까지는 취급하지 않는다.

EL CENTRO, CALIF. 1940.5.18 NS

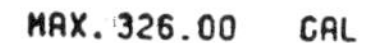

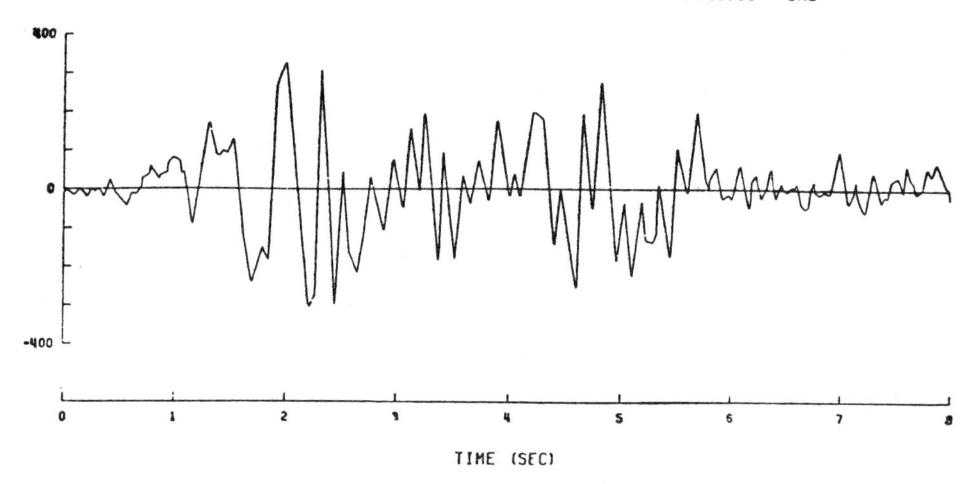

그림 1.1 El Centro 지진파

이제 그림 1.1을 살펴보자. 그림 1.1은 고층건물의 동적해석에 널리 사용되는 파로 독자들에게 낯이 익을 것이다. 만일 그렇지 않더라도 이름은 몇번 들어 보았을 것으로 생각된다. 1940년 5월 18일 El Centro에서 기록된 가속도 파형의 NS성분이다. 최대가속도는 326gal, 지속시간은 실제는 조금더 계속되었지만, 8초 정도로 취한 것이다.

여기서 gal이라 하는 것은 가속도의 단위로 1gal=1cm/sec^{2}이다.

따라서 중력가속도는 1g=980gal이므로 정적 내진설계에 사용하는 0.2g는

$$0.2\times980=196\ \text{gal}$$

이 된다. 이와 같은 단위로 지진동의 속도는 kine으로 표시하고 1kine = 1cm/sec이다. gal이라는 이름은 『그래도 지구는 돌고 있다』라고 말한 사람으로 유명한 갈릴레오 갈릴레이(Galileo Galilei)와 밀접한 관련이 있지만 kine의 어원은 잘 알려져 있지 않다. 혹시 독자중에 알고 있는 분

이 있으면 가르쳐 주기 바란다.

그림 1.1의 El Centro 파형이 유명하게 된 것은 다음과 같은 유례가 있다. 과거에는 대지진이 있으면 무엇보다도 먼저 지진계의 바늘이 튀어 버려 대지진의 기록을 할 수 없었다. 그 유명한 관동지진(1923년)의 기록도 최근에 와서 여러가지 복원실험이 실시되고 있으나 사실은 완전한 것이 아니다. 이러한 점을 개선하기 위하여 제작된 것이 **강진계**이다. 강진계는 파괴적인 대지진일때도 그 자체는 파괴되지 않으며 충실히 가속도 파형을 기록할 수 있도록 설계되어 있다. 이런 점은 비행기가 추락하여도 항적기록을 남겨주는 플라이트 레코드와도 유사성이 있다.

이와 같은 강진계가 미국에서는 1930년대 초반 부터 주로 캘리포니아주의 여러곳에 설치되기 시작하여 1940년에 이르러서 300gal이 넘는 강진동도 완전히 기록되었다. 이 기록이 그림 1.1이다. 이야말로 『인류가 처음으로 파악한 강진의 정체』라고 할 수 있다. 이때의 지진을 보통은 El Centro 지진으로 부르고 있으나 이것은 속칭이며 정식이름은 1940년의 Imperial Valley지진이라 한다. 강도(Magnitude) M=7.1의 지진이 기록된 곳이 El Centro지방이다.

그림 1.2 California주와 El Centro 및 Taft

그림 1.2의 캘리포니아주의 지도에 표시된 바와 같이 El Centro지방은 더운 곳으로 유명한 임페리얼 계곡의 남단, 거의 멕시코와의 국경 근처에 위치하고 있다. 필자도 가본

적이 있지만 계곡이라 하여도 일본과 같이 협곡으로 생각하면 안되고 양쪽의 산과 산이 보이지 않을 정도의 광대한 평지이며, 일직선의 고속도로에서는 농가의 지붕이 하나의 점으로 보인다. El Centro는 이와 같이 농촌지대의 한 중심가이며, 그곳에 있는 변전소(그림 1.3)의 지하실에 유명한 강진계가 아직도 설치되어 있다.

그림 1.3 El Centro 변전소

그림 1.2에는 El Centro외에도 역시 동적해석시 낯이 익은 Taft의 지명도 기입되어 있다. Taft에서 EW 방향의 최대가속도 147gal이 기록된 지진은, 1952년 7월 21일의 Arvin-Tahachapi 지진이라 부른다.

이제 다시 그림 1.1을 살펴보자. 지진파가 갖는 특성중에 내진공학상 중요한 인자는 다음과 같다. 즉 지진파의

i) 최대진폭
ii) 지속시간
iii) 파의 수
iv) 진동주기

v) 에너지

등이다.

i) 최대진폭은, 지진계의 감도를 알고 있으면, 지진계의 기록(기상이라고도 함)을 자로 재어 측정하면 곧 판독할 수 있다. ii) 지속시간은, 기록에 대개 시간표시가 되어 있으므로 곧 알 수 있다. iii) 파의 수는 주된 파가 대체로 몇번쯤 계속되었나를 관찰하므로서 알 수 있다.

그러나 iv) 진동주기, 예를들면 그림 1.1의 지진파가 어떤 진동수성분의 파로 구성되어 있는지, 그리고 그중 어떤 성분의 것이 탁월한지 등을 말하는 것은 쉽지 않다. v) 에너지에 대해서는 거의 짐작하기 어렵다. 그러므로 그 파가 구조물에 어떠한 영향을 줄 수 있는 성질을 갖고 있는 것일까 등을 말하는 것은, 기록을 보는 것만으로는 불가능할 것이다. 그림 1.1의 El Centro 지진파를 처음으로 보는 독자는 이 파중에 주기가 2.5초의 파가 있으므로 고층건물에 극히 중대한 영향을 끼칠 장주기파의 성분이 숨겨져 있는 것을 상상도 할 수 없을 것이다. 백색광이 프리즘을 통하면 7색의 빛이 나타나는 것과 같이, 생긴 그대로 일때는 무언가 잘 모르는 지진파의 기록에 다소의 조작을 가하여 그 파의 성질을 확실히 떠올리게 하는 것 뿐만아니라 그것이 구조물에 미치는 영향을 파악할 수 있는 유력한 방법이 있는데 이것이 스펙트럼해석의 목적이다. 또한 한편으로는 관측되었던 파의 스펙트럼을 구해보므로서 그 파가 어떤 경로를 거쳐온 것인가, 또 그 도중에 어떠한 것에 영향을 받게 되었는가를 파악할 수 있는, 소위 신원조사와도 같은 것이라고 할 수도 있다.

이 입문서는 이와 같은 지진파의 스펙트럼해석에 대해 공부하려는 것이다. 조작방법에 따라 여러가지 스펙트럼을 얻을 수 있겠지만, 중요한 것에 대해서는 가능한 한 상세히 설명하고, 상호간의 관계도 분명히 해두고자 한다. 그러기 위해서 독자들은 복소수 연산, Fourier 변환, 확률통계 이론, 진동론 등 여러가지를 알고 있어야 할 것이다. 그러나 가능한 한 평이하게 설명하면서 여러가지 스펙트럼 해석 방법과 이론적 근거, 결과의 공학적인 의미등을 상세히 서술하고자 한다.

1.3 계산예와 프로그램

Fourier스펙트럼이나 응답 스펙트럼에 관한 교과서와 참고서는 매우 많이 있다. 이 책도 내용적으로는 그들과 별 차이가 없다. 그러나 여기서는 독자의 이해를 돕기 위하여 다른 책에는 많이 다루지 않는 새로운 시도를 하려 한다.

먼저 필자 자신의 체험을 통해 이론이나 계산법에 관한 책을 읽을때 예제나 계산예가 있으면 대단히 알기 쉽다. 단지 머리로 생각하는 것 뿐만 아니라 실제로 숫자나 도형을 구체적으로 눈으로 보므로서 이해를 돕구는데 큰 도움이 될 것이다. 그래서 이 책에서는 예제를 많이 수록할 예정이다. 그림 1.1의 El Centro 지진파가 예제로서 자주 나타나게 될 것이다.

또 하나는 그림 1.4와 같이 극히 간단한 파형을 예로써 간혹 인용하고자 한다. 지진파와 같은 체제를 갖추면서 더 이상 간단한 것이 없을 정도로 간단한 예제파가 그림 1.4이다. 이후부터 이 파를 단순히 예제파로 부르기로 한다.

실제의 지반운동을 지진계로 그려보면 일반적으로 어떤 의미를 갖는 파형과 전혀 의미가 없는 불규칙한, 소위, 잡음 등이 한꺼번에 관측되는 경우가 많다. 물론 의미있는 파형이 본래 스펙트럼해석의 대상이 되는 것이다. 후자의 불규칙한 파는 대개 혼돈을 가져오므로 될 수 있으면 배제할 필요가 있다. 그러나 한편으로는 지진파 그 자체를 일종의 잡음 즉 랜덤파로 취급하는 것이 편의상 좋을때도 있다.

이 책에서는 랜덤파의 이론은 깊이있게 다루지 않을 것이다. 그러나 이와 같은 의미에서는 잡음도 또한 중요한 것이 될 수 있으므로 여기서 잡음 그 자체에 대해서도 공부해두는 것도 무의미하지는 않을 것이다. 이를위해 세번째 예제파로서 그림 1.5와 같은 파형을 사용하여 랜덤 예

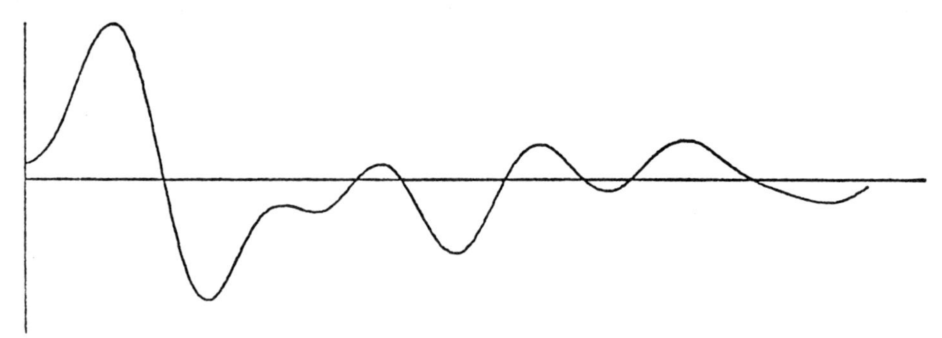

그림 1.4 간단한 예제파

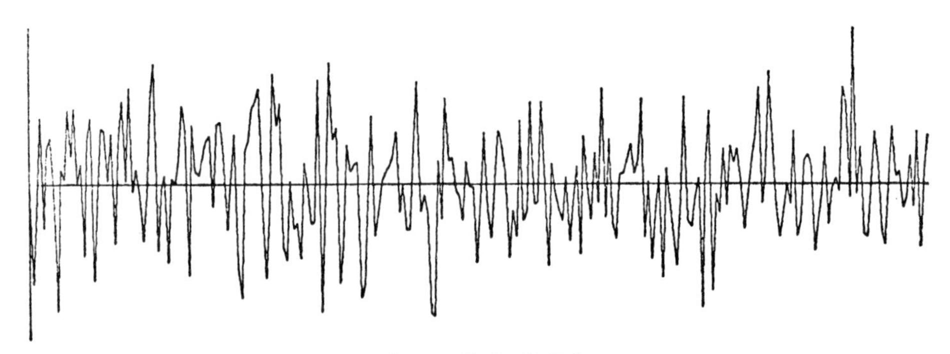

그림 1.5 랜덤 예제파

제파로 부르기로 한다. 이 파는 전후관계가 전혀 없이 불규칙하게 나열된 점들을 연결한 것이다. 특정의 진동수 성분이 특히 많이 포함되었다고는 생각되지 않는데 이점이 특히 특정의 색채를 갖지 않는 백색광과 닮아서 백색잡음 혹은 White Noise로 불리우는 하나의 이유이다.

이 책으로부터 여러가지를 공부하는데 목적이 있으므로, 될 수 있는데로 그 결과를 실제로 활용할 수 있도록, 스펙트럼해석에 연관되는 전자계산기용 프로그램을 많이 제시하기로 한다. 그런데 이 책중의 수식과 프로그램상의 문장을 비교하는 경우 서로 약간의 차이가 있으므로 주의해야 한다. 즉 예를 들면 x라는 수치를 N개 합하는 경우

$$x_0+x_1+x_2+\cdots\cdots+x_{N-1}=\sum_{m=0}^{N-1}x_m \tag{1.1}$$

라고 쓰는 것이 보통 수학적인 표현이다. 물론 이 책에서도 설명할려는 수식에는 이와 같이 쓴다. 그런데 계산기의 프로그램에서는 수치 χ를

배열에 넣고 순서를 정하여 계산하게 되므로 배열의 첨자는 0번이 아니라 1번 부터 시작하게 된다. 따라서 프로그램문 중에서는 식(1.1)을

$$X(1)+X(2)+\cdots\cdots+X(N)=\sum_{M=1}^{N} X_M \tag{1.2}$$

로써 표현하므로 첨자에 1만큼 차이가 있게 된다. 그러므로 수식에는 k 또는 m등으로 표시되지만 프로그램에는 (K-1) 또는 (M-1)로 표현된 것이 많이 있다. 그러나 계산기에서 출력될 때에는 즉 결과의 인쇄에는 모두 식(1.1)의 형식을 따르게 될 것이다.

또한 계산기에 따라 입출력의 형식이 다를수도 있고 플로터를 사용하는 방법도 천차만별이기 때문에 여기서는 이러한 것과 계산기의 용량등에는 거의 관계가 없는 일반성이 있는 서브루틴의 형식으로 프로그램을 제시하고자 한다. 그러므로 이 서브루틴을 호출하는 주 프로그램은 독자 자신이 작성하기 바란다. 여기서 말하는 프로그램은 모두 FORTRAN(수준 7000)으로 작성되어 있다. 이 책은 FORTRAN의 입문서가 아니기 때문에 FORTRAN에 대해서는 특별한 설명을 하지 않을 것이다. FORTRAN에 익숙치 않은 학생은 다른책으로 공부하면 좋을 것이다. 더우기 7000수준에 적합하지 않는 계산기로서는 복소수연산등이 되지 않기 때문에 프로그램의 일부를 고쳐서 사용해야 한다. 이제 프로그램의 최적화(Optimization)문제에 대해 간단히 살펴보자. 예를들어 다음과 같은 프로그램을 작성하였다고 하자.

$$\left.\begin{array}{l} A=C+E*F \\ B=D+E*F \end{array}\right\} \tag{1.3}$$

여기서 E*F의 연산을 2회 반복하고 있다. 그러나 이것을 G라는 변수를 사용하여

$$\left.\begin{array}{l} G=E*F \\ A=C+G \\ B=D+G \end{array}\right\} \tag{1.4}$$

와 같이 고쳐서 쓰면 연산시간이 빠를 것이다. 극단적인 다른 예를 들어보자.

```
      DŌ 110  I=1,M
      DŌ 100  J=1,N
      A(I,J)=C(I,J)*P*SIN(X)
      B(I,J)=C(I,J)*Q*CŌS(X)
  100 CŌNTINUE
      P=P+DP
      Q=Q+DQ
  110 CŌNTINUE
```

(1.5)

이 프로그램은 2중의 DO 루프안에서 SIN(X)와 COS(X)를 일일이 계산하지 않으면 안된다. 또 어느 배열중에는 주어진 첨자의 값에 따라 하나의 배열요소를 찾아내는데 다소의 시간이 걸린다. 그런데 식(1.5)는 A(I,J)와 B(I,J)를 계산할때 C(I,J)의 값을 찾아내는 조작을 2회 반복하도록 작성되어 있다. 이와 같은 것은 루프의 반복수 M*N이 아주 클때 상당한 시간이 손실된다.

```
      SX=SIN(X)
      CX=CŌS(X)
      DŌ 110  I=1,M
      PSX=P*SX
      QCX=Q*CX
      DŌ 100  J=1,N
      CIJ=C(I,J)
      A(I,J)=CIJ*PSX
      B(I,J)=CIJ*QCX
  100 CŌNTINUE
      P=P+DP
      Q=Q+DQ
  110 CŌNTINUE
```

(1.6)

따라서 이런 경우에는, 배열요소는 먼저 하나의 변수로 바꾸고 DO 루프안에서 값이 일정한 식은, 루프 밖에서 계산하도록 프로그램을 다음과 같이 고쳐 쓰는 것이 좋다.
이와 같이 주로 실행시간을 되도록 줄이는 것을 목적으로 해서 프로그램을 효율적으로 고쳐 쓰는 것을 최적화라고 한다.

그런데 최적화되지 않은 식(1.5)와 같은 표현에도 장점이 있다. 즉 프로그램이 짧다는 것이다. 이것 저것 찾지 않아도 한번으로 식의 의미가 곧 이해되므로 간명하다. 또 식(1.6)과 비교하면 식(1.5)는 훨씬 보기좋게 되어 프로그램에는 일종의 예술적인 품격이 있어 필자의 취미와 잘 부합되고 있다.

이런 뜻으로 이 책에 나타난 프로그램은 거의 최적화하지 않은 그대로 이해하기 쉬운 형으로 쓰여져 있다. 이에는 또 하나의 다른 이유가 있다. 그것은 최근에 생산되는 고급 계산기에는 최적화 기능이 포함되어 있기 때문이다. 즉 원래의 프로그램을 일단 읽어 들여서 컴파일러로 이것을 실행용 오브젝트 프로그램으로 편집할때 최적화가 자동적으로 되는 것이다. 그러므로 프로그램의 실행시간은 과히 염두에 두지 않아도 된다.

그러나 최적화 기능이 없는 계산기를 사용할때에는 이 책의 프로그램만으로는 전술한 바와 같이 계산시간이 손실되는 경우가 많다. 그래서 이런 경우 독자들이 약간의 수정을 해주도록 부탁하는데, 엉뚱한 계산차이가 발생하지 않도록 주의해야 한다.

또한 프로그램의 설명에 있어서 인수의 형 I,R,C는

I : 1배정도 정수형

R : 1배정도 실수형

C : 1배정도 복소수형

의 의미가 있다는 것에도 주의해야 한다. 그리고 프로그램에 있어서 서브루틴의 입구로써 ENTRY를 설정하는 것이 이론적으로 정상적이나 연산시간에 그다지 차이가 없으므로 CALL의 방법이 오히려 복잡할지 모르나 ENTRY는 일정 사용하지 않기로 한다.

1.4 기록의 디지탈화

그림 1.6(a)에 전술한 간단한 예제파를 다시 표시하였다. 그림에서 보는 바와 같이 이 기록은 연속된 매끄러운 곡선이다. 이러한 파를 스펙트럼 해석할때 매끄러운 곡선 그대로 취급하는 방법을 **아나로그(analog)** 해석이라 한다. 예를들면 그림 1.6(a)곡선을 광전관(光電管)을 이용한 장치를 이용하여 연속적으로 매끄러운 전압으로 바꾸고 그 전압을 전기회로에 넣어 전기적으로 해석하고 그 결과도 전기적으로 움직이는 펜으로 매끄러운 연속곡선으로 종이에 그리는 방법이 이에 속한다.

이에 비해 또 하나의 방법은 그림 1.6(b)와 같이 어느 일정 간격마다 파형을 수치로 읽고, 읽어들인 수치에 대해 수치해석을 하는 방법이 있다. 이와같은 방법을 **디지탈(digital)** 해석이라 한다. 읽어들인 수치는 연속

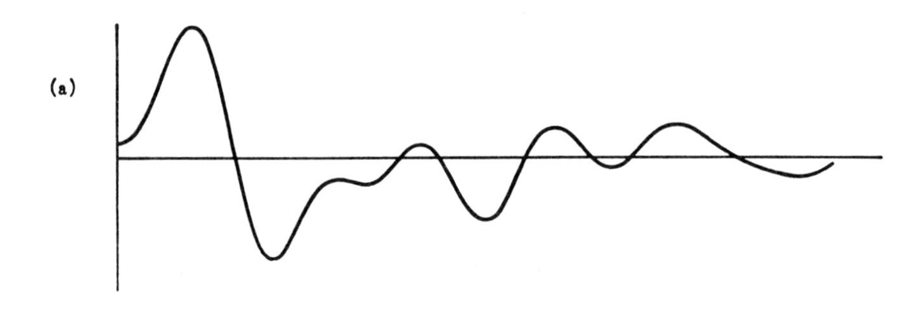

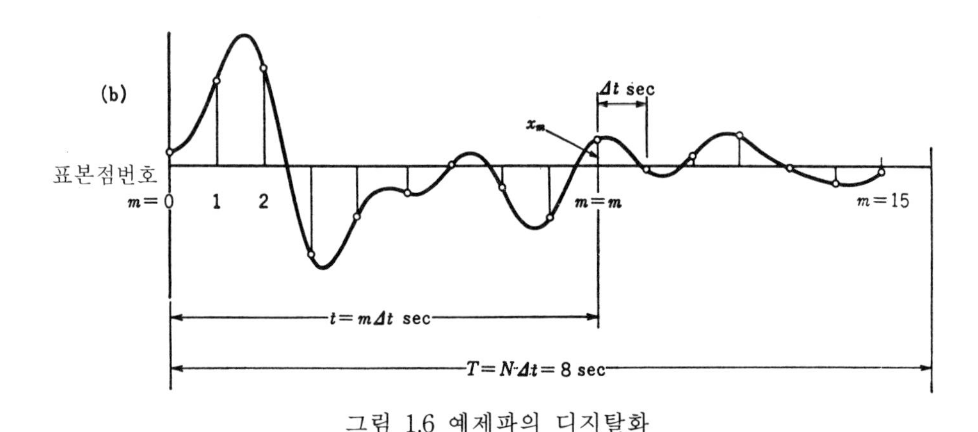

그림 1.6 예제파의 디지탈화

량이 아닌 이산화 된 값이다. 이러한 량을 연속량에 비교하여 이산량이라고 하며, 원래의 연속량을 이산량의 수열로 고치는 것을 **디지탈화**라고 한다.

아나로그해석과 디지탈해석은 해석방법에 따라 각기 장단점이 있다. 지진파의 스펙트럼 해석을 역사적으로 보면 아나로그 해석이 선배격이 되지만 현재는 해석의 정도, 신뢰성등의 면에서 볼때 디지탈의 쪽이 주류가 되고 있다. 이 책에서도 전적으로 디지탈 해석 방법을 취급한다.

그런데 지속시간 T의 지진파를 시간간격 Δt마다 읽으면 그 갯수는 $T/\Delta t$가 되기 때문에 지속시간이 길고, 읽는 간격이 짧으면 그 작업은 대단히 많게 된다. 나중에 설명하겠지만 시간간격이 짧을수록 해석결과의 정도가 좋다. 보통 Δt=0.01sec로 하므로, 예를들면 지속시간 T=30sec의 지진파의 경우 읽는 갯수는 $T/\Delta t$=3,000개가 된다.

여기서는 상세하게 설명하지 않겠지만 이와같은 점을 될수 있는 대로 성력화하고, 읽어들인 디지탈량을 그대로 전자계산기에 입력하기 쉽도록 결과가 종이테이프나 카드에 펀치되어 나오도록한 장치가 여러가지 연구되고 있다. 또 지진기록을 종이위에 그리는 것 보다는, 디지탈화가 더욱 쉬운 전기적인 형으로, 자기테이프(보통 테이프레코드의 카세트 테이프) 위에 기록해서 전혀 손을 쓰지 않고 디지탈화하려는 것이 최근의 경향이다.

연속된 아나로그량을 이산적인 디지탈량으로 바꾸는 장치를, **A**nalog와 **D**igital의 각각의 머리문자를 따서 **A-D변환장치**(A-D converter)라 한다.

그림 1.6의 예제파의 경우 정확도를 문제로 삼지 않을 경우, 간단히 하기위해 읽는 간격을 Δt=0.5sec로서 그림 1.6(b)와 같이 등간격이 Δt인 N=16개의 점을 읽었다고 하자. 이와같이 연속량을 임의간격마다 띄엄띄엄 디지탈량으로 읽는 것을 무한개 중에서 유한개의 표본을 읽어들인다 하고, 읽기를 한 가로축상의 점을 **표본점**, 읽어들인 값 즉 각 표본점에서 파의 진폭의 크기를 **표본치**, 표본점의 간격 Δt을 **표본점**

간격이라 한다. 또 표본치를 간단히 데이타라 부르기도 한다.

그림1.6(a)의 예제파를 디지탈화한 표본치를 이용하여 나중에 여러가지 해석을, 독자들의 손으로 할 수 있도록 먼저 표 1.1에 정리해 둔다.

표본치 x_m의 단위는 무엇이든 좋으나 여기서는 예제파가 가속도의 기록인 것을 고려하여 gal로 한다. 표에서 표시한 바와 같이 표본치의 합은 0(gal), 표본치의 자승의 합은 4,800(gal^2)이므로 표본치의 평균은

$$\bar{x}_m=\frac{1}{N}\sum_{m=0}^{N-1}x_m=0 \quad \text{gal} \qquad (1.7)$$

그리고 자승의 평균은

$$\overline{x^2_m}=\frac{1}{N}\sum_{m=0}^{N-1}x^2_m=300 \quad \text{gal}^2 \qquad (1.8)$$

이 된다.

여기서 주의해야 될 것은 파의 지속시간이다. 표본점의 수가 N=16, Δt=0.5 sec이므로 국민학교에서 배운 바와 같이 지속시간은

$(N-1)\Delta t=(16-1)\times 0.5=7.5$sec

라 하기 쉬우나 표 1.1에서는

$T=N\Delta t=16\times 0.5=8$sec

이다. 그림 1.6에서 보면 m=15번째의 표본점 다음에, 간격 Δt가 여분으로 남아있다.

표 1.1 예제파의 데이타

표본번호 m	표본점시간 $t=m\Delta t$ (sec)	표본치 x_m (gal)
0	0	5
1	0.5	32
2	1.0	38
3	1.5	−33
4	2.0	−19
5	2.5	−10
6	3.0	1
7	3.5	− 8
8	4.0	−20
9	4.5	10
10	5.0	− 1
11	5.5	4
12	6.0	11
13	6.5	− 1
14	7.0	− 7
15	7.5	− 2

표본점간격: $\Delta t=0.5$ (sec)
표본의 갯수: $N=16$
지속시간 : $T=N\Delta t=8$ (sec)
표본치의 합 : $\sum_{m=0}^{N-1}x_m=0$ (gal)
표본치의 자승합: $\sum_{m=0}^{N-1}x^2_m=4,800$ (gal^2)

나중에 설명하겠지만 이것은 중요한 이론상의 의미를 가지고 있다. 지금 1개의 표본점과 그것에 연속된 1개의 표본간격이 한조가 되어서 그것이 N=16조가 된다라고 생각한다. 실은 표본점의 수가 수백개 있는 것과 같은 실제 지진파의 경우는 마지막 1개가 어떻게 되든 큰 영향은 없겠

지만 짧은 파의 경우는 그렇지 않다. 아주 짧은 예제파와 같은 경우 엄밀한 계산을 수행하기 위해서는 주의해야 한다.

그림 1.1의 El Centro지진파는 이미 디지탈화 되어 있는데, 이 경우

표본점수 N=800

표본점간격 Δt=0.01sec

지속시간 T=8.00sec

이다. 그림 1.5의 랜덤 예제파의 경우는, 표본점 간격 Δt=0.05sec의 등간격으로 해서 표본점 총수는 N=256이다.

이제까지 공부한 사항을 토대로 다음 장에서 실제 스펙트럼해석으로 나아가기로 한다.

2. 주기 빈도 스펙트럼

2.1 Zero Crossing법

그림 2.1에 아주 간단하면서 규칙적인 시간함수 f(t) 를 표시하였다. 이것은 소위 sin곡선이다. 얼핏보면 알 수 있듯이 이 곡선은 어느 일정한 시간마다 같은 상태가 반복되고, 같은 진폭의 점이 반복적으로 나타나고 있다. 이것을 식으로 표시하면

$$f(t)=f(t+T) \tag{2.1}$$

이 된다. 여기서 T는 같은 상태가 반복되는 시간으로서 이러한 시간을 주기(period)라고 한다. 단위는 sec이다. 그런데 앞에서는 파의 지속시간을 기호 T로 표시했는데 이제부터는 관용에 따라 주기도 T로 표시하므로 혼동하지 않기 바란다. 그림 2.1은 주기 T=0.25sec인 sin파 이다.

주기의 정의에서 알 수 있는 바와 같이 곡선상의 임의의 1점을 취하고 그것과 같은 상태가 나타나는 다음점까지의 시간차를 측정하면 그것이 통상 주기가 된다.

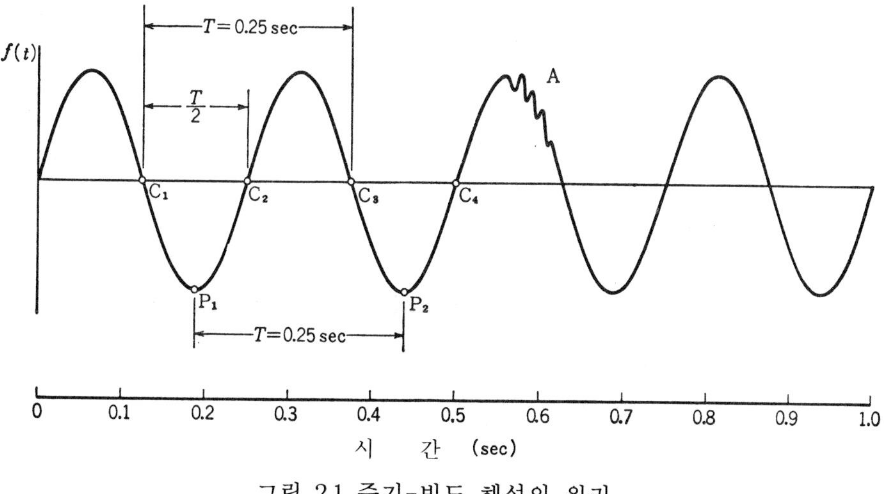

그림 2.1 주기-빈도 해석의 원리

시간함수로부터 주기를 구하기 위해서 어떠한 점을 취해도 결과는 같겠지만, 가장 쉬운 방법은 곡선이 Zero선 즉 횡측을 자르는 점을 취하는 방법이다. 즉 그림 2.1에서와 같이 곡선이 (+)쪽에서 (-)쪽으로 향하면서 횡축을 자르는 점은 C_1부터, 같은 요령으로 다음의 (+)에서 (-)로 횡축을 자르는점 C_3까지의 시간이 주기 T=0.25sec가 된다. 곡선이 (-)에서 (+)쪽으로 향하면서 Zero선을 자르는 점 C_2에서 C_4까지의 시간을 취해도 같은 결과가 얻어진다.

또한 횡축을 자를때 방향은 고려하지 않고 단순히 C_1과 C_2, C_2와 C_3,C_3와 C_4등과 같은 요령으로 간격을 취하면, $T/2$가 된다. 그러므로 이 간격을 측정해서 2배 하면 그것이 파의 주기가 된다는 것은 그림을 보면 분명히 알 수 있다. 이와같이 곡선이 Zero선을 지나는 점들의 시간간격을 측정해서 그것을 2배하여 주기를 구하는 방법을 **Zero Crossing**법이라 한다.

엄밀히 말해서 이 방법은 파형이 그림 2.1과 같이 간단한 sin곡선이나 cos곡선이 아니면 적용할 수 없다. 그러나 실제 지진파와 같은 복잡한 파도 실은 단순 sin파 혹은 cos파의 집합으로(이것은 중요하므로 다음에 상세히 설명함) Zero Crossing법의 의미를 확대해석하여 그 결과를 통계적으로 처리하는 방법이 간혹 사용되고 있다.

그림 1.4의 예제파에서는 Zero Crossing점이 7개 있다. 실제로 스케일을 사용하여 측정해보면, 처음부터 순서대로

$$T=3.44,\ 0.78,\ 1.86,\ 1.34,\ 0.84,\ 2.12\ \ \text{sec}$$

의 6개의 주기를 얻는다. 그러나 이것만으로는 수가 적으므로 통계석인 해석을 할 수가 없다. 그림 1.1의 El Centro지진파의 경우는 Zero Crossing점이 62개 있으므로 이 정도라면 통계처리가 가능할 수 있다.

통계처리 결과를 나타내는 도표로서 많이 쓰이는 것에는 **빈도분포도** 혹은 **히스토그램**(histogram)이라 불리우는 것이 있다. 이것은 조사한 특

성 이를테면 신장을 몇개의 계급으로 나누고, 각 계급에 속하는 신장의 수, 즉, 빈도를 주상도(柱狀圖)로 나타낸 것이다. 이때 각 계급(階級)의 폭을 계급간격, 인접하는 계급과 계급의 경계에 있는 값을 경계치라 한다. 또 각 계급에는 각각의 계급을 대표하는 계급대표치를 지정하며, 계급대표치는 각 계급간격의 중앙 즉, 각각의 계급의 상하한에 있는 경계치의 평균을 취하는 것이 보통이다.

그림 2.2에 빈도분포도의 일례를 표시하였다. 이 경우는 각 계급간격은 일률적으로 2cm이다. 따라서 경계치는 공차 2cm의 등차급수를 나타내고 있다. 빈도는 계급대표치를 사용하며, 가령 신장 162cm의 빈도는 14가 된다.

이제 여기서 설명한 바와 같이 Zero Crossing법에 따라 하나의 파에 포함되어 있는 주기의 빈도분포도를 그릴수 있다. 그런데 여기서 반드시 주의해야 할 점이 있다. 그것은 그림 2.2의 신장의 예에서는 각 계급의 폭, 즉 계급간격을 모두 같이 취해도 아무런 문제가 없으며 만약 계급간격이 같지 않으면 오히려 이상할 것이다.

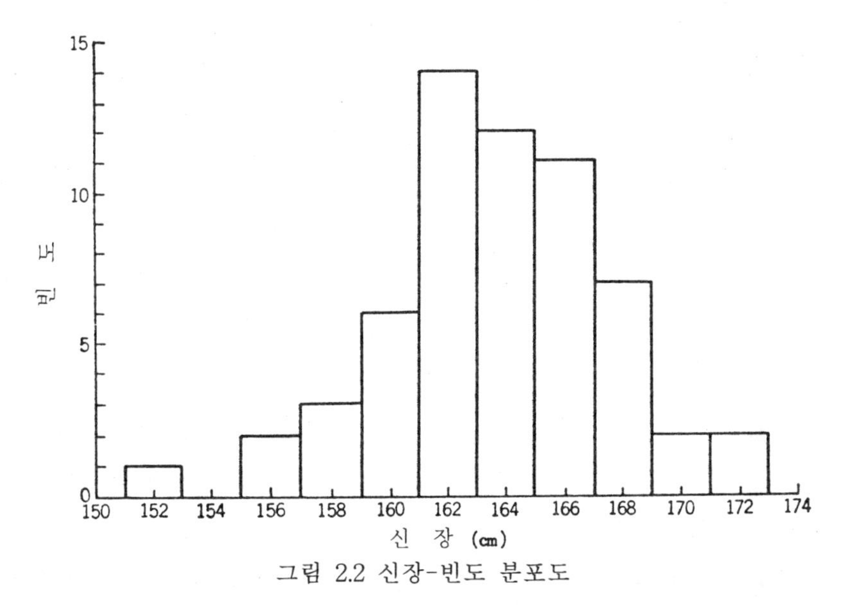

그림 2.2 신장-빈도 분포도

그런데 Zero Crossing법으로 주기를 구하는 경우, 파의 지속시간을

8sec로 하면 반(半)주기가 0.1sec인 파가 Zero선을 Crossing할 기회는 8/0.1=80회 인데 반해, 반주기가 1초인 파가 Zero선을 지날 기회는 8회 밖에 없다. 따라서 만약 대표치가 0.1sec의 계급과 대표치가 1sec인 계급의 폭이 같으면 각 계급이 발생할 확률은 처음부터 큰 차이가 있게되어 결과는 정확한 의미의 빈도분포를 나타낼 수 없게 된다.

이와같은 모순을 없애기 위해서는 계급간격을 주기에 비례해서 조정해 주면 된다. 즉 경계치를 그림 2.2의 경우와 같이 등차급수가 아니라 등비급수로 하면 된다. 다시 말하자면 횡축의 주기를 대수치로 사용할때 경계치가 등간격으로 되면 된다.

이러한 사실을 고려하여 통상 지반운동의 주기빈도해석에 이용되는 주기의 경계치와 계급대표치는 표 2.1과 같다.

표 2.1에 표시한 경계치는 숫자가 정해졌으나 약 1.216정도의 공비(公比)를 갖는 등비급수가 되고 계급대표치는 각각의 계급간격의 중간치를 취하게 된다.

표 2.1 주기-빈도 해석시 주기의 경계치와 계급대표치

계급번호	경계치 (sec)	계급대표치 (sec)
1	0.05	0.055
2	0.06	0.065
3	0.07	0.075
4	0.08	0.090
5	0.10	0.110
6	0.12	0.135
7	0.15	0.165
8	0.18	0.200
9	0.22	0.245
10	0.27	0.295
11	0.32	0.360
12	0.40	0.450
13	0.50	0.550
14	0.60	0.675
15	0.75	0.825
16	0.90	1.000
17	1.10	1.200
18	1.30	1.450
19	1.60	1.800
20	2.00	2.250
	2.50	

Zero Crossing법을 El Centro지진파에 적용한 결과는 표 2.2와 같다. 이 표는 나중에 나오는 PERD라는 프로그램을 사용했을때의 출력이다. 좌측열에는 표 2.1에서 표시한 계급대표치의 주기의 값을, 중앙열에는 각 주기의 계급간격에 속하는 빈도가 프린트 되어 있다. 이제 이 결과를 그림 2.2와 같은 주상도로 표시하면 그림 2.3과 같이 된다.

표 2.2의 중앙열의 합계, 즉 빈도의 총수는 61이다. 그래서 각 계급의 빈도가 이 총수의 몇 %에 해당되는가를 계산한 것이 표의 우측열에 있으면 이를 상대빈도라 한다. 물론 상대빈도의 합계는 100%이다. 이 상대빈도를 주기에 대하여 이번에는 꺾은선그래프로 나타내면 그림 2.4와 같다. 이것이 주기-상대빈도곡선 또는 주기-빈도 스펙트럼이라 불리우는 것이다.

더욱 표 2.2에도 프린트 되어 있는 것과 같이 빈도는 Frequency, 상대빈도는 Relative Frequency이다. 이와같이 통계적으로 이용되는 Frequency와, 나중에 자주 나오는 진동론적 의미의 Frequency(진동수)는 영어로는 같은 단어로 쓰이고 있으나 전적으로 별개의 것이므로 혼동하지

표 2.2 El Centro지진파의 주기-빈도분포
(Zero-Crossing법)

EL CENTRO, CALIF. 1940.5.18 NS

-- ZERO-CROSSING METHOD --

PERIOD(SEC)	FREQUENCY	RELATIVE FREQ.(PERCENT)
0.055	1	1.64
0.065	2	3.28
0.075	2	3.28
0.090	5	8.20
0.110	5	8.20
0.135	7	11.48
0.165	4	6.56
0.200	8	13.11
0.245	10	16.39
0.295	4	6.56
0.360	2	3.28
0.450	4	6.56
0.550	4	6.56
0.675	1	1.64
0.825	2	3.28
1.000	0	0.00
1.200	0	0.00
1.450	0	0.00
1.800	0	0.00
2.250	0	0.00

IRREGULARITY INDEX 0.779

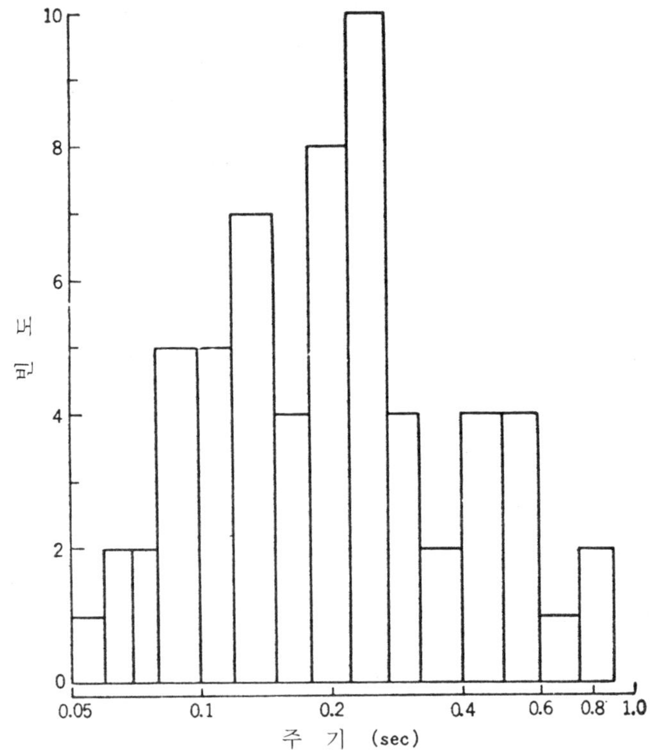

그림 2.3 El Centro 지진파의 주기-빈도분포
(Zero-Crossing법)

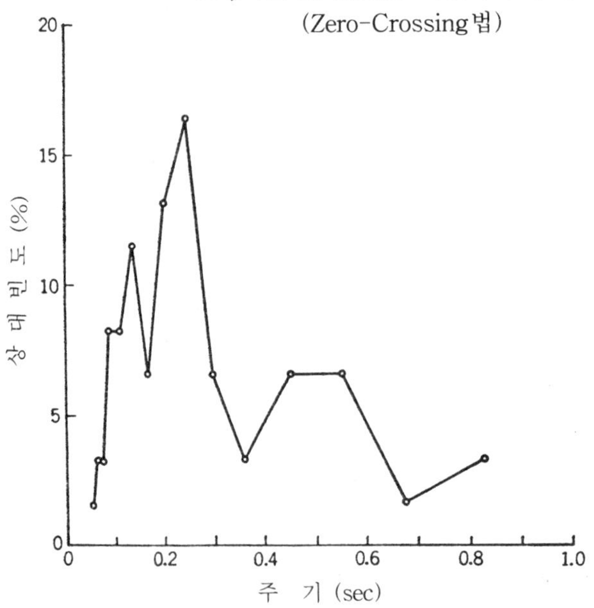

그림 2.4
El Centro 지진파의
주기-빈도스펙트럼
(Zero-Crossing법)

않기를 바란다.

그림 2.3 또는 그림 2.4에 의하면 El Centro지진파의 경우 주기 0.22~0.27sec의 계급, 대표치로 말하면 주기 0.245sec의 계급에 속하는 빈도가 가장 많아 빈도분포도는 여기서 산(山)을 이루고 있다. 이와같이 어느 주기의 빈도가 가장 높을때 그 주기가 탁월하다고 하며 그 주기를 탁월주기라 한다.

Zero-Crossing법은 이와같이 파가 Zero선을 자르는 점에 주목하여 파에 포함되어 있는 주기에 관한 정보를 얻는 것이다. 여기서 다시한번 그림 2.1을 보면 그림의 A부분과 같이 대단히 주기가 짧고, 진폭이 작은 소위 미소파(ripple파)가 중첩되어 있음을 알 수 있다. 이것은 Zero선을 지나지 않기 때문에 주기성분으로는 검출되지 않는다. 즉 sin파와 cos파와 같은 규칙적인 파와 달라서 파가 불규칙하면 불규칙할수록 실제의 주기와 Zero Crossing법에 의한 주기의 빈도사이에 차이가 발생한다. 그리하여 짧은 주기의 파를 누락하는 경향이 있다. 그러므로 지금Zero Crossing법이라고 하는 해석수단을 하나의 회로 또는 시스템이라고 하고 해석하는 지진파를 시스템으로의 입력, 표 2.2 또는 그림 2.3, 그림 2.4 등의 해석결과를 시스템의 출력이라고 간주할때 이 시스템은 주기가 긴 저주파 성분은 잘 통과시키고 고주파성분은 통과하기 어려운 일종의 Low-Pass Filter가 된다고 할 수 있다.

이와같이 고주파성분을 누락시킬수 있다는 것이 이 해석법의 결점이다. 그러나 반면에 파의 주요한 특성을 대충 파악할 수 있다는 점에서 많은 흥미가 있다. 사실 뒤에 나타나는 Fourier스펙트럼 등에 비하면 그림 2.4의 빈도곡선의 쪽의 훨씬 산뜻한 면이 있다.

이 방법을 다방면으로 활용해서 내진공학상 귀중한 성과를 많이 발표한 金井 淸박사의 업적을 보면 내진상 불필요한 것은 버리고 필요한 것만을 취한 것은 어딘가 모순점이 있는 것 같은 감이 있기도 한다. 이 해석법은 金井박사가 주로 상시 미동의 해석시 자주 이용한 방법으로 그림 2.4의 주기-빈도 스펙트럼을 金井스펙트럼이라 부르기도 한다.

전항에서 파가 불규칙하면 주기를 검출하는데 빠뜨릴 수 있다고 지적하였다. 이제 파의 규칙성과 불규칙성을 정량적으로 언급하고자 한다.

여기서 N_0는 파가 (+)의 경사를 갖고 Zero선을 지나는 점의 수, N_m은 파형의 극대점 즉 산(山)의 수로서 다음 식으로 표시되는 ε을 불규칙지수(Irregularity Index)라 정의한다.

$$\varepsilon=\sqrt{1-\left(\frac{N_0}{N_m}\right)^2} \tag{2.2}$$

A부분을 제외할때 그림 2.1에서 표시한 규칙적인 sin파 또는 cos파의경우 $N_0=N_m$이 된다는 것을 쉽게 알 수 있다. 따라서 (2.2)식으로부터 불규칙지수 $\varepsilon=0$, 즉, 불규칙이 0이 되므로 파형은 규칙적이 된다고 할 수 있다. 이에반해 그림 2.1의 A부분과 같이 미소파(ripple)가 무수히 중첩되었을때 $N_m \gg N_0$가 되므로 불규칙지수는 $\varepsilon \fallingdotseq 1$이 된다. El Centro파의 불규칙 지수는 표 2.2의 제일 아래에 프린트 되어 있다. 더우기 그림 1.5의 랜덤 예제파에 대해 계산을 해보면 $N_0=69$, $N_m=80$, 따라서 $\varepsilon=0.506$이다. 전술한 바와같이 이 파는 완전히 불규칙한 소위 난수를 겹쳐서 작성한 것이나 이 지수를 보면 의외로 불규칙지수가 작다는 것을 알 수 있다. 여기서 불규칙함과 난수가 의미하는 불규칙과는 같은 것이 아님을 짐작할 수 있다. 일반적으로 (2.2)식의 ε를 불규칙지수로 부르고 있으나 미소파의 정도를 나타내는 의미로서 필자라면 ripple지수라 하였을 것이다.

Zero Crossing법에서는 기록의 횡축 즉, 시간, 주기에만 주목하여 종축 즉 진폭의 크기에는 일절 언급하지 않았다. 이 결점을 보충하는 의미로 때로는 그림 2.5와 같은 것을 생각해 볼 수 있을 것이다. 이것은 인접하는 Zero Cross점의 간격을 2배로 해서, 그 역수 즉 진동수를 횡축으로 잡고, 두점사이에 잇는 최대 진폭을 종축으로 취한 그림이다. 그림 2.5는 El Centro지진파에 대해 그린 것이다. 다시말하면 Zero Crossing법에 의한 국부 최대 진폭스펙트럼이라고 불리우는 것이다. 높은 피크는 다음장에서 언급하는 El Centro지진파의 Fourier스펙트럼과 거의 같은 위치에 있다.

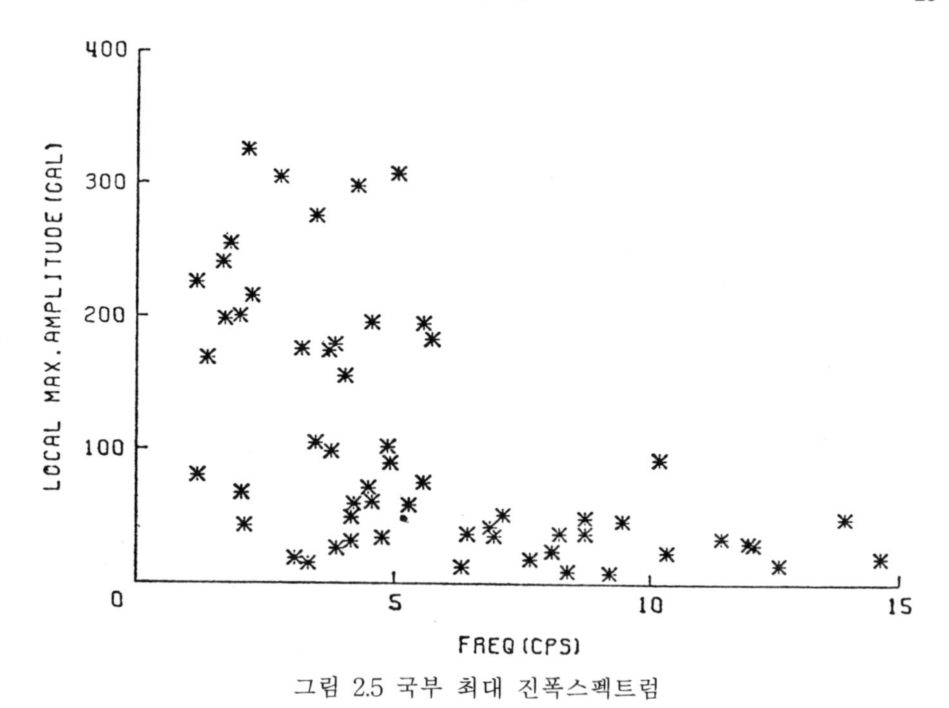

그림 2.5 국부 최대 진폭스펙트럼

2.2 피크법

다시 그림 2.1로 되돌아가 보면 P_1과 P_2, 즉 계곡과 계곡 혹은 산과 산 사이의 시간간격도 역시 파의 주기를 표시한다는 것을 알 수 있다. 따라서 피크와 피크사이의 시간과, 그것이 각 계급간격 사이에 들어가는 회수를 세어서 파가 복잡한 형일지라도 통계적으로 파가 갖는 주기특성을 검출할 수 있는데, 이것을 피크법 이라 한다.

각 계급의 경계치와 대표치는 앞의 표 2.1을 사용하고 피크법에 의해 El Centro지진파의 주기-빈도 곡선을 구해 보면 그림 2.6과 같다. 같은 El Centro지진파일지라도 그 결과는 Zero Crossing법에 의한 그림 2.4와 아주 다르다. 곡선이 전체적으로 좌측, 즉 단주기의 쪽에 쏠려있다. 이것은 피크법의 경우 미소파의 산 하나하나를 주기로 해서 포함시킨 것으로 고주파의 것을 끌어올리는 경향이 있다. 이것이 일종의 High Pass

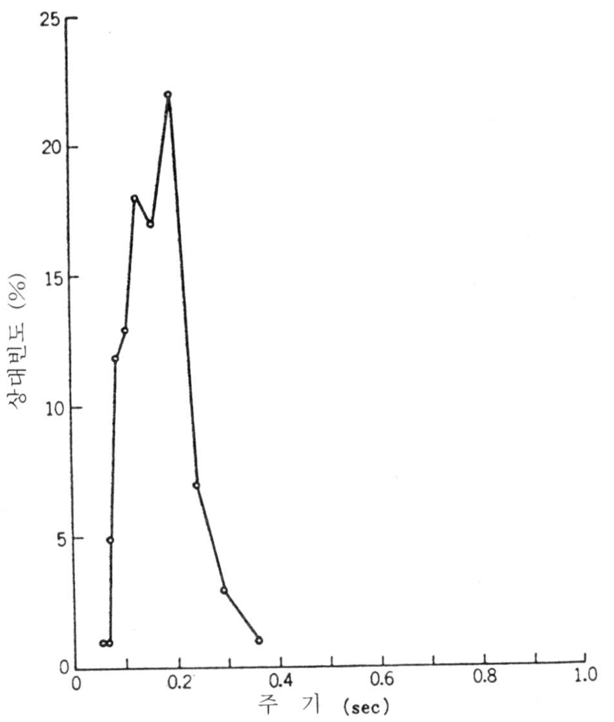

그림 2.6 El Centro 지진파의 주기-빈도 스펙트럼(피크법)

Filter이다.

그림 1.5의 랜덤 예제파의 주기빈도 스펙트럼을 피크법에 의해 구해보면 그림 2.7과 같이 된다. 이 그림에 의하면 0.08sec에서 0.22sec의 주기가 거의 같은 빈도로 나타나 있다. 특별히 탁월한 주기는 없어서 White Noise의 특성을 표시하고 있음을 알 수 있다. 그러나 모든 주기에 대해서 빈도가 일정치 않으며 위와 같이 어느 유한한 폭의 범위내에 한정되어 있다. 그래서 완전한 백광색이 아니고 엷은 복합색을 띠고 있는 의미에서 이와 같은 랜덤파를 Pink Noise 혹은 대역백색잡음(Band-Limited White Noise)라고 부르기도 한다.

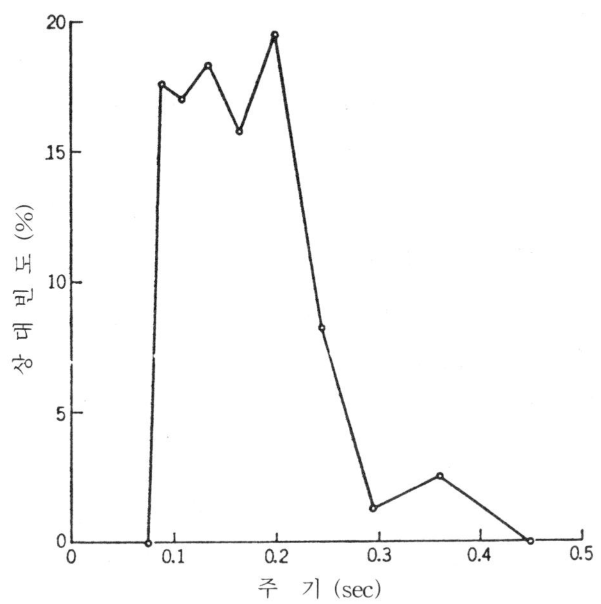

그림 2.7 랜덤 예제파의 주기-빈도 스펙트럼(피크법)

2.3 주기-빈도분포해석 프로그램

전기적으로 진동을 기록한 Cassette Tape를 넣으면 Zero Crossing법에 의한 주기빈도분포가 자동적으로 계산되는 편리한 기계가 동경대 지진연구소 田中卓二박사에 의해 개발되었다. 주기빈도 해석기라 불리우는 것으로서 상시미동의 해석등에는 전적으로 이것을 쓰고 있다. 그리하여 주기-빈도분포해석에 계산기를 사용하는 기회는 적다. 그러나 디지탈화된 강진기록을 해석하여 상시 미동의 것과 비교해 보고 싶을 때도 있을 것이다. 이러한 목적을 위한 프로그램 PERD(Period Distribution)을 제시한다.

이 프로그램은 Zero Crossing법과 피크법 모두 사용하도록 작성 되어 있다. 어느 방법에 의해 해석할 것인가는 주프로그램의 인수 IND에 의해 지정된다. 전체적으로 산만해서 산뜻한 프로그램은 아니지만 그 흐름은 간단하며 다음과 같이 Zero Crossing점 혹은 피크점을 발견한다.

파가 Zero선을 지날때는 그 전후의 데이타 X의 부호가 변하기 때문에 인접하는 데이타의 곱은 마이너스가 된다. 따라서 IF(X(M)×X(M+1). LT. 0.0)이면 M번째의 표본점과 (M+1)번째의 표본점 사이에 Zero선을 지나는 점이 있고, 그 점을 직선보간에 의해 구한다. 윗쪽의 피크점 즉, 산의 정상에는 그 점 앞의 경사가 (+)이고 이점을 넘으면 경사의 부호가 바뀐다. 따라서 GRAD=+1.0으로 두고
IF((X(M)-X(M-1)) * GRAD. GT. 0.0)이고
IF((X(M+1)-X(M)) * GRAD. LT. 0.0)이
M번째의 표본점이 산의 정상이 된다. 그리고 GRAD=-1.0 으로 했을때 같은 요령으로 계곡의 바닥점이 판별된다.

이와같이 해서 Zero Cross점의 시간 TZ2가 구해지면 그 앞의 Zero Cross점 TZ1과의 차이를 구해서 TT=(TT2-TZ1) * 2.0를 주기로 하고 다음 계산에 대비하기 위해 TZ2의 값을 TZ1에 넣어둔다. 그리고 주기 TT를 계급의 경계치와 비교하면서 어느 계급에 속하는가를 결정해서 그 계급의 빈도를 하나 증가시킨다. 그리고 Zero Cross점의 카운트 수 NZ에 1을 더하고 만약 그점이 (+)의 경사를 가지고 Zero선을 지나는 점일때 즉 IF(X(M-1).LT.0.0)이면 NO를 하나 카운트 해두고 다음 Zero Cross점을 찾아서 계속 계산해 간다. 피크법의 경우도 방법은 이와 거의 같다.

주된 흐름은 이것뿐이지만 이 프로그램에서는 여러가지 세세한 것이 추기되어 있다. 이를테면, 실제 지진파 등에서는 흔한 것은 아니나, 만일 같은 값의 점이 2개 이상 연속하면 앞에서 언급한 바와 같은 Zero Cross혹은 피크의 판징이 대단히 어렵게 된다. 그래서 INITIALIZA-TION에서 이와같은 경우에는 대단히 적은 수를 더하고 또 빼면서 그림 2.8의 (a)에서 (b)로 즉 극히 작은 것이지만 앞에서와 같이 경사가 연속해 있는 것과 같이 원래의 데이타를 수정한다.

INITIALIZATION이 끝나면 최초의 Zero Cross점 또는 최초의 피크점을 구하는 것은 그리 어려운 일이 아니다.

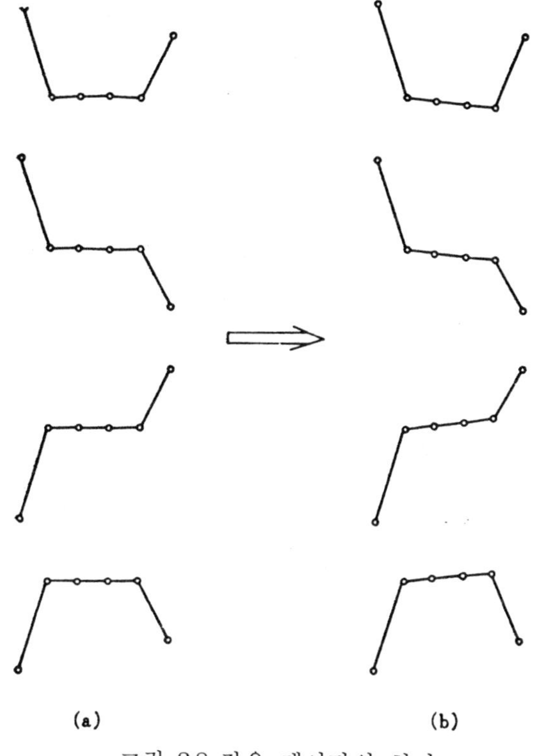

그림 2.8 같은 데이타의 처리

Zero Crossing법 및 PEAK법의 본론에 들어가서는 이것도 실제 지진파에서는 거의 없는 것이지만 어느 데이타의 값이 간혹 정확히 0이 되는 경우와 또한 마지막 데이타가 간혹 0이 되는 것을 고려해야 한다.

이렇게 되면 전체의 프로그램은 산만하게 된다. 그러나 이 프로그램이라 하는 것은 대단한 신경을 써서 적어도 어느정도 가능성이 있는 경우는 그때그때 처리해 두지 않으면 나중에 계산착오나 엉뚱한 결과를 가져올 수 있으므로 계산기로 적당히 처리 해서는 안된다.

이 프로그램의 사용예는 전술한 표 2.2의 Zero Crossing법에 의한 계산 결과와 같다.

더욱 필자의 연구실에서는 지진파의 펀치카드는 그림 2.9와 같이 일률적으로 사용하고 있다.

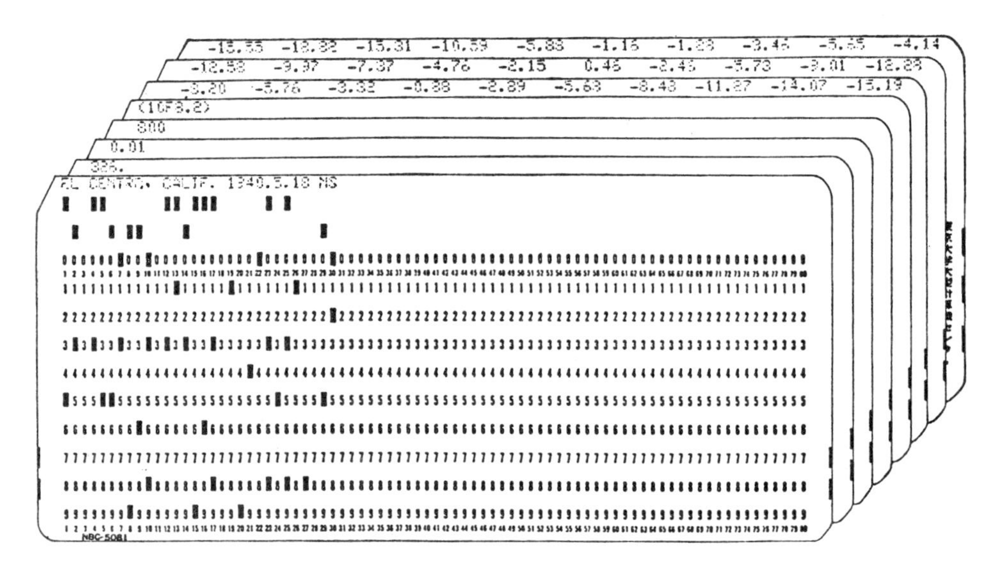

그림 2.9 지진파의 펀치카드 편성예

1번째 카드 : 지진파의 명칭 (A 48)
2번째 카드 : 최대진폭 (F 12.7)
3번째 카드 : 시간간격 (F 7.4) 단위 sec
4번째 카드 : 데이타의 수 (I 5)
5번째 카드 : 데이타의 FORMAT (A 20)
6번째 카드 : 데이타

따라서 사용예의 READ문은 이와 같이 편성된 카드를 읽어 들이게 되어 있다. 이것은 후술하는 사용예에서도 모두 같다. 단 여기서는 파의 최대진폭은 계산에 필요치 않으므로 두번째 카드는 읽기만 하는 것이다.

PERD(주기-빈도분포)

목 적

주어진 등간격 데이타의 주기-빈도를 Zero Crossing법 또는 피크법에 의하여 계산한다.

사용법

(1) 연결방법

CALL PERD (N, X, ND, DT, IND, T, NFREQ, RFREQ, EPS)

인 수	형	부프로그램을 부르는 경우의 내용	부프로그램으로부터 읽어들이는 내용
N	I	데이타의 수	좌 동
X	R 1차원배열(ND)	데이타	좌 동
ND	I	주프로그램에서X의 차원	좌 동
DT	R	데이타의 시간간격 (단위sec)	좌 동
IND	I	IND=0 Zero-Crossing법 IND=1 Peak법	좌 동 (단위 : sec)
T	R 1차원배열(20)	무엇이든 좋다	주기의계급대표치 (sec)
NFREQ	I 1차원배열(20)	무엇이든 좋다	각계급의 빈도
RFREQ	R 1차원배열(20)	무엇이든 좋다	각계급의상대빈도 (단위%)
EPS	R	무엇이든 좋다.	불규칙지수

(2) 주의사항

인접하는 데이타가 같은 경우는 부프로그램에서 읽었을때 그 값에 1.OE-4정도 가감 된다.

(3) 필요한 서브루틴 및 함수 프로그램은 없다.

프로그램리스트

```
C  * * * * * * * * * * * * * * * * * * * * * * * * *                    PERD   1
C      SUBROUTINE FOR PERIOD DISTRIBUTION                                 PERD   2
C  * * * * * * * * * * * * * * * * * * * * * * * * *                    PERD   3
C                                                                         PERD   4
C                           CODED BY Y.OHSAKI                             PERD   5
C                                                                         PERD   6
C      PURPOSE                                                            PERD   7
C        TO EVALUATE PERIOD-FREQUENCY DISTRIBUTION OF A SERIES OF EQUI-   PERD   8
C        SPACED DATA BY MEANS OF ZERO-CROSSING OR PEAK METHOD             PERD   9
C                                                                         PERD  10
C      USAGE                                                              PERD  11
C        CALL PERD(N,X,ND,DT,IND,T,NFREQ,RFREQ,EPS)                      PERD  12
C                                                                         PERD  13
```

```
C     DESCRIPTION OF PARAMETERS                                          PERD 14
C       N          - TOTAL NUMBER OF DATA                                PERD 15
C       X(ND)      - EQUI-SPACED DATA                                    PERD 16
C       ND         - DIMENSION OF X IN CALLING PROGRAM.                  PERD 17
C       DT         - TIME INCREMENT OF DATA IN SEC                       PERD 18
C       IND        - IF IND.EQ.0, ZERO-CROSSING METHOD                   PERD 19
C                    IF IND.EQ.1, PEAK METHOD                            PERD 20
C       T(20)      - PERIODS IN SEC                                      PERD 21
C       NFREQ(20)  - FREQUENCY IN EACH CLASS OF PERIOD                   PERD 22
C       RFREQ(20)  - RELATIVE FREQUENCY IN EACH CLASS OF PERIOD IN       PERD 23
C                    PERCENT                                             PERD 24
C       EPS        - IRREGULARITY INDEX                                  PERD 25
C                                                                        PERD 26
C     SUBROUTINES AND FUNCTION SUBPROGRAMS REQUIRED                      PERD 27
C       NONE                                                             PERD 28
C                                                                        PERD 29
      SUBROUTINE PERD(N,X,ND,DT,IND,T,NFREQ,RFREQ,EPS)                   PERD 30
C                                                                        PERD 31
      DIMENSION X(ND),T(20),NFREQ(20),RFREQ(20)                          PERD 32
      DIMENSION BOUND(21)                                                PERD 33
      DATA      BOUND/0.05,0.06,0.07,0.08,0.10,0.12,0.15,                PERD 34
     1                0.18,0.22,0.27,0.32,0.40,0.50,0.60,                PERD 35
     2                0.75,0.90,1.10,1.30,1.60,2.00,2.50/                PERD 36
C                                                                        PERD 37
C     INITIALIZATION                                                     PERD 38
C                                                                        PERD 39
      DO 110 I=1,20                                                      PERD 40
      T(I)=(BOUND(I)+BOUND(I+1))/2.0                                     PERD 41
      NFREQ(I)=0                                                         PERD 42
  110 CONTINUE                                                           PERD 43
      IF(X(1).EQ.0.0) X(2)=X(2)+0.0001                                   PERD 44
      DO 120 M=2,N-1                                                     PERD 45
      IF(ABS(X(M)-X(M+1)).GT.0.001) GO TO 120                            PERD 46
      X(M+1)=X(M)+SIGN(0.0001,X(M)-X(M-1))                               PERD 47
  120 CONTINUE                                                           PERD 48
      N0=0                                                               PERD 49
      DO 130 M=1,N-1                                                     PERD 50
      IF(X(M).EQ.0.0) GO TO 140                                          PERD 51
      IF(X(M)*X(M+1).LT.0.0) GO TO 140                                   PERD 52
  130 CONTINUE                                                           PERD 53
  140 TZ1=(FLOAT(M-1)+ABS(X(M)/(X(M)-X(M+1))))*DT                        PERD 54
      NZ=1                                                               PERD 55
      IF(X(M+1).GT.0.0) N0=N0+1                                          PERD 56
      MZ1=M+1                                                            PERD 57
      DO 150 M=2,N-1                                                     PERD 58
      IF(X(M)-X(M-1).LT.0.0) GO TO 150                                   PERD 59
      IF(X(M+1)-X(M).GT.0.0) GO TO 150                                   PERD 60
      GO TO 160                                                          PERD 61
  150 CONTINUE                                                           PERD 62
  160 TPP1=FLOAT(M-1)*DT                                                 PERD 63
      NP=1                                                               PERD 64
      MPP1=M+1                                                           PERD 65
      IF(IND.EQ.0) GO TO 190                                             PERD 66
      DO 170 M=2,N-1                                                     PERD 67
      IF(X(M)-X(M-1).GT.0.0) GO TO 170                                   PERD 68
      IF(X(M+1)-X(M).LT.0.0) GO TO 170                                   PERD 69
      GO TO 180                                                          PERD 70
  170 CONTINUE                                                           PERD 71
  180 TPM1=FLOAT(M-1)*DT                                                 PERD 72
      MPM1=M+1                                                           PERD 73
C                                                                        PERD 74
C     ZERO-CROSSING METHOD                                               PERD 75
C                                                                        PERD 76
  190 DO 250 M=MZ1,N                                                     PERD 77
      IF(M.EQ.N) GO TO 200                                               PERD 78
      IF(X(M)*X(M+1).GT.0.0) GO TO 250                                   PERD 79
      IF(X(M).EQ.0..AND.X(M-1)*X(M+1).GT.0..OR.X(M+1).EQ.0.) GO TO 250   PERD 80
      TZ2=(FLOAT(M-1)+ABS(X(M)/(X(M)-X(M+1))))*DT                        PERD 81
      GO TO 210                                                          PERD 82
```

```
  200 IF(X(N).NE.0.0) GO TO 250                                PERD 83
      TZ2=FLOAT(N-1)*DT                                        PERD 84
  210 TT=(TZ2-TZ1)*2.0                                         PERD 85
      TZ1=TZ2                                                  PERD 86
      IF(TT.LE.BOUND(1).OR.TT.GT.BOUND(21)) GO TO 250          PERD 87
      IF(IND.EQ.1) GO TO 240                                   PERD 88
      DO 220 I=1,20                                            PERD 89
      IF(TT.GT.BOUND(I+1)) GO TO 220                           PERD 90
      NFREQ(I)=NFREQ(I)+1                                      PERD 91
      GO TO 230                                                PERD 92
  220 CONTINUE                                                 PERD 93
  230 NZ=NZ+1                                                  PERD 94
  240 IF(X(M-1).LT.0.0) NO=NO+1                                PERD 95
  250 CONTINUE                                                 PERD 96
      TOTAL=FLOAT(NZ-1)                                        PERD 97
C                                                              PERD 98
C     PEAK METHOD                                              PERD 99
C                                                              PERD100
      GRAD=1.0                                                 PERD101
      MP1=MPP1                                                 PERD102
      TP1=TPP1                                                 PERD103
  260 DO 290 M=MP1,N-1                                         PERD104
      IF((X(M)-X(M-1))*GRAD.LT.0.0) GO TO 290                  PERD105
      IF((X(M+1)-X(M))*GRAD.GT.0.0) GO TO 290                  PERD106
      TP2=FLOAT(M-1)*DT                                        PERD107
      TT=TP2-TP1                                               PERD108
      TP1=TP2                                                  PERD109
      IF(TT.LE.BOUND(1).OR.TT.GT.BOUND(21)) GO TO 290          PERD110
      IF(IND.EQ.0) GO TO 280                                   PERD111
      DO 270 I=1,20                                            PERD112
      IF(TT.GT.BOUND(I+1)) GO TO 270                           PERD113
      NFREQ(I)=NFREQ(I)+1                                      PERD114
      GO TO 280                                                PERD115
  270 CONTINUE                                                 PERD116
  280 NP=NP+1                                                  PERD117
  290 CONTINUE                                                 PERD118
      IF(GRAD.GT.0.0) NM=NP                                    PERD119
      IF(IND.EQ.0) GO TO 300                                   PERD120
      GRAD=GRAD-2.0                                            PERD121
      MP1=MPM1                                                 PERD122
      TP1=TPM1                                                 PERD123
      IF(GRAD.GT.-2.0) GO TO 260                               PERD124
      TOTAL=FLOAT(NP-1)                                        PERD125
C                                                              PERD126
C     RELATIVE FREQ. AND IRREGULARITY INDEX                    PERD127
C                                                              PERD128
  300 DO 310 I=1,20                                            PERD129
      RFREQ(I)=FLOAT(NFREQ(I))/TOTAL*100.0                     PERD130
  310 CONTINUE                                                 PERD131
      IF(NM.LE.NO) GO TO 320                                   PERD132
      EPS=SQRT(1.0-(FLOAT(NO)/FLOAT(NM))**2)                   PERD133
      RETURN                                                   PERD134
  320 EPS=0.0                                                  PERD135
      RETURN                                                   PERD136
      END                                                      PERD137
```

사용례

```
      DIMENSION NAME(12),FMT(5),DATA(800),T(20),NFREQ(20),RFREQ(20)        1
C                                                                          2
      READ(5,501) NAME,DT,NN,FMT                                           3
      READ(5,FMT) (DATA(M),M=1,NN)                                         4
      CALL PERD(NN,DATA,800,DT,0,T,NFREQ,RFREQ,EPS)                        5
      WRITE(6,601) NAME,(T(I),NFREQ(I),RFREQ(I),I=1,20),EPS                6
      STOP                                                                 7
C                                                                          8
  501 FORMAT(12A4//F7.0/I5/5A4)                                            9
  601 FORMAT(1H1/7(1H0/)/1H ,35X,12A4/1H0,37X,26H-- ZERO-CROSSING METHOD  10
     1 --/1H0/1H ,39X,11HPERIOD(SEC),5X,9HFREQUENCY,5X,23HRELATIVE FREQ.  11
     2(PERCENT)//20(1H ,40X,F7.3,11X,I5,12X,F8.2/)/1H0/1H ,39X,18HIRREGU  12
     3LARITY INDEX,F8.3)                                                  13
      END                                                                 14
```

3. 확률밀도 스펙트럼

3.1 확률밀도

앞에서 Zero Crossing법에 의한 진동수와 국부 최대진폭의 관계를 나타내는 특수한 스펙트럼에 대해서 언급하였다. 그러나 Zero Crossing법이나 피크법에서, 주기-빈도 해석은 파의 주기성에 대해서만 고찰한 것이었다. 다시말하면 시간축 즉, 횡축에만 주목하고 종축, 즉 파의 진폭에 대해서는 전혀 고려하지 않고 있다. 이에 반해서, 다음에 서술하는 확률밀도 분포에서는 시간과는 전혀 관계없이 파의 진폭에만 주목할 것이다.

하나의 지진파에는 크기에 따라 여러가지 진폭이 있다. 어떤 것에는 큰진폭의 파가 반복적으로 대단히 많이 있는 것이 있는가 하면 또 다른 파에는 큰 진폭의 것은 겨우 1 또는 2파 정도이고 나머지는 극히 진폭이 작은 파가 길게 연속하는 경우도 있다. 이와같이 여기서 문제가 되는 것은 진폭 그 자체의 크기가 아니고 각각의 파속에 포함되어 있는 크고 작은 진폭의 분포이다. 경우에 따라서는 파가(+)측에서만 흔들리고 (-)측에는 거의 흔들리지 않은 파도 있을 것이다. 이 경우는 진폭이 한쪽으로만 분포하고 있다고 본다.

파의 진폭을 몇개의 계급으로 나누고, 각 계급에 속하는 진폭의 수, 다시 말하면 진폭 표본치의 수, 즉 빈도를 확률밀도, 그 분포를 확률밀도분포라 한다. 좀더 고차원적으로 말하자면, 그림 3.1과 같이 파의 우측에 스크린을 설치하고, 좌측으로부터 광선을 통과시키면 파가 많이 겹쳐져서 밀도가 높은 곳은 광선을 통과시키기 어렵고, 밀도가 낮은 곳은 빛이 투과되므로 스크린에는 진하고 엷은 그림자가 생긴다. 이 그림자가 확률밀도 분포가 된다.

그림 3.1은 El Centro 지진파에 대한 것인데, 여기서는 파형을 Curve

EL CENTRO. CALIF. 1940. 5. 18. NS

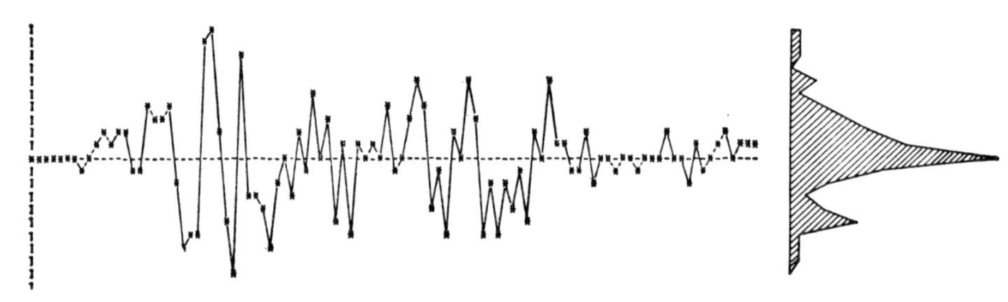

그림 3.1 지진파의 확율밀도분포

plotter를 쓰지 않고 대략적인 형을 라인프린트로 작성할 것이다. 그래서 각 행에 있는 별표의 수를 세면 그것이 확률밀도 분포가 된다. 우측에 있는 그림자의 진함 정도를 표시하는 절선 그래프 즉, 확률밀도분포 곡선 혹은 확률밀도 스펙트럼은 이렇게 작성된 것이다.

El Centro 지진파의 확률밀도 분포를 후술하려는 프로그램 PROD로 계산한 결과는 표 3.1과 같다. 여기서 주의해둘 것은 진폭이 원래의 지진파에 대한 것이 아니고 진폭의 최대치 즉 El Centro지진파의 경우 326(gal)이 정확히 1이 되도록 수정한 것이다. 이와같이 어느 값이 1이 되도록 고치는 것을 그 값에 대해 규준화(normalize)한다고 한다. 표 3.1에는 진폭이 그 최대치에 대해 규준화되어 있으며, 또한 규준화된 진폭을 상대진폭(relative amplitude)이라 부른다. 그리고 상대진폭 ±1 사이를 계급간격이 0.1 인 21 계급으로 나누고, RELAT.AMP.의 열에는 그 계급대표치가 프린트 되어 있다. 각 계급에 속하는 빈도 즉 확률밀도분포가 %로 표시되어 있는 것을 알 수 있다.

이 결과를 확률밀도 스펙트럼 형으로 그린 것이 그림 3.2이다. 앞의 그림 3.1의 그림자의 형이 이 곡선과 거의 유사함을 알 수 있다. 이러한 분포를 다루는 경우에는 먼저 그 분포의 중심(中心)이 문제가 된다. 중심은 문자 그대로 중심에 있고, 좌우 대칭형의 분포를 하고 있는 것도 있으며 중심이 한쪽으로 쏠려 있는 것도 있다. 이 분포의 중심을 결정하면 그것

표 3.1 El Centro 지진파의 확률밀도분포

EL CENTRO. CALIF. 1940.5.18 NS

-- PROBABILITY DENSITY DISTRIBUTION --

RELAT.AMP.	PROB.DENSITY(PERCENT)
1.00	0.50
0.90	0.75
0.80	0.62
0.70	0.62
0.60	2.37
0.50	2.62
0.40	3.13
0.30	5.12
0.20	8.25
0.10	16.37
0.00	24.62
-0.10	13.00
-0.20	4.50
-0.30	3.62
-0.40	4.00
-0.50	4.12
-0.60	2.87
-0.70	1.25
-0.80	0.75
-0.90	0.87
-1.00	0.00

NORMALIZED AVERAGE VALUE -0.000

NORMALIZED STANDARD DEV. 0.314

은 전 표본치의 평균치(average value)가 된다. 지금 표본치를 x_m(m=0,1,2,…N-1)로 하면 평균 $\bar{x}$는

$$\bar{x}=\frac{1}{N}\sum_{m=0}^{N-1}x_m \tag{3.1}$$

이다. 다음 문제가 되는 것은 분포의 넓이 이다. 표본치가 중심의 주위에 집중되어 있는 것도 있고, 중심에서 멀리 떨어져서 흐트러져 있는 것도 있다. 이와 같이 분포의 넓이의 정도를 표시하는 것으로서 표준편차(standard deviation)가 있다. 표준편차 σ는

$$\sigma=\sqrt{\sum_{m=0}^{N-1}(x_m-\bar{x})^2/N}$$

또는

$$\sigma=\sqrt{\frac{1}{N}\sum_{m=0}^{N-1} x_m{}^2-\bar{x}^2} \tag{3.2}$$

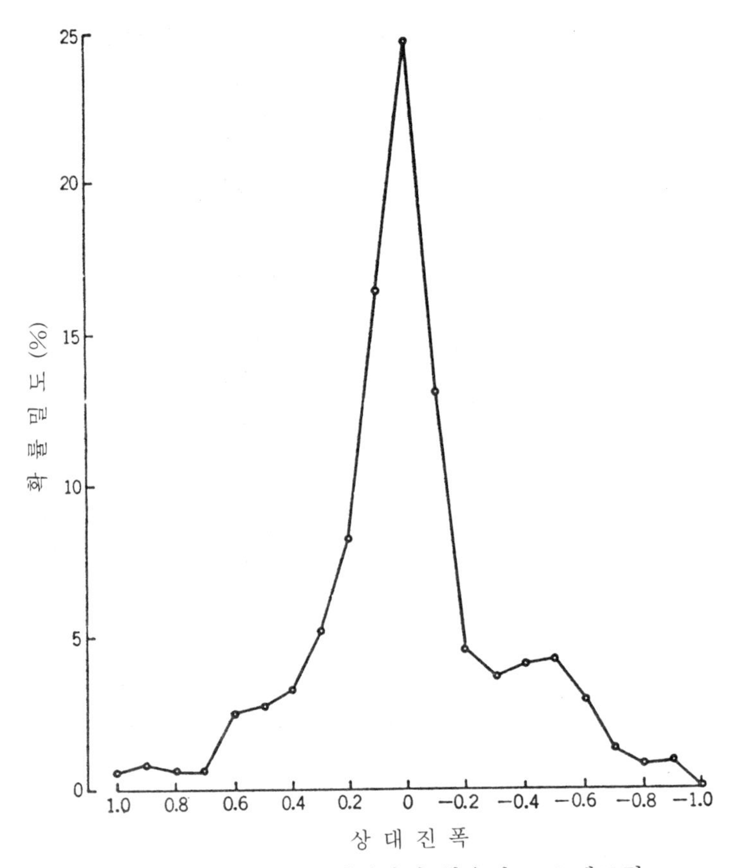

그림 3.2 El Centro 지진파의 확율밀도 스펙트럼

으로 구해진다. El Centro지진파의 경우 평균치와 표준편차가 표 3.1에 프린트되어 있다. 단 이들 값도 지진파의 최대 진폭에 대해 규준화 되어 있는 것에 주의해야 한다. 여기서는 σ=0.314이므로 원 데이타의 표준편차로 고치면

$$\sigma=326\times0.314\fallingdotseq102\text{gal}$$

이 된다. 이와같이 여기서는 표 3.1, 그림 3.2 모두 진폭의 최대치로 규준

화 되어 있으나 이와 반대로 먼저 표본치의 표준편차를 계산해 두고 그 표준편차에 대해 규준화 하는 방법도 있다. 이렇게 하면 그림 3.2의 횡축이 표준편차에 대해 규준화된 상대진폭으로 나타남로 최대진폭이 중심에서 표준편차의 몇배 열어진 곳에 있는지 쉽게 알 수 있어서 경우에 따라서는 이 방법이 좋을 수 있다. 다음에 서술하는 바와 같이, 이론적인 확률밀도분포와 비교할때에도 이 방법이 좋다.

3.2 Gauss 분포

그림 3.2와 같은 요령으로 그림 1.5에 표시한 랜덤 예제파의 확률밀도 스펙트럼을 작성한 것이 그림 3.3의 실선이다. 곡선의 모양이 거의 좌우대칭으로, El Centro지진파의 경우가 뿔모양이었는데 반해, 중앙이 불쑥 솟아 오른 형으로 되어 있다. 이 경우 평균치와 표준편차의 값도 그림에 기입되어 있다.

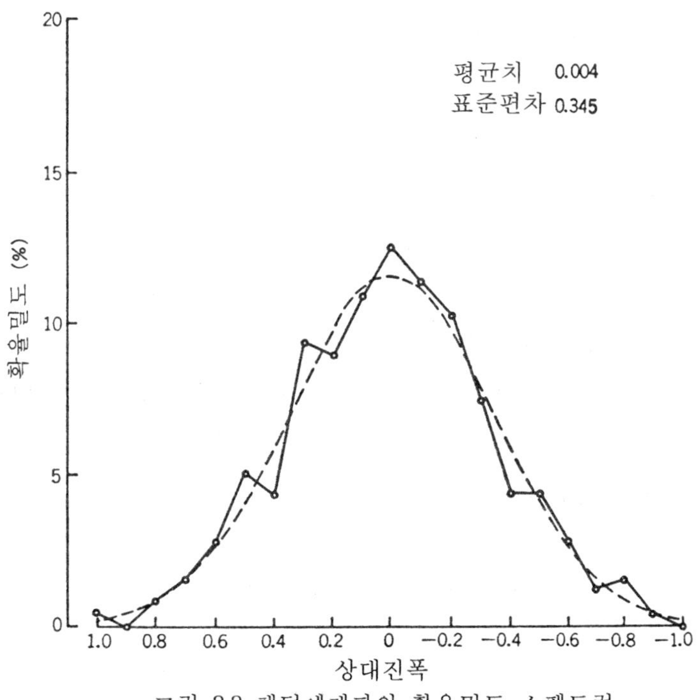

그림 3.3 랜덤예제파의 확율밀도 스펙트럼

일반적으로 랜덤파의 확률밀도 분포는 이론적으로 정규분포 혹은 Gauss 분포형을 갖는 것으로 알려져 있다. Gauss 분포란 x를 변량, $\bar{x}$를 평균치, σ를 표준편차로 할때

$$p(x)=\frac{1}{\sigma\sqrt{2\pi}}e^{-(x-\bar{x})^2/2\sigma^2} \tag{3.3}$$

으로 표시되는 함수이다. 이와같은 경우 x를 상대진폭으로 하여 그림 3.3에 기입한 평균치와 표준편차를 사용하여 (3.3)식에 의해 Gauss 분포를 그려보면 그림의 점선과 같이 된다.

실제의 분포와 이론치, 즉 그림의 실선과 점선은 비교적 잘 일치한다고 할 수는 있으나 실은 그렇지 않다. 왜냐하면 그림 1.5의 랜덤 예제파는 전후관계가 전혀 없는 임의 점들을 나열한 것이라고 기술하였는데, 이러한 점들은 확률밀도 분포가 Gauss 분포로 되는 것과 같은 난수(정규난수라 한다)로 작성되어 있으며 두가지가 잘 일치한다고 보기전에, 오히려 랜덤 예제파의 경우는 표본총수 256이 충분히 큰수가 아니므로 이론치에서 약간 벗어나 있다고 보는 것이 당연할 것이다.

3.3 확률밀도분포 프로그램

다음에 언급하는 프로그램 PRŌD(Probability Density Distribution)는 주어진 파형을 먼저 최대진폭에 대해 규준화하고 계급간격 0.1, 21계급의 각각에 속하는 표본치의 수를 세어서 확률밀도분포를 계산하는 것이다. 동시에 (3.1)식 및 (3.2)식에 의해 평균치와 표준편차도 계산한다. 특별한 기법을 쓴 것은 없고, 극히 간단한 프로그램이므로 특별한 설명은 필요없을 것이다. 사용예는 앞의 표 3.1과 같으며, 데이타 카트의 편성은 그림 2.9에 표시한 바와같다.

PRŌD(확률밀도분포)

목 적

주어진 데이타의 확률밀도 분포를 계산한다.

사용법

(1) 접속방법

CALL PRŌD (N, X, ND, RAMPL, PDENS, AV, SD)

인 수	형	부프로그램을 부르는 경우의 내용	부프로그램으로부터 읽어들이는 내용
N	I	데이타의 수	좌 동
X	R 1차원배열(ND)	데이타	최대치로 규준화된 데이타
ND	I	주프로그램에서X의 차원	좌 동
RAMPL	R 1차원배열(21)	무엇이든 좋다	상대진폭의 계급대표치
PDENS	R 1차원배열(21)	무엇이든 좋다	각계급의 확율분포 (단위 %)
AV	R	무엇이든 좋다	최대치로 규준화된 평균치
SD	R	무엇이든 좋다	최대치로 규준화된 표준편차

(2) 필요한 서브루틴 및 함수프로그램은 없다.

프로그램 리스트

```
C  * * * * * * * * * * * * * * * * * * * * * * * * * *              PROD   1
C       SUBROUTINE FOR PROBABILITY DENSITY                            PROD   2
C  * * * * * * * * * * * * * * * * * * * * * * * * * *              PROD   3
C                                                                     PROD   4
C                        CODED BY Y.OHSAKI                            PROD   5
C                                                                     PROD   6
C       PURPOSE                                                       PROD   7
C         TO EVALUATE PROBABILITY DENSITY DISTRIBUTION OF A SERIES OF PROD   8
C         DATA                                                        PROD   9
C                                                                     PROD  10
C       USAGE                                                         PROD  11
C         CALL PROD(N,X,ND,RAMPL,PDENS,AV,SD)                         PROD  12
C                                                                     PROD  13
C       DESCRIPTION OF PARAMETERS                                     PROD  14
C         N          - TOTAL NUMBER OF DATA                           PROD  15
C         X(ND)      - DATA                                           PROD  16
C         ND         - DIMENSION OF X IN CALLING PROGRAM              PROD  17
C         RAMPL(21)  - RELATIVE AMPLITUDES                            PROD  18
C         PDENS(21)  - PROBABILITY DENSITY IN PERCENT                 PROD  19
C         AV         - AVERAGE OF DATA                                PROD  20
C         SD         - STANDARD DEVIATION OF DATA                     PROD  21
C                                                                     PROD  22
C       SUBROUTINES AND FUNCTION SUBPROGRAMS REQUIRED                 PROD  23
C         NONE                                                        PROD  24
```

```
C                                                                   PROD 25
      SUBROUTINE PROD(N,X,ND,RAMPL,PDENS,AV,SD)                     PROD 26
C                                                                   PROD 27
      DIMENSION X(ND),RAMPL(21),PDENS(21)                           PROD 28
      DIMENSION BOUND(21)                                           PROD 29
C                                                                   PROD 30
C     INTIALIZATION                                                 PROD 31
C                                                                   PROD 32
      DO 110 I=1,21                                                 PROD 33
      RAMPL(I)=1.0-FLOAT(I-1)/10.0                                  PROD 34
      BOUND(I)=RAMPL(I)-0.05                                        PROD 35
      PDENS(I)=0.0                                                  PROD 36
  110 CONTINUE                                                      PROD 37
      XMAX=0.0                                                      PROD 38
      DO 120 M=1,N                                                  PROD 39
      XMAX=AMAX1(XMAX,ABS(X(M)))                                    PROD 40
  120 CONTINUE                                                      PROD 41
      DO 130 M=1,N                                                  PROD 42
      X(M)=X(M)/XMAX                                                PROD 43
  130 CONTINUE                                                      PROD 44
      AV=0.0                                                        PROD 45
      SD=0.0                                                        PROD 46
C                                                                   PROD 47
C     PROBABILITY DENSITY                                           PROD 48
C                                                                   PROD 49
      DO 150 M=1,N                                                  PROD 50
      AV=AV+X(M)                                                    PROD 51
      SD=SD+X(M)**2                                                 PROD 52
      DO 140 I=1,21                                                 PROD 53
      IF(X(M).LT.BOUND(I)) GO TO 140                                PROD 54
      PDENS(I)=PDENS(I)+1.0                                         PROD 55
      GO TO 150                                                     PROD 56
  140 CONTINUE                                                      PROD 57
  150 CONTINUE                                                      PROD 58
      DO 160 I=1,21                                                 PROD 59
      PDENS(I)=PDENS(I)/FLOAT(N)*100.0                              PROD 60
  160 CONTINUE                                                      PROD 61
      AV=AV/FLOAT(N)                                                PROD 62
      SD=SQRT(SD/FLOAT(N)-AV**2)                                    PROD 63
      RETURN                                                        PROD 64
      END                                                           PROD 65
```

사용예

```
      DIMENSION NAME(12),FMT(5),DATA(800),RAMPL(21),PDENS(21)              1
C                                                                          2
      READ(5,501) NAME,NN,FMT                                              3
      READ(5,FMT) (DATA(M),M=1,NN)                                         4
      CALL PROD(NN,DATA,800,RAMPL,PDENS,AV,SD)                             5
      WRITE(6,601) NAME,(RAMPL(I),PDENS(I),I=1,21),AV,SD                   6
      STOP                                                                 7
C                                                                          8
  501 FORMAT(12A4///I5/5A4)                                                9
  601 FORMAT(1H1/7(1H0/)/1H ,40X,12A4/1H0,42X,38H-- PROBABILITY DENSITY   10
     1DISTRIBUTION --/1H0/1H ,44X,10HRELAT.AMP.,3X,21HPROB.DENSITY(PERCE  11
     2NT)//21(1H ,45X,F8.2,8X,F8.2/)/1H0/1H ,44X,24HNORMALIZED AVERAGE V  12
     3ALUE,F10.3/1H0,44X,24HNORMALIZED STANDARD DEV.,F10.3)               13
      END                                                                 14
```

4. Fourier 스펙트럼

4.1 유한 Fourier 근사

앞의 그림 1.6(a)와 같은 시간 함수의 기록 — 이와 같이 시간 축위에 작성된 기록을 시간이력(time history)이라고 한다 — 을 그림 1.6(b)와 같이, 등간격의 표본점으로 읽을 수 있으면 읽어들인 표본치는 하나의 수열을 이루게 된다. 이 수열을 시계열(time series)라 한다. 지금 이와 같이 등간격으로 읽은 표본치를 사용하여 원래의 매끄러운 곡선을 나타내는 식을 구하는 것을 생각해 보자. 혹은 그러한 곡선을 재현하는 것을 시험한다 해도 무방하다.

표본점간격을 Δt, 표본수를 N라 하면, 지속시간은

$$T=N\Delta t \tag{4.1}$$

가 된다. 또 각점에서 표본치를 x_m이라 하고 여기서 m은 표본점의 번호, 즉

$$m=0,1,2,3,\cdots\cdots,N-1$$

인 정수이다. m번째 표본정의 시각은

$$t=m\Delta t$$

따라서 원래의 시간함수를 $x(t)$로 표시하면

$$x_m=x(m\Delta t) \tag{4.2}$$

이다. N은 표본수이므로 임의의 정수가 되어도 좋지만, 여기서는 일단 짝수로 가정한다. N이 짝수이면서 특수한 짝수이면, 매우 취급하기가 용이하다는 것을 나중에 알게 될 것이다.

N개의 표본치 x_m을 모두 나타내는 함수를 결정하는 방법은 무한히 많이 있지만, 여기서는 한가지 방법으로 삼각함수를 사용해 보기를 한다.

일반적으로

$$A_0, A_1, A_2, \cdots\cdots, A_k, \cdots\cdots$$

$$B_0, B_1, B_2, \cdots\cdots, B_k, \cdots\cdots$$

를 상수로 두고

$$A_0 + A_1 \cos t + A_2 \cos 2t + \cdots\cdots + A_k \cos kt + \cdots\cdots$$
$$+ B_0 + B_1 \sin t + B_2 \sin 2t + \cdots\cdots + B_k \sin kt + \cdots\cdots$$

를 하나의 식으로 묶으면

$$\sum_{k=0}^{\infty} [A_k \cos kt + B_k \sin kt] \qquad (4.3)$$

이러한 형의 급수를 삼각급수라 한다. (4.3)식의 t대신

$$t \longrightarrow \frac{2\pi}{T} t$$

또는 (4.1)식에 따라

$$t \longrightarrow \frac{2\pi}{N\Delta t} t$$

로 두면

$$\sum_{k=0}^{\infty} \left[A_k \cos \frac{2\pi kt}{N\Delta t} + B_k \sin \frac{2\pi kt}{N\Delta t} \right] \qquad (4.4)$$

가 되어도 이것도 역시 삼각급수이다.

(4.4)식은 k에 대하여 0에서 무한대까지 합하는 무한급수이지만, 이제 이것을 $k=N/2$까지 잘라보면

$$\sum_{k=0}^{N/2} \left[A_k \cos \frac{2\pi kt}{N\Delta t} + B_k \sin \frac{2\pi kt}{N\Delta t} \right] \qquad (4.5)$$

의 유한삼각급수가 된다.

이 유한 삼각급수는 분명히 시간 t의 함수이다. 그래서 지금 이 함수가 정확히 N개의 표본점 x_m를 나타내도록 하여, (4.5)식에 의해서도 임의함수를 표시할 수 있다는 것을 알아보자. 그러기 위해서는 t를 m번째의 표본점의 시간

$$t = m\Delta t$$

로 했을때 (4.5)식의 값이 m번째의 표본치 x_m과 같으면 된다. 즉

$$x_m = \sum_{k=0}^{N/2} \left[A_k \cos\frac{2\pi km}{N} + B_k \sin\frac{2\pi km}{N} \right] \tag{4.6}$$

이, m의 모든 값 $m=0,1,2,\cdots,N-1$에 대해 성립하면 된다. 이 식은

$$A_0, A_1, A_2, \cdots\cdots A_{N/2}$$
$$B_0, B_1, B_2, \cdots\cdots B_{N/2}$$

인 $2(N/2+1)$개의 상수를 포함하고 있는 듯이 보이지만, $k=0$인 경우는

$$B_0 \sin\frac{2\pi km}{N} = 0$$

이고, 또한 $k=N/2$에서도

$$B_{N/2} \sin\frac{2\pi(N/2)m}{N} = B_{N/2} \sin m\pi = 0$$

이다. 따라서 정수 B_0와 $B_{N/2}$은 처음부터 없는 것으로 생각해도 좋다. 그러면 (4.6)식은

$$\left. \begin{array}{l} A_0, A_1, A_2, \cdots\cdots, A_{N/2-1}, A_{N/2} \\ \quad B_1, B_2, \cdots\cdots, B_{N/2-1} \end{array} \right\} \tag{4.7}$$

인 합계 N개의 상수를 포함하고, $k=0$의 경우는

$$A_0 \cos\frac{2\pi km}{N} = A_0$$

이므로

$$x_m = A_0 + \sum_{k=1}^{N/2-1} \left[A_k \cos\frac{2\pi km}{N} + B_k \sin\frac{2\pi km}{N} \right] + A_{N/2} \cos\frac{2\pi(N/2)m}{N}$$

여기서 다시 상수 A_0와 $A_{N/2}$을 각각 $A_0/2$, $A_{N/2}/2$로 두기로 한다. 나중에 알게 되겠지만 이렇게 하므로써 수식상 깨끗한 표현을 얻게 된다. 그러면 결국(4.6)식은 다음과 같다.

$$x_m = \frac{A_0}{2} + \sum_{k=1}^{N/2-1} \left[A_k \cos\frac{2\pi km}{N} + B_k \sin\frac{2\pi km}{N} \right] + \frac{A_{N/2}}{2} \cos\frac{2\pi(N/2)m}{N} \tag{4.8}$$

앞에서 언급한 바와같이 이 식은 (4.7)식에 표시한 N개의 상수를 포함하며, 또 x_0, x_1, …, x_{N-1}의 모든 표본치에 대해 성립하므로 (4.8)식은 N개 된다. 따라서 N개의 상수를 미지수로 생각하면 미지수의 수가 N, 방정식의 수도 N이므로 소위 다원연립방정식의 해법에 따라 N개의 미지수 즉 (4.7)식의 상수를 모두 구할 수 있다. 말할 것도 없이 이와같이 해서 N개의 미지상수를 구할 수 있는 것은 (4.5)식의 유한삼각급수로 표시한 시간함수가 모든 x_m점을 통과하기 때문이다.

(4.8)식의 N원 연립방정식을 미지수 A_k, B_k에 대해 푸는 일은 물론 보통의 연립방정식을 푸는법으로도 될 수 있으나 여기서는 삼각함수가 갖는 특수한 성질을 이용하면 더욱 간단히 될 수 있다. 그러나 이를 위해서는 조금 준비가 필요하다. 먼저 간단한 삼각함수의 곱의 공식

$$2\cos\alpha\cdot\cos\beta = \cos(\alpha+\beta)+\cos(\alpha-\beta) \tag{4.9}$$

$$2\cos\alpha\cdot\sin\beta = \sin(\alpha+\beta)-\sin(\alpha-\beta) \tag{4.10}$$

$$2\sin\alpha\cdot\sin\beta = -\cos(\alpha+\beta)+\cos(\alpha-\beta) \tag{4.11}$$

$$2\cos^2\alpha = 1+\cos 2\alpha \tag{4.12}$$

$$2\sin^2\alpha = 1-\cos 2\alpha \tag{4.13}$$

다음과 같은 등차수열을 이루는 각의 cos 및 sin의 N항까지의 합을 구하는 다음 공식을 기억해 두어야 한다.

$$\cos\alpha+\cos(\alpha+\beta)+\cos(\alpha+2\beta)+\cdots\cdots+\cos\{\alpha+(N-1)\beta\}$$
$$=\cos\left(\alpha+\frac{N-1}{2}\beta\right)\sin\frac{N\beta}{2}/\sin\frac{\beta}{2}$$

$$\sin\alpha+\sin(\alpha+\beta)+\sin(\alpha+2\beta)+\cdots\cdots+\sin\{\alpha+(N-1)\beta\}$$
$$=\sin\left(\alpha+\frac{N-1}{2}\beta\right)\sin\frac{N\beta}{2}/\sin\frac{\beta}{2}$$

이 공식은 좌변을 $\sin(\beta/2)$로 곱하여 (4.10)식 및 (4.11)식을 사용하면, 항이 점점 없어지므로 결국 우변의 분자형으로 되어 간단히 증명할 수 있다. 다시 윗식에서 등차급수의 초기항을 $\alpha=0$으로 두면

$$\cos 0+\cos\beta+\cos 2\beta+\cdots\cdots+\cos(N-1)\beta=\cos\frac{N-1}{2}\beta\cdot\sin\frac{N\beta}{2}/\sin\frac{\beta}{2}$$

$$\sin 0+\sin\beta+\sin 2\beta+\cdots\cdots+\sin(N-1)\beta=\sin\frac{N-1}{2}\beta\cdot\sin\frac{N\beta}{2}/\sin\frac{\beta}{2}$$

또는 이를 정리하면

$$\sum_{m=0}^{N-1}\cos\beta m=\cos\frac{N-1}{2}\beta\cdot\sin\frac{N\beta}{2}/\sin\frac{\beta}{2} \tag{4.14}$$

$$\sum_{m=0}^{N-1}\sin\beta m=\sin\frac{N-1}{2}\beta\cdot\sin\frac{N\beta}{2}/\sin\frac{\beta}{2} \tag{4.15}$$

이제 다음과 같은 삼각함수의 곱의 합을 생각해 보자.

$$S=\sum_{m=0}^{N-1}\cos\frac{2\pi lm}{N}\cos\frac{2\pi km}{N} \tag{4.16}$$

여기서 ℓ과 k는 모두 1에서 N/2-1까지의 값을 갖는 정수이나, 1 또는 N/2이 될 수는 없다.

(4.9)식을 이용하면

$$S=\frac{1}{2}\sum_{m=0}^{N-1}\left[\cos\frac{2\pi(l+k)m}{N}+\cos\frac{2\pi(l-k)m}{N}\right]$$

(4.14)식의 좌변과 비교해 보면, 이것은 괄호내의 제1항에서는

$$\beta=\frac{2\pi(l+k)}{N}$$

제2항에서는

$$\beta=\frac{2\pi(l-k)}{N}$$

이 된다. 따라서

$$S=\frac{1}{2}\left[\cos\left\{\frac{N-1}{N}\cdot\pi(l+k)\right\}\sin\{\pi(l+k)\}/\sin\frac{\pi(l+k)}{N}\right.$$
$$\left.+\cos\left\{\frac{N-1}{N}\cdot\pi(l-k)\right\}\sin\{\pi(l-k)\}/\sin\frac{\pi(l-k)}{N}\right]$$

로 된다. 이식의 괄호내의 제1항은, $\pi(\ell+k)$가 π의 정수배이므로 sin {

$\pi(\ell+k)\}=0$이므로 모두 0, 제2항도 $\sin\{\pi(\ell-k)\}=0$이므로 $\ell=k$가 아니면 항상 0이 된다.

$$S=0$$

이다.

그러나 만약 $\ell=k$이면, 괄호속의 제2항의 분자, 분모 모두 0이 되므로 0/0이 된다. 따라서 $\ell=k$의 경우는 특별히 취급 하지 않으면 안된다. 이를 위해 (4.16)식으로 돌아가서 $\ell=k$로 두면

$$S=\sum_{m=0}^{N-1}\left[\cos\frac{2\pi km}{N}\right]^2$$

이 되고 (4.12)식으로 부터

$$S=\frac{1}{2}\sum_{m=0}^{N-1}\left[1+\cos\frac{4\pi km}{N}\right]=\frac{N}{2}+\cos\left\{\frac{N-1}{N}\cdot 2\pi k\right\}\sin(2\pi k)/\sin\frac{2\pi k}{N}=\frac{N}{2}$$

로 된다. 따라서 (4.16)식에 표시한 삼각함수의 곱의 합은

$$\left.\begin{array}{ll} k\neq l \text{ 인 경우} & S=0 \\ k=l \text{ 인 경우} & S=\dfrac{N}{2} \end{array}\right\}$$

이 된다는 것을 알 수 있다.

이번에는, k, ℓ 모두 $1\leq k,\ \ell\leq N/2-1$인 정수로서, 같은 sin항의 곱의 합

$$\sum_{m=0}^{N-1}\sin\frac{2\pi lm}{N}\sin\frac{2\pi km}{N}$$

을 생각해 보자. 이것도 역시 (4.16)식이 cos항의 경우와 같이, $k\neq\ell$의 경우는 0, $k=\ell$의 경우만 N/2이 된다. 그리고 sin과 cos의 곱의 합

$$\sum_{m=0}^{N-1}\sin\frac{2\pi lm}{N}\cos\frac{2\pi km}{N}$$

을 생각해 보자.

이식은 $k=\ell$이든 그렇지 않든 항상 0이다. 두식은 (4.16)식과 같은 요령으로 유도되므로 독자 자신들이 증명하기 바란다. 이상의 결과를 정리하면 (4.17)식이 된다.

$$\sum_{m=0}^{N-1}\cos\frac{2\pi lm}{N}\cos\frac{2\pi km}{N}=\begin{cases}N/2 & k=l\\ 0 & k\neq l\end{cases}$$

$$\left.\begin{aligned}&\sum_{m=0}^{N-1}\sin\frac{2\pi lm}{N}\sin\frac{2\pi km}{N}=\begin{cases}N/2 & k=l\\ 0 & k\neq l\end{cases}\\&\sum_{m=0}^{N-1}\sin\frac{2\pi lm}{N}\cos\frac{2\pi km}{N}=0\end{aligned}\right\}\tag{4.17}$$

이와같은 성질을 cos(2π km/N) 및 sin(2π km/N)의 삼각함수계의 직교성이라 한다. (4.17)식의 의미는 자기자신과 곱하는 경우 일정한 값으로 되고 자기 이외의 것과 관계졌을 때는 0이 되어서 큰 에고이즘을 나타낸다는 것을 알 수 있다. 이와 같은 성질을 「직교」라 하는 것은 두개의 벡타가 직교하는 조건을 수식으로 나타내면 (4.17)식과 같은 형으로서 나타나기 때문이다. 더우기 (4.17)식은 삼각함수의 모든 값에 대해 성립하는 것이 아니고 k와 ℓ이 정수가 되는 점에서만 성립한다. 그러므로 이를 엄밀히 선점직교성(選点直交性)이라고도 한다.
이제는

$$\sum_{m=0}^{N-1}\cos\frac{2\pi km}{N} \quad \text{및} \quad \sum_{m=0}^{N-1}\cos\frac{2\pi(N/2)m}{N}\cos\frac{2\pi km}{N}$$

의 합에 대해서도 계산해 보자. 이것도 독자자신의 손으로 확인해 볼 수 있지만, 위의 두식의 합은 각각 k=0 및 k=N/2일때만 N이 되며 그외의 우는 모두 0이 된다. 즉

$$\left.\begin{aligned}&\sum_{m=0}^{N-1}\cos\frac{2\pi km}{N}=\begin{cases}N & k=0\\ 0 & k\neq 0\end{cases}\\&\sum_{m=0}^{N-1}\cos\frac{2\pi(N/2)m}{N}\cos\frac{2\pi km}{N}=\begin{cases}N & k=N/2\\ 0 & k\neq N/2\end{cases}\end{aligned}\right\}\tag{4.18}$$

(4.18)식은, 사실은 (4.17)식의 첫번째 식에서 각각 ℓ=0과 ℓ=N/2로 치환한 것에 불과하다. 같은 항만을 혼합한 경우의 합이 (4.17)식에는 N/2이 된것에 비해 조금 특수한 경우인 (4.18)식은 N/2이 아니고 N이 된다는

것은 흥미있다.

이상으로 대강 준비는 되었는데 너무 준비가 길어서 본론이 무엇인가 더듬어 보자. 본론은 (4.8)식을 만족하는 (4.7)식에 표시한 N개의 상수의 값을 구하는 것이다. (4.8)식에서 k는 단지 항의 번호를 표시하는 정수이므로 이것을 다른 문자로 표시하여도 전혀 문제가 없으므로 k대신 ℓ로 두면(4.8)식은

$$x_m=\frac{A_0}{2}+\sum_{l=1}^{N/2-1}\left[A_l\cos\frac{2\pi lm}{N}+B_l\sin\frac{2\pi lm}{N}\right]+\frac{A_{N/2}}{2}\cos\frac{2\pi(N/2)m}{N} \tag{4.19}$$

이 된다.

여기서 (4.19)식의 양변을 $\cos(2\pi km/N)$으로 곱하면

$$x_m\cos\frac{2\pi km}{N}=\frac{A_0}{2}\cos\frac{2\pi km}{N}+\sum_{l=1}^{N/2-1}\left[A_l\cos\frac{2\pi lm}{N}\cos\frac{2\pi km}{N}\right.$$
$$\left.+B_l\sin\frac{2\pi lm}{N}\cos\frac{2\pi km}{N}\right]+\frac{A_{N/2}}{2}\cos\frac{2\pi(N/2)m}{N}\cos\frac{2\pi km}{N}$$

이 되고 이것을 m=0에서 m=N-1까지 더하면

$$\sum_{m=0}^{N-1}x_m\cos\frac{2\pi km}{N}=\frac{A_0}{2}\sum_{m=0}^{N-1}\cos\frac{2\pi km}{N}+\sum_{m=0}^{N-1}\sum_{l=1}^{N/2-1}\left[A_l\cos\frac{2\pi lm}{N}\cos\frac{2\pi km}{N}\right.$$
$$\left.+B_l\sin\frac{2\pi lm}{N}\cos\frac{2\pi km}{N}\right]+\frac{A_{N/2}}{2}\sum_{m=0}^{N-1}\cos\frac{2\pi(N/2)m}{N}\cos\frac{2\pi km}{N}$$

합의 기호 Σ가 이중으로 되어 있는 것은 먼저 ℓ에 대해 더한후, 그 합을 다시 m에 대해 더한다는 의미이다. 연산의 순서를 바꾸어도 결과는 같으므로 다음과 같이 쓸 수 있다.

$$\sum_{m=0}^{N-1}x_m\cos\frac{2\pi km}{N}=\frac{A_0}{2}\left[\sum_{m=0}^{N-1}\cos\frac{2\pi km}{N}\right]+\sum_{l=1}^{N/2-1}A_l\left[\sum_{m=0}^{N-1}\cos\frac{2\pi lm}{N}\cos\frac{2\pi km}{N}\right]$$
$$+\sum_{l=1}^{N/2-1}B_l\left[\sum_{m=0}^{N-1}\sin\frac{2\pi lm}{N}\cos\frac{2\pi km}{N}\right]$$
$$+\frac{A_{N/2}}{2}\left[\sum_{m=0}^{N-1}\cos\frac{2\pi(N/2)m}{N}\cos\frac{2\pi km}{N}\right] \tag{4.20}$$

이 식에는 〔〕로 둘러싸인 항이 4개 있다. 그런데 이것들은 전부 앞서의 준비계산에서 검토된 것 들이다.

먼저 제3번째의 〔〕는 (4.17)식의 제3식에 의해 항상 0이다. 첫번째와 네번째의 〔〕도 k가 0혹은 N/2과 같은 경우를 제외하면 (4.18)식에 의해 0이다. 따라서 우변에 남는 것은 두번째항 뿐이므로

$$\sum_{m=0}^{N-1} x_m \cos\frac{2\pi km}{N} = \sum_{l=1}^{N/2-1} A_l \left[\sum_{m=0}^{N-1} \cos\frac{2\pi lm}{N} \cos\frac{2\pi km}{N}\right]$$

이 된다. 이 〔〕도 (4.17)식의 제1식에 의하면 $k=\ell$ 일때만 N/2이 되고 그외의 경우는 모두 0이 되어 없어진다. 따라서 이 식의 우변은 $\ell=1$에서 $\ell=N/2-1$까지의 합이지만 실제는

$$A_1 \cdot 0 + A_2 \cdot 0 + \cdots\cdots + A_k \cdot \frac{N}{2} + \cdots\cdots + A_{N/2-1} \cdot 0$$

이 되어 간단히 $A_k \cdot N/2$이 된다. 따라서

$$\sum_{m=0}^{N-1} x_m \cos\frac{2\pi km}{N} = A_k \cdot N/2$$

이 되고

$$A_k = \frac{2}{N} \sum_{m=0}^{N-1} x_m \cos\frac{2\pi km}{N} \qquad (4.21)$$

이 된다.

길게 준비계산을 해 둔 덕택으로 (4.8)식의 계수를 구하는 답은 간단히 구해졌다. k가 0 또는 N/2과 같은 특별한 경우는 (4.20)식의 제1항 또는 제4항만이 남게 되고 더우기 (4.18)식에 의하면

$$\sum_{m=0}^{N-1} x_m \cos\frac{2\pi km}{N} = \frac{A_0}{2} \cdot N \quad 및 \quad = \frac{A_{N/2}}{2} \cdot N$$

이 되므로 이 경우도 A_0 또는 $A_{N/2}$은 (4.21)식의 형으로 표현된다. 즉 (4.7)식에 표시한 계수 A는 $k=0$ 및 $k=N/2$이 되는 특별한 경우도 포함하여 $k=0,1,2,\cdots,N/2$의 모든경우에 대해 (4.21)식의 형태로 표시된다는 것을 알 수 있다.

앞에서 언급하지는 않았지만 (4.8)식에서 미리 계수 A_0와 $A_{N/2}$에 1/2를

곱한 것은 결국 여기서 (4.21)식과 같은 통일적 표현을 얻으리라는 것을 짐작한 것이다. 예외적인 것 또는 특별한 것은 거절하고 모두를 포함하는 통일된 표현을 지향한다 라고 하는 것은 수학자가 중히 여기는 결벽성 혹은 예술성이다.

하여튼 (4.21)식으로 계수 A_k는 결정했다. 그러면 이번에 계수 B_k를 구하려면 어떻게 할것인가 살펴보자. 여기에는 (4.19)식에 $\sin(2\pi km/N)$를 곱하고 m=0에서 N-1까지 합하면 된다. 다음은 A_k를 구한 것과 전적으로 같은 요령으로 되므로 A_k의 경우를 확실히 이해하고 있는가 아닌가를 시험해 보는 의미에서도 독자자신이 해보기를 바란다. 결과는 (4.21)식에 대응하는 간단한 형으로 된다. 즉

$$B_k = \frac{2}{N}\sum_{m=0}^{N-1} x_m \sin\frac{2\pi km}{N}$$

이것으로 일련의 작업이 끝났다. 지금까지의 결과를 정리해 보자.

임의 시간함수 $x(t)$의 등간격의 표본점에서 N(짝수)개의 표본치 x_m(m=0,1,2,…N-1)이 주어질때

$$\left.\begin{aligned} A_k &= \frac{2}{N}\sum_{m=0}^{N-1} x_m \cos\frac{2\pi km}{N} \qquad k=0,1,2,\cdots\cdots,\frac{N}{2}-1,\frac{N}{2} \\ B_k &= \frac{2}{N}\sum_{m=0}^{N-1} x_m \sin\frac{2\pi km}{N} \qquad k=\quad 1,2,\cdots\cdots,\frac{N}{2}-1 \end{aligned}\right\} \qquad (4.22)$$

이 되면 x_m은

$$x_m = \frac{A_0}{2} + \sum_{k=1}^{N/2-1}\left[A_k \cos\frac{2\pi km}{N} + B_k \sin\frac{2\pi km}{N}\right] + \frac{A_{N/2}}{2}\cos\frac{2\pi(N/2)m}{N} \qquad (4.23)$$

$$m=0,1,2,\cdots\cdots,N-1$$

A_k, B_k를 계수로 갖는 유한삼각급수로 표시된다. m번째 표본점의 시간은, 표본점 간격이 Δt일때

$$t = m\Delta t$$

따라서

$$m = \frac{t}{\Delta t}$$

가 된다.

이것을 (4.23)식의 m에 대입하면 (4.23)식의 우변은 하나의 시간함수를 표시한다. 이 시간함수는 N개의 표본치 x_m, 즉 이산치 x_m은 모두 정확하게 통과하지만 나중에 기술하는 바와 같이, 표본점과 표본점사이에서도 원래의 함수 $x(t)$와 일치한다는 보증은 전혀 없다. 따라서 이 시간함수는 원래의 함수 $x(t)$의 하나의 근사식이라는 의미에서

$$\tilde{x}(t) = \frac{A_0}{2} + \sum_{k=1}^{N/2-1}\left[A_k \cos\frac{2\pi kt}{N\Delta t} + B_k \sin\frac{2\pi kt}{N\Delta t}\right] + \frac{A_{N/2}}{2}\cos\frac{2\pi(N/2)t}{N\Delta t} \tag{4.24}$$

로 쓸 수 있다.

이와 관련해서 x′ 는 x대쉬 혹은 x프라임, $\bar{x}$는 x바-등으로 읽는데 비해 $\tilde{x}$는 x틸드(tilde)라 읽는다. 계수 A_k, B_k를 구하는 간단한 식 (4.22)을 유도하는데, (4.17)식에 표시한 삼각함수의 직교성이라고 하는 에고이즘을 교묘하고 적극적으로 이용한다는 것은 이미 배웠다. 이와같이 하여 임의의 함수 $x(t)$의 전개식을 구하는 수법을 확립한 사람이 나폴레옹의 이집트 원정에도 종군한 프랑스 수학·물리학자 Fourier(Jean Baptiste Joseph Fourier, 1768-1830)이다. 그의 이름을 따서 (4.24)식을 함수 $x(t)$의 유한 Fourier 근사, (4.22)식으로 정해지는 계수 A_k, B_k를 유한 Fourier 계수라 한다. 특히 A_k와 B_k를 구별할 필요가 있는 경우, A_k를 유한 Fourier cos계수, B_k를 유한 Fourier sin계수라고도 한다. 또 (4.22)식

사진 4.1 Fourier (1768~1830)

의 연산을 이산치 x_m의 Fourier 변환, 역으로 (4.23)식은 A_k, B_k를 이미 알고 있는 경우 원래의 표본치를 재현하는 것이 되므로 그 연산을 Fourier 역변환이라고 한다.

유한 Fourier 근사의 근사라고 하는 말이 이미 언급되었으므로 이에대해 조금 더 언급해 보자. 어느 표본치가 주어졌을때 하나의 함수형을 가정해서 그것이 모든 표본치에 대해서 매우 오차가 적으며 모든 표본치의 최근방을 통하도록 함수를 정하고 이에의해 원래의 함수를 근사시키거나 혹은 원래의 함수를 대용하는 것으로 보는 방법이 있다. 이와 같은 방법의 하나로 최소자승법이 있다는 것은 독자도 잘 알고 있을 것이다. 주어진 표본치 x_m에 대해 (4.24)식의 우변형의 함수를 가정해서, 최소자승법에 따라 상수 A_k, B_k를 정하면 결과적으로 (4.22)식과 같은 식이 얻어진다. 이 방법에 대해서는 설명하지 않겠으나 식의 유도중에 역시 (4.17)식의 직교성을 사용할 필요가 생기게 된다.

표 4.1 예제파의 유한 Fourier 계수

```
EXAMPLE WAVE
-- FINITE FOURIER COEFFICIENTS --
    TOTAL NUMBER OF DATA = 16
```

K	A	B
0	0.000	0.000
1	7.759	-4.143
2	5.489	8.380
3	4.958	11.952
4	-6.750	8.750
5	-4.188	-3.856
6	-7.239	-2.370
7	3.971	-4.951
8	2.000	0.000

그림 1.6 혹은 표 1.1에 표시한 예제파의 표본치에 대해 (4.22)식에 의해 실제로 유한 Fourier 계수 A_k, B_k를 계산해 보자. 결과는 표 4.1과 같이 된다. 이것은 삼각함수표만 있으면 간단한 수계산에 의해 구할 수 있지만 표 4.1은 다음에 표시한 서브루틴 FOUC를 사용하여 계산한 결과의 출력이다.

이와같이 해서 계수 A_k, B_k가 구해지고 이것을 (4.23)식에 대입하게 되면 원래의 표본치가 재현된다. 즉 Fourier 역변환이 성립하는 것을 확인할 수 있다. (4.22)식에 표시한 유한 Fourier cos계수 식에서 k=0으로 두면

$$A_0=\frac{2}{N}\sum_{m=0}^{N-1}x_m$$

또는

$$\frac{A_0}{2}=\frac{1}{N}\sum_{m=0}^{N-1}x_m \tag{4.25}$$

이 되고 이것은 분명히 모든 표본치의 평균치 $\bar{x}$ 이다. 따라서 (4.24)식의 유한 Fourier 근사식에서 제1항은 이와 같이 평균치를 나타내고 있음을 알 수 있다. 예제파의 경우는 (1.7)식에서 표시한 바와 같이 표본치의 평균이 0이므로 표 4.1에서 보는바와 같이

$$A_0=0.000$$

이다.

유한 Fourier계수 A_k, B_k를 구할때 (4,14)식 및 (4.15)식에 표시한 삼각급수

$$\sum_{m=0}^{N-1}\cos\beta m=\cos 0+\cos\beta+\cos 2\beta+\cos 3\beta+\cdots\cdots+\cos(N-1)\beta$$

$$\sum_{m=0}^{N-1}\sin\beta m=\sin 0+\sin\beta+\sin 2\beta+\sin 3\beta+\cdots\cdots+\sin(N-1)\beta$$

의 합을 구하는 공식이 성립함을 살펴보았다. 다음에 이것과 유사한 삼각급수

$$\sum_{m=0}^{N-1}m\cos\beta m=0\cos 0+1\cos\beta+2\cos 2\beta+3\cos 3\beta+\cdots\cdots +(N-1)\cos(N-1)\beta$$

$$\sum_{m=0}^{N-1}m\sin\beta m=0\sin 0+1\sin\beta+2\sin 2\beta+3\sin 3\beta+\cdots\cdots +(N-1)\sin(N-1)\beta$$

의 합을 구해보자. 이것은 앞의 삼각급수의 각 항의 서두에 하나의 등차급수를 이루는 계수가 다시 곱해진 급수이다. 이 급수의 합은

$$\left.\begin{aligned}\sum_{m=0}^{N-1}m\cos\beta m&=\frac{N}{2}\cdot\frac{\sin[(2N-1)\beta/2]}{\sin(\beta/2)}-\frac{1-\cos N\beta}{4\sin^2(\beta/2)}\\ \sum_{m=0}^{N-1}m\sin\beta m&=-\frac{N}{2}\cdot\frac{\cos[(2N-1)\beta/2]}{\sin(\beta/2)}+\frac{\sin N\beta}{4\sin^2(\beta/2)}\end{aligned}\right\} \tag{4.26}$$

이 공식은 다음에 기술하는 예제를 취급할때 사용될 것이다.

표본치 x_m(m=0,1,2,$\cdots$N-1)이 주어질때, 그 유한 Fourier계수는 (4.22)식으로 구한다. 그러나 이 책에서는 Fourier 계수의 계산은 전적으로 나중에 기술하는 전산프로그램을 사용하게 되므로 (4.22)식을 직접 사용하여

수식적으로 유한 Fourier계수 A_k, B_k를 구하는 기회는 거의 없다. 그래서 다음에 연습을 위하여 (4.22)식을 이용하는 예제를 2개 들어 보기로 한다.

〔예제 1〕 값이 일정한 이산치

$$x_m = a = \text{일정}\ (m=0, 1, 2, \cdots\cdots, N-1) \tag{4.27}$$

의 Fourier 변환을 구해보자. 즉 그림 4.1(a)에서 표시한 바와 같이 값이 일정한 N개의 등간격 데이타가 주어진 경우이다.

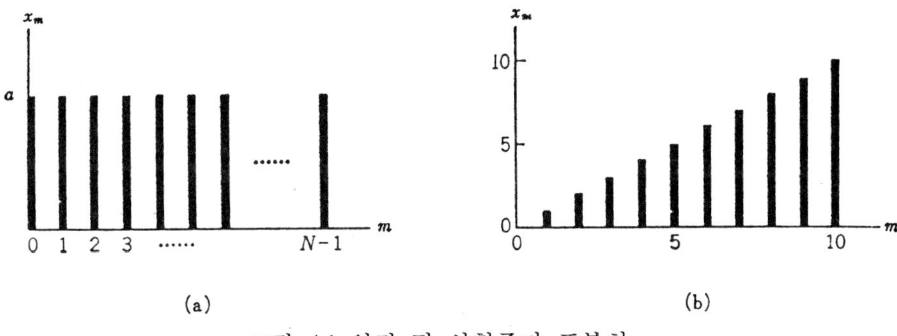

그림 4.1 일정 및 선형증가 표본치

이 경우 전 표본치의 평균은 분명히 a이다. 따라서 (4.25)식에 따라

$$\frac{A_0}{2} = a$$

그리고 x_m은 m에 따라 변화가 없으므로 (4.23)식을 보면 $k=1$이상의 A_k 또는 B_k는 전부 0이 된다는 것을 직감적으로 알 수 있다. 이를 계산하기 위해 (4.27)식을 (4.22)식에 대입하면 A_k는

$$A_k = \frac{2}{N}\sum_{m=0}^{N-1} a\cos\frac{2\pi km}{N}$$

$$= \frac{2a}{N}\sum_{m=0}^{N-1}\cos\frac{2\pi km}{N}$$

이 된다. 이것은 (4.14)식에서 $\beta = 2\pi k/N$ 인 경우이다. 따라서

$$A_k = \frac{2a}{N}\cos\frac{\pi(N-1)k}{N}\sin\pi k/\sin\frac{\pi k}{N}$$

$$=0$$

B_k도 (4.15)식에 의해 0이 됨을 알 수 있다. 즉 예제의 답은

$$\left.\begin{aligned} &A_0=2a \\ &A_k=B_k=0 \quad k=1,2,\cdots\cdots,N/2 \end{aligned}\right\} \tag{4.28}$$

이다. 가령

$$x_m=3.0,\ N=16$$

인 경우 다음에 기술하는 서브루틴 FOUC를 사용하여, Fourier계수를 구한 결과는 표 4.2와 같이 된다.

표 4.2 일정표본치의 유한 Fourier 계수

CONSTANT X(M)=3.0

-- FINITE FOURIER COEFFICIENTS --

TOTAL NUMBER OF DATA = 16

K	A	B
0	6.000	0.000
1	0.000	0.000
2	0.000	0.000
3	0.000	0.000
4	0.000	0.000
5	0.000	0.000
6	0.000	0.000
7	0.000	0.000
8	0.000	0.000

〔예제 2〕 다음에 그림 4.1 (b)에 표시한 것과 같이 직선적으로 증가하는 함수의 대표값으로서

$$x_m=m \quad m=0,1,2,\cdots\cdots,N-1 \tag{4.29}$$

이 되는 표본치, 즉 자기자신의 번호와 같은 값을 갖는 N개 이산치의 유한 Fourier 급수를 구해 보기로 한다.

$x_m=m$을 (4.22)식에 대입하면

$$\left.\begin{aligned} &A_k=\frac{2}{N}\sum_{m=0}^{N-1} m\cos\frac{2\pi km}{N} \qquad k=0,1,2,\cdots\cdots,N/2-1,\ N/2 \\ &B_k=\frac{2}{N}\sum_{m=0}^{N-1} m\sin\frac{2\pi km}{N} \qquad k=\ \ 1,2,\cdots\cdots,N/2-1 \end{aligned}\right\} \tag{4.30}$$

이 식들은 (4.26)식에 표시한 삼각급수의 합의 공식에서 $\beta=2\pi k/N$이 되는 경우이다. 따라서 (4.26)식에 따라

$$\left.\begin{aligned} &A_k=\ \frac{\sin[(2N-1)\pi k/N]}{\sin(\pi k/N)}-\frac{2}{N}\cdot\frac{1-\cos(2\pi k)}{4\sin^2(\pi k/N)} \\ &B_k=-\frac{\cos[(2N-1)\pi k/N]}{\sin(\pi k/N)}+\frac{2}{N}\cdot\frac{\sin(2\pi k)}{4\sin^2(\pi k/N)} \end{aligned}\right\} \tag{4.31}$$

이 된다. 그런데

$$\sin[(2N-1)\pi k/N]=\sin(2\pi k-\pi k/N)=-\sin(\pi k/N)$$

$$\cos(2\pi k)=1$$

$$\cos[(2N-1)\pi k/N]=\cos(2\pi k-\pi k/N)=\cos(\pi k/N)$$

$$\sin(2\pi k)=0$$

따라서

$$\left.\begin{aligned} A_k&=-1 \\ B_k&=-\cot(\pi k/N) \end{aligned}\right\} \tag{4.32}$$

단 k=0인 경우는 (4.31)식에서 A_0=0/0이 되어 부정이 된다. 그래서 (4.30)의 1식으로 돌아가서 생각해 보면

$$A_0=\frac{2}{N}\sum_{m=0}^{N-1} m$$

또는

$$A_0=\frac{2}{N}\cdot\frac{N(N-1)}{2}=N-1 \tag{4.33}$$

이 된다는 것을 쉽게 알 수 있다.

(4.33)식과 (4.32)식을 정리하면 이 문제의 답은

$$\left.\begin{aligned} A_0&=N-1 \\ A_k&=-1 \qquad\qquad k=1,2,\cdots\cdots,N/2-1,N/2 \\ B_k&=-\cot(\pi k/N) \quad k=1,2,\cdots\cdots,N/2-1 \end{aligned}\right\} \tag{4.34}$$

이므로, 서브루틴 FOUC를 계산한 N=16인 경우의 결과는

x_m=0, 1, 2,……, 15

이 되는 수열의 유한 Fourier 계수는, 표 4.3과 같이 된다. 계수 A의 값은 쉽게 알 수 있지만 계수 B는 cot함수로 주어지므로 그 값을 확인하기 바란다.

표 4.3 선형증가표본치의 유한 Fourier 계수

LINEAR DATA X(M)=M

-- FINITE FOURIER COEFFICIENTS --

TOTAL NUMBER OF DATA = 16

K	A	B
0	15.000	0.000
1	-1.000	-5.027
2	-1.000	-2.414
3	-1.000	-1.497
4	-1.000	-1.000
5	-1.000	-0.668
6	-1.000	-0.414
7	-1.000	-0.199
8	-1.000	0.000

4.2 유한 Fourier계수를 구하는 프로그램

유한 Fourier계수를 구하는 실용계산에는 최근에는 나중에 기술하는 고속 Fourier 변환이 주로 사용되므로 앞의 (4.22)식에 의해 직접 계산을 하는 기회는 거의 없다. 그러나 특수한 경우에는 직접계산이 필요할 것으로 생각되므로 일단 프로그램을 제시해 두고자 한다.

이 프로그램은 FOUC(Fourier Coefficients)는 (4.22)식의 계산을 단순히 그대로 실행하므로 특별한 설명은 필요 없다. 다만 전항의 유한 Fourier근사에서는 표본의 개수 N을 짝수로 가정하였다. N가 홀수일때 (4.22)식 및 (4.23)식에 대응하는 Fourier변환의 식은 다음과 같이 된다.

$$\left.\begin{aligned} A_k &= \frac{2}{N}\sum_{m=0}^{N-1} x_m \cos\frac{2\pi km}{N} \quad k=0,1,2,\cdots\cdots,\frac{N-1}{2} \\ B_k &= \frac{2}{N}\sum_{m=0}^{N-1} x_m \sin\frac{2\pi km}{N} \quad k=\ \ 1,2,\cdots\cdots,\frac{N-1}{2} \end{aligned}\right\}$$

$$x_m = \frac{A_0}{2} + \sum_{k=1}^{(N-1)/2}\left[A_k\cos\frac{2\pi km}{N} + B_k\sin\frac{2\pi km}{N}\right]$$

이 프로그램은 N이 짝수이든 홀수이든 사용할 수 있도록 작성되었으며 사용예는 표 4.1과 같다.

FŌUC(유한 Fourier계수)

목적

주어진 등간격 데이타 x_m(m=1,2,⋯,N)의 유한 Fourier cos계수 및 sin 계수를

$$A_k = \frac{2}{N}\sum_{m=1}^{N} x_m \cos\frac{2\pi(k-1)(m-1)}{N}$$

$$B_k = \frac{2}{N}\sum_{m=1}^{N} x_m \sin\frac{2\pi(k-1)(m-1)}{N}$$

$$k=1,2,\cdots\cdots,\mathrm{NF\bar{O}LD}$$

에 의해 1배 정도로 계산한다. NFOLD는 N이 짝수인 경우 N/2+1, 홀수인 경우 (N+1)/2이다.

사용법

(1) 접속방법

CALL FOUC(N,X,ND1,A,B,ND2,NFOLD)

인 수	형	부프로그램을 부르는 경우의 내용	부프로그램으로부터 읽어들이는 내용
N	I	데이타의 수	좌동
X	R 1차원배열(ND)	데이타	좌동
ND1	I	주프로그램에서 X의 차원	좌동
A	R 1차원배열(ND2)	무엇이든 좋다	Fourier cos 계수
B	R 1차원배열(ND2)	무엇이든 좋다	Fourier sin 계수
ND2	I	주프로그램에서 A,B의 차원 ND2≥N/2+1이 되어야 한다.	좌동
NFOLD	I	무엇이든 좋다	각 계수의 수

(2) 주의사항

부 프로그램으로부터 읽어들이는 경우 B(1)에는 항상 0.0이, N이 짝수일때는 B(NFOLD)에도 0.0이 들어있다.

(3) 필요한 서브루틴 또는 함수 프로그램은 없다.

프로그램 리스트

```
C  * * * * * * * * * * * * * * * * * * * * * * *                                 FOUC   1
C      SUBROUTINE FOR FOURIER COEFFICIENTS                                        FOUC   2
C  * * * * * * * * * * * * * * * * * * * * * * *                                 FOUC   3
C                                                                                 FOUC   4
C                        CODED BY Y.OHSAKI                                        FOUC   5
C                                                                                 FOUC   6
C      PURPOSE                                                                    FOUC   7
C        TO COMPUTE FINITE FOURIER SINE AND COSINE COEFFICIENTS FOR               FOUC   8
C        A SERIES OF EQUI-SPACED DATA                                             FOUC   9
C                                                                                 FOUC  10
C      USAGE                                                                      FOUC  11
C        CALL FOUC(N,X,ND1,A,B,ND2,NFOLD)                                         FOUC  12
```

```
C                                                                        FOUC 13
C      DESCRIPTION OF PARAMETERS                                        FOUC 14
C        N        - TOTAL NUMBER OF DATA                                FOUC 15
C        X(ND1)   - EQUI-SPACED DATA                                    FOUC 16
C        ND1      - DIMENSION OF X IN CALLING PROGRAM                   FOUC 17
C        A(ND2)   - FOURIER COS COEFFICIENTS                            FOUC 18
C        B(ND2)   - FOURIER SIN COEFFICIENTS                            FOUC 19
C        ND2      - DIMENSION OF A,B IN CALLING PROGRAM  ND2,GE.N/2+1   FOUC 20
C        NFOLD    - TOTAL NUMBER OF EACH COEFFICIENT                    FOUC 21
C                                                                        FOUC 22
C      SUBROUTINES AND FUNCTION SUBPROGRAMS REQUIRED                    FOUC 23
C        NONE                                                            FOUC 24
C                                                                        FOUC 25
       SUBROUTINE FOUC(N,X,ND1,A,B,ND2,NFOLD)                           FOUC 26
C                                                                        FOUC 27
       DIMENSION X(ND1),A(ND2),B(ND2)                                   FOUC 28
       DATA      P2/6.283185/                                           FOUC 29
C                                                                        FOUC 30
       NFOLD=N/2+1                                                      FOUC 31
       DO 120 K=1,NFOLD                                                 FOUC 32
       AK=0.0                                                           FOUC 33
       BK=0.0                                                           FOUC 34
       DO 110 M=1,N                                                     FOUC 35
       AK=AK+X(M)*COS(P2*FLOAT((K-1)*(M-1))/FLOAT(N))                   FOUC 36
       BK=BK+X(M)*SIN(P2*FLOAT((K-1)*(M-1))/FLOAT(N))                   FOUC 37
  110  CONTINUE                                                         FOUC 38
       A(K)=2.0/FLOAT(N)*AK                                             FOUC 39
       B(K)=2.0/FLOAT(N)*BK                                             FOUC 40
  120  CONTINUE                                                         FOUC 41
       RETURN                                                           FOUC 42
       END                                                              FOUC 43
```

사용예

```
       DIMENSION DATA(16),A(9),B(9)                                          1
       DATA      DATA/5.,32.,38.,-33.,-19.,-10.,1.,-8.,-20.,10.,-1.,4.,      2
      1          11.,-1.,-7.,-2./,NN/16/                                     3
C                                                                            4
       CALL FOUC(NN,DATA,16,A,B,9,NFOLD)                                     5
       WRITE(6,601) NN                                                       6
       DO 110 K=1,NFOLD                                                      7
       K1=K-1                                                                8
       WRITE(6,602) K1,A(K),B(K)                                             9
  110  CONTINUE                                                             10
       STOP                                                                 11
C                                                                           12
  601  FORMAT(1H1/8(1H0/)/1H ,40X,12HEXAMPLE WAVE/1H0,40X,33H-- FINITE FO   13
      1URIER COEFFICIENTS --/1H0,44X,22HTOTAL NUMBER OF DATA =,I3/1H0/1H    14
      2,47X,1HK,10X,1HA,10X,1HB/)                                           15
  602  FORMAT(1H ,45X,I3,2X,2F11.3)                                         16
       END                                                                  17
```

4.3 Fourier스펙트럼

앞에서 구한 유한 Fourier근사식은

$$\tilde{x}(t)=\frac{A_0}{2}+\sum_{k=1}^{N/2-1}\left[A_k\cos\frac{2\pi kt}{N\Delta t}+B_k\sin\frac{2\pi kt}{N\Delta t}\right]+\frac{A_{N/2}}{2}\cos\frac{2\pi(N/2)t}{N\Delta t}$$

이었다. (4.25)식에서 표시한 바와 같이 제1항의 $A_0/2$는 전표본치의 평균 즉 파형전체가 0선에서 벗어난 정도를 나타내는 것으로 진동특성은 아니다.

그래서 제1항을 제외하고 이 식을 살펴보면 원파형이 sin과 cos항의 집합으로 표시되고 있다. 바꾸어 말하면 원파형이 sin파와 cos파로 분해되어 있다고 볼 수 있다. 그러면 대체로 어떤 파형으로 분해되어 있을까.

윗식에서

$$f_k=\frac{k}{N\Delta t} \tag{4.35}$$

로 두면

$$\tilde{x}(t)=\frac{A_0}{2}+\sum_{k=1}^{N/2-1}[A_k\cos 2\pi f_k t+B_k\sin 2\pi f_k t]+\frac{A_{N/2}}{2}\cos 2\pi f_{N/2}t \tag{4.36}$$

이 된다.

cos 또는 sin은 앞의 그림 2.1에서와 같이 규칙적으로 같은 상태가 반복되는 주기함수이다. 그래서 $\cos 2\pi f_k t$ 또는 $\sin 2\pi f_k t$로 쓰면 f_k는 1초 동안 반복하는 회수를 나타낸다는 것을 용이하게 알 수 있다.

그림 2.1과 같은 규칙적인파는 t=0일때 0에서 시작하여 1초동안 같은 상태를 4회 반복하고 있다. 그러므로 이 그림은 $f_k=4$ 즉 $\sin(2\pi 4t)$가 되는 sin파를 나타내는 것이 된다. 이와같이 f_k는 1초 동안 같은 진동이 반복하는 회수를 나타내고 있어서 이것을 진동수라 한다. 진동수의 단위는 (4.35)식에서도 알 수 있는 바와같이 시간의 역수 즉 1/sec이지만 이를 사이클, cps(cycles per sec 의 약자) 또는 Hz등으로 부르고 있다.

진동수를 주파수라 부를때도 있다. $\cos 2\pi f_k t$ 또는 $\sin 2\pi f_k t$에서 f_k값이 클수록 빠른 진동 즉 고주파(high-frequency)를 표시하고 f_k가 작은 값이면 저주파(low-frequency)의 파로 된다.

1초에 f_k회 같은 진동을 반복하므로 1회 반복에 요하는 시간은

$$T_k=\frac{1}{f_k}(\mathrm{sec}) \tag{4.37}$$

이며 이것을 파의 주기(period)라 부르는 것은 전술한 바와 같다.

$f_k=4$ 이면

$$T_k = \frac{1}{4} = 0.25(\sec)$$

가 된다는 것은 그림 2.1과 같다.

다시(4.36)식을 보면 이것은 k=1에서 N/2-1까지의 합에 또 하나 k=N/2에 해당하는 cos의 항이 추가된 것이므로 원파형은

$$f_1, f_2, \cdots\cdots, f_{N/2-1}, f_{N/2} \tag{4.38}$$

인 진동수가 다른 N/2종류의 파로 분해되어 있음을 알 수 있다. 여기서 f_1을 1차 진동수, f_2를 2차 진동수, 일반적으로 f_k를 k차의 진동수라 한다. 또 k차의 진동수를 가지고 진동하는 파를 원파형의 k차 조화진동성분 혹은 간단히 k차성분이라고 한다. (4.35)식에서 알 수 있는 바와 같이

$$f_1 < f_2 < \cdots\cdots < f_{N/2-1} < f_{N/2}$$

이므로 고차의 진동 성분일수록 주파수가 높다. 1차의 진동 즉

$$f_1 = \frac{1}{N\Delta t} \tag{4.39}$$

를 특히 기본 진동수라 한다.

그림 4.2(a)에는 원예제파, (b)에는 1차 성분, (c)에는 2차 성분 그리고 (d)에는 휠씬 진동수가 높은 N/2차성분이 표시되어 있다. (4.37)식과 (4.39)식에 의해 1차 성분의 주기는

$$T_1 = N\Delta t$$

가 되고 $N\Delta t$는 원파의 지속시간이므로 그림 4.2(b)에서 알 수 있는 바와 같이 1차성분은 기록의 전 길이를 주기로 하는 파임을 알 수 있다.

그리고 더욱 고차의 진동수 $f_{N/2}$은 (4.35)식에서

$$f_{N/2} = \frac{(N/2)}{N\Delta t} = \frac{1}{2\Delta t} \tag{4.40}$$

이고 진동수 $f_{N/2}$을 갖는 예제파의 최고차성분은 그림 4.2(d)에서 표시한 바와같다. 이 성분은 주기는

$$T_{N/2} = 2\Delta t$$

이고 표본점간격 Δt의 2배의 시간에 상당한다.

그런데 (4.36)식에서 보면 $f_{N/2}$이상의 진동수를 갖는 성분은 식중에 포함되어 있지 않다. 이것은 표본점의 갯수 N이 유한한 수이며 함수 x(t)를 (4.36)식, 더 거슬러 올라가면 (4.5)식과 같이 유한 삼각급수로 근사화 함으로서 생기는 필연적인 결과이다. 더우기 그림 4.3(b)는 예제파(a)의 위에 $f_{N/2}$의 2배의 진동수를 갖는 소진폭의 파를 중첩한 것인데 볼 수 있으

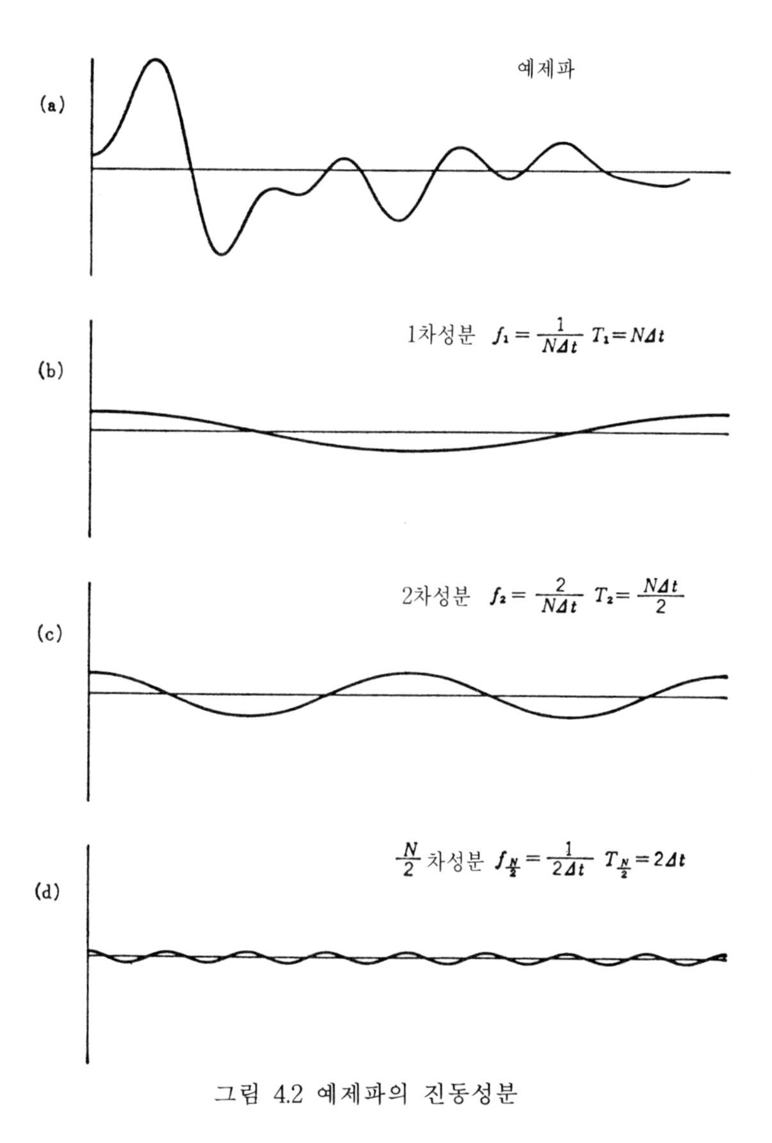

그림 4.2 예제파의 진동성분

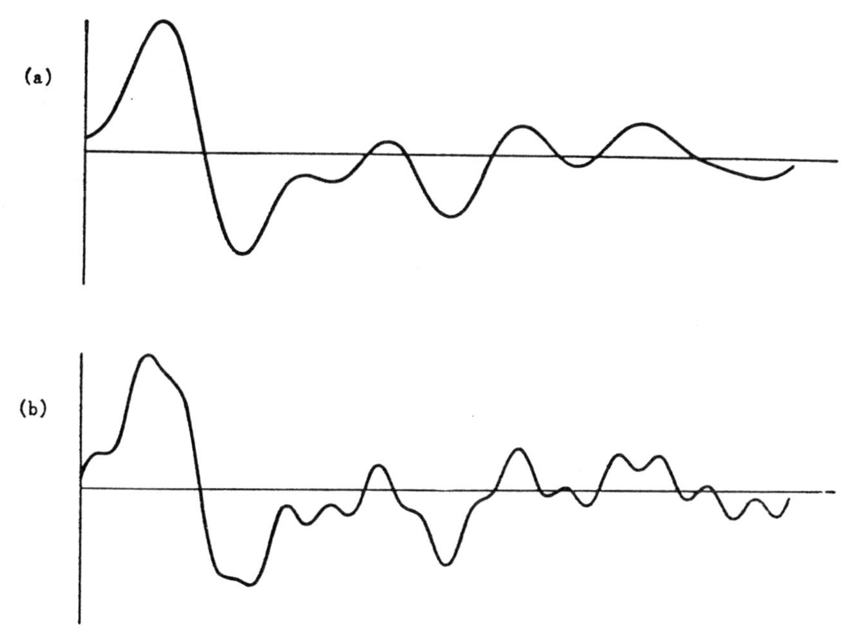

그림 4.3 고주파 성분을 포함한 예제파

며, 이와 같은 고주파는 (4.36)식에 의해서는 성분파로 검출할 수 없다.

표본점의 수는 일정하게 두고 삼각급수의 항의 수만을 늘리면 앞의 (4.8)식의 계수 A_k, B_k를 구할때 미지수의 수가 방정식의 수보다 많게 되어서 유일한 해가 얻어지지 않게 된다. 따라서 진동수가 매우 높은 파가 포함되어 그와 같은 파의 성질이 문제가 되는 경우에는 표본점의 수를 더욱 많이 취할 수 밖에 없다.

어떻든 표본의 개수가 유한한 만큼 $f_{N/2}$은 진동수 성분을 검출하는 한계가 되며 일종의 분해능(分解能)이 된다. 이와 같은 진동수 $f_{N/2}$을 Nyquist 진동수라고 부른다. 통상의 강진계 기록을 디지탈화할 경우 읽는 간격은 대부분 $\varDelta t$=0.01sec이다. 따라서 Nyquist진동수는 (4.40)식으로부터

$$f_{N/2}=\frac{1}{2(0.01)}=50\text{ cps}$$

가 되어 이 기록에 의해서는 50사이클 보다 높은 고유진동수를 갖는 구조부분 혹은 기기류에의 영향을 다룬다는 것은 불가능하다. 요컨데 유한 Fourier 근사에 의해서는 어느 일정 한도 이상의 자세한 것은 나타나지 않는다. 앞의 (4.24)식이 모든 표본점을 정확히 나타내는 함수임에도 불구하고 이것을 근사식이라 부르고 x(t)가 아닌 $\tilde{x}(t)$로 쓴 것은 이와 같은 이유 때문이다. 더욱 곤란한 것은 파형에 Nyquist 진동수 보다 높은 진동성분이 포함되어 있어도 이것은 간단히 검출되지 않을 뿐만 아니라 유한 Fourier 계수의 오차로서 배려해야 될 귀찮은 현상이 있다. 너무 자세해지는것 같아 이에 대해서는 설명하지 않겠지만 이와 같은 해석시 고주파성분에 기인하는 오차 현상을 aliasing현상이라 부른다.

이상으로 (4.36)식의 유한 Fourier 근사중 진동수에 대해서는 개략적인 개념을 얻었다. 그러면 계수 A_k와 B_k는 기하학적으로 어떠한 의미를 갖는 것인가를 다음에 고찰하기로 한다.

분해된 계수와 관련된 cos와 sin의 합 즉 진폭이 다른 cos파와 sin파를 더한

$$a\cos\alpha+b\sin\alpha \tag{4.41}$$

은 이것을

$$\sqrt{a^2+b^2}\left(\cos\alpha\cdot\frac{a}{\sqrt{a^2+b^2}}+\sin\alpha\cdot\frac{b}{\sqrt{a^2+b^2}}\right)$$

로 고쳐쓰고

$$\left.\begin{aligned}\frac{a}{\sqrt{a^2+b^2}}&\equiv\ \ \cos\phi\\ \frac{b}{\sqrt{a^2+b^2}}&\equiv-\sin\phi\end{aligned}\right\} \tag{4.42}$$

로 두면

$$\sqrt{a^2+b^2}\,(\cos\alpha\cdot\cos\phi-\sin\alpha\cdot\sin\phi)$$

로 된다. 앞의 (4.9)와 (4.11)식에 의하면

$\cos\alpha\cdot\cos\phi-\sin\alpha\cdot\sin\phi=\cos(\alpha+\phi)$ 이므로 결국 (4.41)식은

$$a\cos\alpha+b\sin\alpha=\sqrt{a^2+b^2}\cos(\alpha+\phi)$$

로 되고, 여기서 ϕ는 (4.42)식에서

$$\tan\phi=-\frac{b}{a}$$

즉

$$\phi=\tan^{-1}\left(-\frac{b}{a}\right)$$

이다. (4.36)식도 같은 요령으로

$$X_k=\sqrt{A_k^2+B_k^2} \tag{4.43}$$

$$\phi_k=\tan^{-1}\left(-\frac{B_k}{A_k}\right) \tag{4.44}$$

로 두면

$$\tilde{x}(t)=\frac{X_0}{2}+\sum_{k=1}^{N/2-1}X_k\cos(2\pi f_k t+\phi_k)+\frac{X_{N/2}}{2}\cos 2\pi f_{N/2}t \tag{4.45}$$

로 고쳐 볼 수 있다. 역으로 (4.42)식에 의하면

$$\left.\begin{aligned}A_k&=\ \ X_k\cos\phi_k\\ B_k&=-X_k\sin\phi_k\end{aligned}\right\} \tag{4.46}$$

이 된다.

(4.45)식을 살펴보면 X_k는 k차 성분의 진동의 크기, 즉 진폭 (amplitude)을 나타낸다는 것을 쉽게 알 수 있다. 즉 유한 Fourier 계수 A_k와 B_k는 (4.43)식과 같이 두 계수가 조합되어 기하학적으로 각차의 진동성분의 진폭을 결정하는 것이다. 한편 (4.44)식으로 결정되는 A_k와 B_k의 비의 접선각의 역수(arc tan)인 ϕ_k는 k차 성분의 위상각(phase angle)이라 부른다. 예제파의 경우의 유한 Fourier 계수A_k, B_k는 이미 표 4.1에서 구했으므로 진폭과 위상각은 (4.43)식 및 (4.44)식을 사용하면 간단히 계산된다. 그리고 각 진동수 성분의 차수 k-모드(mode)라고 부르기도 한다.

진동수 f_k(FREQ), 유한Fourier 계수 A_k와 B_k, 진폭 X_k(AMP) 및 위상

표 4.4 예제파 성분의 진폭과 위상각

EXAMPLE WAVE

-- FOURIER TRANSFORM --

K	FREQ.	A	B	AMP.	PHASE	POWER
0	0.000	0.000	0.000	0.000	0.0	0.000
1	0.125	7.759	-4.143	8.796	28.1	38.684
2	0.250	5.489	8.380	10.018	-56.8	50.178
3	0.375	4.958	11.952	12.940	-67.5	83.721
4	0.500	-6.750	8.750	11.051	52.4	61.062
5	0.625	-4.188	-3.856	5.693	-42.6	16.204
6	0.750	-7.239	-2.370	7.617	-18.1	29.009
7	0.875	3.971	-4.951	6.347	51.3	20.141
8	1.000	2.000	0.000	2.000	-0.0	1.000

각 ϕ_k(PHASE)의 값을 정리한 것이 표 4.4이다. 제일 우측의 Power는 나중에 필요하게 된다. 그림 4.2의 (a),(b),(c),(d)에 표시한 원래 파(최대 진폭은 표 1.1에 표시한 바와 같이 38gal), 1차 성분, 2차 성분, 및 N/2차 성분의 진폭은 각각 표 4.4에 표시한 진폭의 비로 되어 있는 것을 확인해야 한다.

다음에 위상각 ϕ_k에 대해 고찰해보자. (4.45)식에서 각 차 성분의 진폭 X_k, 진동수 f_k 및 위상각 ϕ_k는 표 4.4와 같이 구할 수 있으므로 각 성분파

$$X_k \cos(2\pi f_k t + \phi_k) \tag{4.47}$$

의 파형을 그릴수 있다. 이것이 그림 4.4이다.

이것과 앞에 표시한 그림 4.2를 비교해보면 그림의 (b)와 (c), 즉 1차 모드와 2차 모드의 파가 수평방향으로 이동되어 있음을 알 수 있다. 그림 4.2의 경우는 단순히 성분파라 하는 것과 그 진폭에 대해서 설명하는 것이 목적이었으므로 편의상 성분파가 모두 산에서 시작하도록 그려져 있다. 그러므로 (4.47)식에서 ϕ_k=0인 cos곡선이 작성된 것이다. 그래서 그림 4.2와 실제의 성분파 즉 그림 4.4(b),(c)와의 차이를 나타내는 것이 위상각 ϕ_k가 된다.

시험적으로 그림 4.2(b)와 그림 4.4(b)의 차이를 스케일을 사용하여 측정하면 그림 4.4(b)의 것이 파의 1주기의 약 0.078배에 해당하는 시간 만

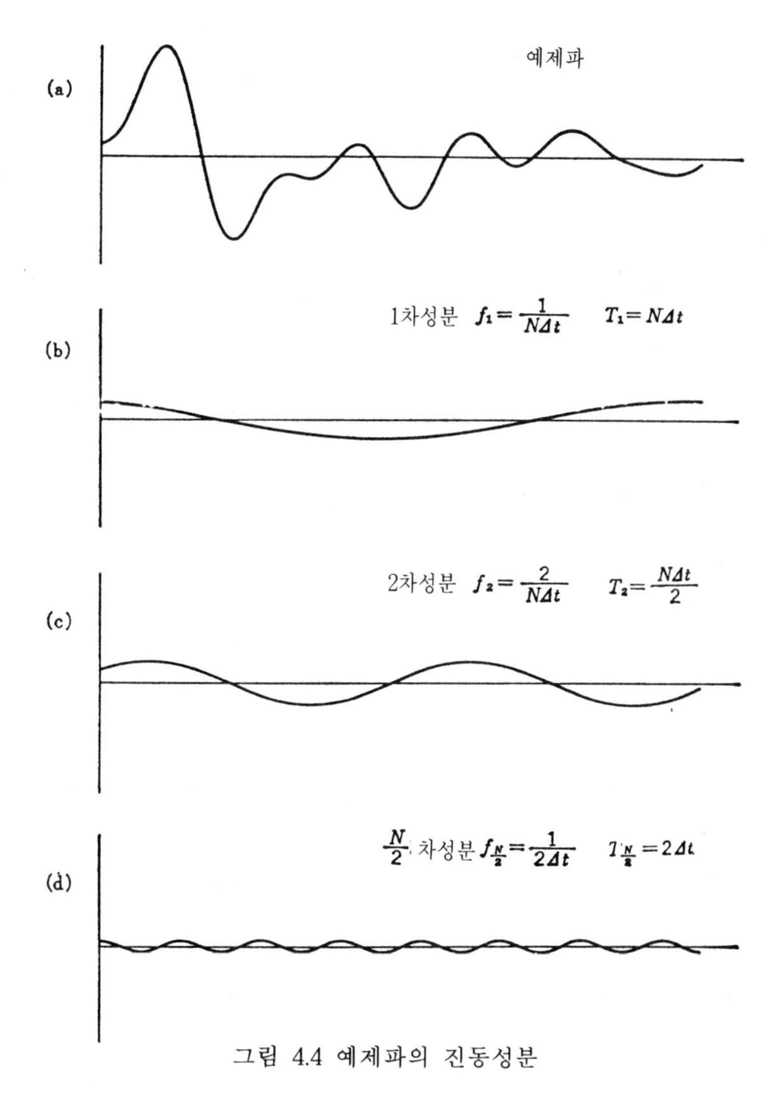

그림 4.4 예제파의 진동성분

큼 피크가 빨리 나타남을 알 수 있다. 1주기의 길이 즉 주기의 순환은 각도로 360° 이므로

$$360\times 0.078=28.1°$$

만큼 실제의 성분파가 진행해 있는 것이 된다. 이 진행 각도 28.1° 가 표 4.4의 k=1의 행의 위상각 PHASE에 표시된 값이고, (4.44)식에 의한 $\phi_{k=1}$의 계산치가 된다.

같은 요령으로 그림 4.2와 그림 4.4의 (c)를 비교해 보면 그림 4.4의 것이 피크가 지연되어 나타나 있다. 즉 파가 지체되어 있으며 그 지체된 각도는 56.8° 이다. 이것이 (4.44)식에 의한 계산치이며 표 4.4에서는 56.8° 로 되어 있다. 이와 같이 위상각은 파가 진행하고 있으며 (+)이고 지체되어 있으면 (-)이다.

그림에는 나타나 있지 않으나 k가 3차 이상의 모드에 대해서도 같다. 다만 그림 4.2와 4.4의 (d) 즉 최고차 성분파에 차이가 없는 것은 표 4.4에서 보는 바와같이 $\phi_{N/2}=0$이기 때문이다.

이상으로 주어진 지진파를 성분으로 분해할 수 있었다. 성분파의 수는 그 진동수가 $f_0=0$에서 시작하여 $f_{N/2}=1/2\Delta t$까지의 N/2+1개이다. (4.35)식에 의해 k차의 진동수와 그 다음의 (k+1)차의 진동수의 차이를 계산하면

$$\Delta f=f_{k+1}-f_k=\frac{1}{N\Delta t} \tag{4.48}$$

이 된다. 따라서 성분파의 진동수는 $1/N\Delta t$(사이클) 간격으로 주어지게 된다.

성분파로 분해할때 어떠한 성분파의 진폭이 크며 어느 성분파의 진폭이 작은 것인가 하는 것은 지진파의 성질로써 대단히 중요한 것이다. 이를테면 진동수 2.5사이클 즉 주기 0.4sec의 성분파의 진폭이 대단히 크게 되면 이 지진파는, 고유주기 0.4sec부근의 5,6층의 철근 콘크리트 건물에 대해 중대한 영향을 준다고 추측할 수 있다.

이제 지진파의 각 성분의 진동수와 진폭의 관계를 막대 그래프로 그려보자. 예를들어 표 4.4의 결과를 사용하여 예제파에 대해 그려보면 그림 4.5(a)와 같이 된다. 이것은 분명히 하나의 스펙트럼이지만 스펙트럼중에서도 특히 중요한 것이다.

그러나 통상은 유한 fourier 에 계수 A_k, B_k로부터 구해지는 진폭 X_k를 그대로 사용하지 않고 지진파의 지속시간의 1/2, 즉 $T/2$ 또는 $N\Delta t/2$를 곱하여 표시한다. 예제파의 경우는 $N\Delta t$=8sec이므로 그림 4.5(a)의 종축을 $N\Delta t/2$sec배 해서 그림 4.5(b)와 같이 나타내면 이것을 Fourier 진폭 스펙트럼 또는 간단히 Fourier 스펙트럼이라 한다. T/2sec를 곱한 Fou-

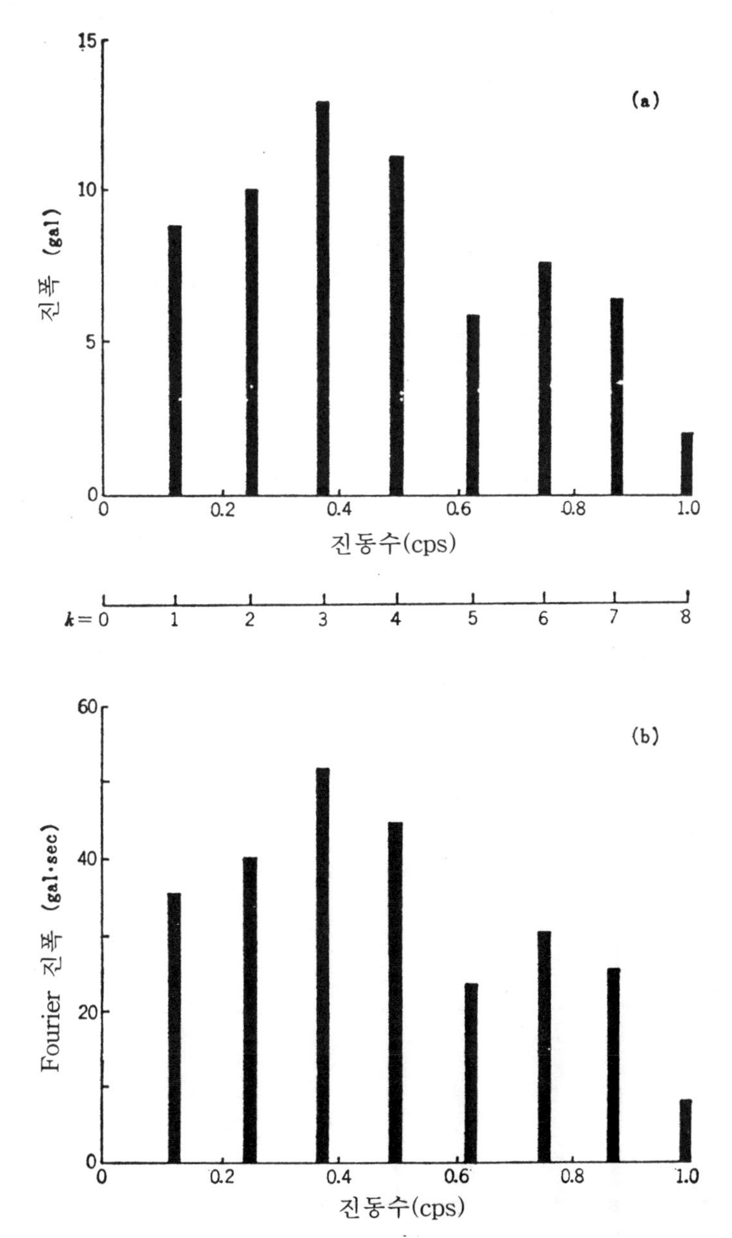

그림 4.5 Fourier 진폭스펙트럼

rier 진폭 스펙트럼의 종축의 단위는 지진파가 가속도 기록이면 〔gal sec〕이다. 만약 속도 기록의 Fourier 스펙트럼을 구하면 그 단위는 〔

kine·sec] 가 된다. 요컨데 원 시간이력의 진폭의 단위에 시간을 한번 곱한 차원으로 된다. 왜 $T/2$를 곱하는 것인가 하는 것은 뒤에 설명할 것이다. 지금은 이것에 대해서 언급하지 않고 Fourier 스펙트럼은 각성분파의 진폭을 나타내는 의미가 있다 라고 이해하기 바란다. 이책에서는 X_k 대신 이것에 T/2를 곱한 것을 Fourier 진폭이라고 부르기로 한다.

또 하나 주의해 둘 것은 Fourier 스펙트럼은 그림 4.5와 같이 막대그래프로 표시하는 것이 정확하다. 데이타의 수가 유한개이면 각 모드에 대응하는 진동수의 사이에 있는 것은 전혀 알 수 없으므로 막대의 상단을 연결하여 꺽은선 그래프로 그리는 것은 의미가 없다. Fourier 스펙트럼은 이미 서술한 빛의 스펙트럼의 경우와 같이 이산 스펙트럼이 된다. 그러나 보통은 Fourier 스펙트럼을 연속한 절선으로 표시한 것이 많으며 이 책에서도 뒤에 그와 같은 그림을 나타내겠지만 이것은 단지 도표로서 격을 높이기 위해 그와 같이 한 것에 불과하다.

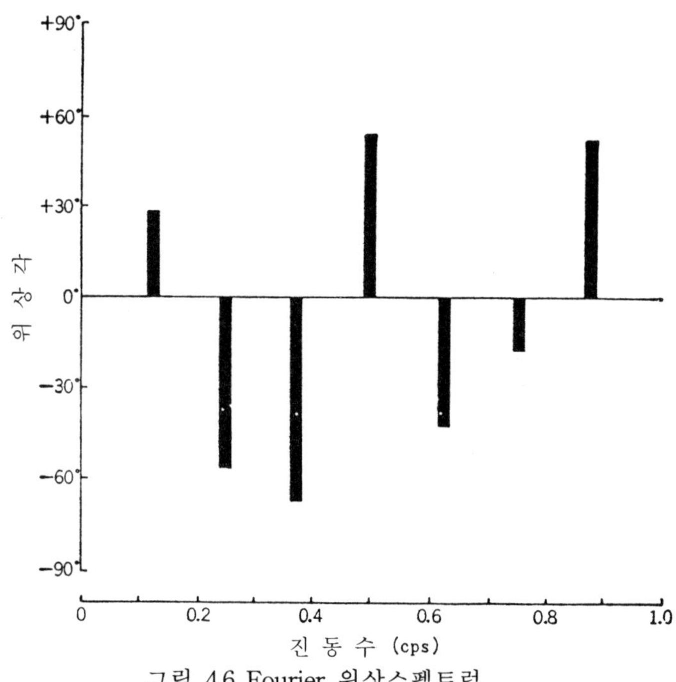

그림 4.6 Fourier 위상스펙트럼

각 성분파의 위상각 ϕ_k를 진동수 f_k에 대해 그리면 예제파의 경우는 그림 4.6과 같이 된다. 그림 4.5의 Fourier 진폭 스펙트럼에 대해 이것을 Fourier 위상 스펙트럼이라 한다. 진폭에 비해 위상각은 내진상 중요성이 낮으며 해석적으로 가볍게 취급되었다. 또 때에 따라서는 필요없는 것으로 취급되는 경우도 있다. 위상 스펙트럼이 사용되는 경우는 비교적 적다.

4.4 Parseval의 정리

함수의 표본치 x_m이 N개(m=0,1,2,⋯,N−1) 있으면, 표본치의 2승 평균은

$$\frac{1}{N}\sum_{m=0}^{N-1} x_m^2 \tag{4.49}$$

이 된다. 이 식의 x_m에 유한 Fourier 급수로 나타낸 식, 즉(4.23)식

$$x_m=\frac{A_0}{2}+\sum_{k=1}^{N/2-1}\left[A_k\cos\frac{2\pi km}{N}+B_k\sin\frac{2\pi km}{N}\right]+\frac{A_{N/2}}{2}\cos\frac{2\pi(N/2)m}{N}$$

을 대입해 보자. 윗식의 우변을 편의상 { } 로 표시한다. 즉

$$x_m=\{\quad\}$$

그러면

$$x_m^2=\{\quad\}\cdot\{\quad\}$$

이 식을 풀기위해 앞에서 언급한 선점직교성, 즉 (4.17)식

$$\left.\begin{aligned}
&\sum_{m=0}^{N-1}\cos\frac{2\pi lm}{N}\cos\frac{2\pi km}{N}=\begin{cases}\dfrac{N}{2} & k=l\\ 0 & k\neq l\end{cases}\\
&\sum_{m=0}^{N-1}\sin\frac{2\pi lm}{N}\sin\frac{2\pi km}{N}=\begin{cases}\dfrac{N}{2} & k=l\\ 0 & k\neq l\end{cases}\\
&\sum_{m=0}^{N-1}\sin\frac{2\pi lm}{N}\cos\frac{2\pi km}{N}=0
\end{aligned}\right\}$$

을 이용한다. 그러면 대부분의 항은 0이되고 남는 것은

$$\sum_{m=0}^{N-1} x_m^2 = N\left(\frac{A_0}{2}\right)^2 + \frac{N}{2}\sum_{k=1}^{N/2-1}(A_k^2 + B_k^2) + N\left(\frac{A_{N/2}}{2}\right)^2$$

이 된다. (4.43)식에서 정의한 성분파의 진폭 X_k를 이용하면

$$\frac{1}{N}\sum_{m=0}^{N-1} x_m^2 = \frac{1}{2}\left(\frac{X_0^2}{2} + \sum_{k=1}^{N/2-1} X_k^2 + \frac{X^2_{N/2}}{2}\right) \tag{4.50}$$

이 되고 이 식을 이산 표본치에 대한 Parseval의 정리라고 한다.

$x(t)$를 1Ω의 저항의 양단에 가해진 전압이라고 하면

$$\frac{1}{T}\int_0^T x^2(t)\mathrm{d}t$$

는 전원에서 저항에 공급되는 단위시간당 전력(power)이 된다. 이와같은 이유로 (4.49)식에 표시한 x_m의 2승 평균을 평균파워라고 부른다. (4.50)식은 평균파워가 각 성분의 기여도로 분해되도록 즉 전체의 평균파워 가운데 각 차의 성분이 각각 얼마만큼 차지할 것인가를 표시하는 것이다.

예제파의 경우를 살펴보면 평균파워는 (1.8)식에서 표시한 바와같이

$$\frac{1}{N}\sum_{m=0}^{N-1} x_m^2 = 300$$

이 된다. 이에 대해서 각 mode의 성분이 각각 가지는 파워 즉(4.50)식 우변의 각 항을 계산한 결과는 표 4.4의 POWER아래에 표시되어 있다. 이들의 합이 300이며, 즉 (4.50)식이 성립한다는 것을 알 수 있다. (4.50)식을 약간 달리 쓰면

$$\frac{1}{N}\sum_{m=0}^{N-1} x_m^2 - \left(\frac{X_0}{2}\right)^2 = \frac{1}{2}\left(\sum_{k=1}^{N/2-1} X_k^2 + \frac{X^2_{N/2}}{2}\right) \tag{4.51}$$

이 된다. 이제 (4.43)식으로 부터

$$X_0 = \sqrt{A_0^2 + B_0^2}$$

이지만 0차의 유한 Fourier sin계수는 $B_0=0$이므로 $X_0=A_0$이 되고 따라서 (4.25)식에 의해 $X_0/2$는 표본치의 평균 즉

$$\frac{X_0}{2} = \bar{x}$$

이 된다. 그러면 (4.51)식은

$$\frac{1}{N}\sum_{m=0}^{N-1} x_m^{\,2}-\bar{x}^2=\frac{1}{2}\left(\sum_{k=1}^{N/2-1} X_k^{\,2}+\frac{X^2{}_{N/2}}{2}\right) \tag{4.52}$$

이지만 이 식의 좌변은 (3.2)식에 주어진 표준편차의 2승이기 때문에 (4.52)식은

$$\sigma^2=\frac{1}{2}\left(\sum_{k=1}^{N/2-1} X_k^{\,2}+\frac{X^2{}_{N/2}}{2}\right) \tag{4.53}$$

이 된다.

표준편차의 2승을 분산이라고 하는데 이로서 표본치의 흐트러짐을 표시하는 개념이 되는 표준편차 또는 분산과 Fourier 진폭의 관계가 구해졌다. Parseval 정리는 나중에 기술하는 파워 스펙트럼의 기초가 되는 것이다. 실제 지진파의 Fourier 스펙트럼이나 파워 스펙트럼에 들어가기 전에 조금더 이론적으로 공부해 두기로 한다.

4.5 유한복소 Fourier 급수

여기서 처음으로 복소수가 등장한다. 복소수가 특히 고차원적인 것이라서가 아니라 이것을 사용하면 식의 표현이 간결하게 될 수도 있고 여러가지 편리한 점이 많다. 그래서 뒤의 프로그램에서도 표시되는 것과 같이 계산기로 복소수 연산을 하면 대단한 위력을 발휘하는 것을 알 수 있다.

$\sqrt{-1}$을 i로 표시하고 허수 단위라고 한다. 일반적으로 α, β가 실수일 때

$$c=\alpha+\mathrm{i}\beta$$

를 복소수라하며 α를 복소수의 실수부분(real part) β를 허수부분(imaginary part)라 한다. 이것을 기호로는

$$\left.\begin{aligned}\alpha&=\Re(c)\\ \beta&=\Im(c)\end{aligned}\right\}$$

로 쓸 수 있다. 실수부분과 허수부분의 2승 합의 평방근 $\sqrt{\alpha^2+\beta^2}$을 복소수의 절대치라하고

$$|c|=\sqrt{\alpha^2+\beta^2}$$

$\alpha+i\beta$와 $\alpha-i\beta$는 서로 공액복소수 또는 서로 공액에 있다고 하고, $\alpha+i\beta$에 대해 공액복소수를 이책에서는

$$c^*=\alpha-i\beta$$

라 쓰고,

$$c \cdot c^*=\alpha^2+\beta^2=|c|^2$$

즉 서로 공액하는 복소수의 곱은 실수로 그 절대치의 2승과 같다.

삼각함수와 허수의 지수함수의 관계를 표시하는 것에는 Eular 공식

$$e^{\pm i\theta}=\cos\theta \pm i\sin\theta \tag{4.54}$$

가 있고, 또는 역으로

$$\left.\begin{aligned} \cos\theta &= \frac{1}{2}(e^{i\theta}+e^{-i\theta}) \\ \sin\theta &= -\frac{1}{2}i(e^{i\theta}-e^{-i\theta}) \end{aligned}\right\} \tag{4.55}$$

m을 정수라 하면 (4.54)식에 의해

$$e^{i(2\pi m)}=\cos(2\pi m)+i\sin(2\pi m)=1 \tag{4.56}$$

따라서 앞에서 설명한 바와같이, 등간격의 표본점에서 N(짝수)개의 표본치 $x_m(m=0,1,2,\cdots,N-1)$이 주어진 경우, 이것의 Fourier 변환은

$$\left.\begin{aligned} A_k &= \frac{2}{N}\sum_{m=0}^{N-1} x_m \cos\frac{2\pi km}{N} \quad k=0,1,2,\cdots\cdots,\frac{N}{2}-1,\frac{N}{2} \\ B_k &= \frac{2}{N}\sum_{m=0}^{N-1} x_m \sin\frac{2\pi km}{N} \quad k=\ \ 1,2,\cdots\cdots,\frac{N}{2}-1 \end{aligned}\right\} \tag{4.22}$$

Fourier 역변환은

$$x_m=\frac{A_0}{2}+\sum_{k=1}^{N/2-1}\left[A_k\cos\frac{2\pi km}{N}+B_k\sin\frac{2\pi km}{N}\right]+\frac{A_{N/2}}{2}\cos\frac{2\pi(N/2)m}{N} \tag{4.23}$$

$$m=0, 1, 2, \cdots\cdots, N-1$$

이었다.

(4.55)식에 의하면

$$\cos\frac{2\pi km}{N} = \frac{1}{2}[e^{i(2\pi km/N)}+e^{-i(2\pi km/N)}]$$

$$\sin\frac{2\pi km}{N} = -\frac{1}{2}i[e^{i(2\pi km/N)}-e^{-i(2\pi km/N)}]$$

이므로

$$A_k\cos\frac{2\pi km}{N}+B_k\sin\frac{2\pi km}{N}=\frac{1}{2}(A_k-iB_k)e^{i(2\pi km/N)}$$
$$+\frac{1}{2}(A_k+iB_k)e^{-i(2\pi km/N)}$$

이 된다. 이것을 (4.23)식에 대입하면

$$x_m=\frac{A_0}{2}+\frac{1}{2}\sum_{k=1}^{N/2-1}(A_k-iB_k)e^{i(2\pi km/N)}+\frac{A_{N/2}}{2}\cos\frac{2\pi(N/2)m}{N}$$
$$+\frac{1}{2}\sum_{k=1}^{N/2-1}(A_k+iB_k)e^{-i(2\pi km/N)}$$

이 된다. 우변 제3항의 cos〔$2\pi(N/2)m/N$〕은

$$\cos\frac{2\pi(N/2)m}{N}=\frac{1}{2}\left[e^{i(2\pi\frac{N}{2}m/N)}+e^{-i(2\pi\frac{N}{2}m/N)}\right]$$

이 되고, $B_0=B_{N/2}=0$이므로

$$A_0 \longrightarrow A_0-iB_0$$

$$A_{N/2}\longrightarrow A_{N/2}-iB_{N/2} \quad \text{또는} \quad A_{N/2}+iB_{N/2}$$

로 쓰면

$$x_m=\frac{1}{2}\sum_{k=0}^{N/2-1}(A_k-iB_k)e^{i(2\pi km/N)}+\frac{1}{4}(A_{N/2}-iB_{N/2})e^{i(2\pi\frac{N}{2}m/N)}$$
$$+\frac{1}{2}\sum_{k=1}^{N/2-1}(A_k+iB_k)e^{-i(2\pi km/N)}+\frac{1}{4}(A_{N/2}+iB_{N/2})e^{-i(2\pi\frac{N}{2}m/N)} \quad (4.57)$$

로 쓸 수 있다.

그런데 (4.22)식에서

$$A_k-iB_k=\frac{2}{N}\sum_{m=0}^{N-1}x_m\left(\cos\frac{2\pi km}{N}-i\sin\frac{2\pi km}{N}\right) \quad (4.58)$$

$$A_k+iB_k=\frac{2}{N}\sum_{m=0}^{N-1}x_m\left(\cos\frac{2\pi km}{N}+i\sin\frac{2\pi km}{N}\right) \tag{4.59}$$

이고 (4.58)식에서 k대신 N-k를 대입하면

$$\begin{aligned}A_{N-k}-iB_{N-k}&=\frac{2}{N}\sum_{m=0}^{N-1}x_m\left[\cos\frac{2\pi(N-k)m}{N}-i\sin\frac{2\pi(N-k)m}{N}\right]\\&=\frac{2}{N}\sum_{m=0}^{N-1}x_m\left[\cos\left(2\pi m-\frac{2\pi km}{N}\right)-i\sin\left(2\pi m-\frac{2\pi km}{N}\right)\right]\\&=\frac{2}{N}\sum_{m=0}^{N-1}x_m\left(\cos\frac{2\pi km}{N}+i\sin\frac{2\pi km}{N}\right)\end{aligned}$$

이것과 (4.59)식을 비교하면

$$A_k+iB_k=A_{N-k}-iB_{N-k} \tag{4.60}$$

이 된다. 그리고

$$e^{i[2\pi(N-k)m/N]}=e^{i(2\pi m-2\pi km/N)}=e^{i(2\pi m)}\cdot e^{-i(2\pi km/N)}$$

이지만 (4.56)식에 의해 $e^{i(2\pi m)}=1$ 이므로

$$e^{-i(2\pi km/N)}=e^{i[2\pi(N-k)m/N]} \tag{4.61}$$

이다. (4.60)식과 (4.61)식은 물론 $k=N/2$인 경우도 성립한다. (4.60)식과 (4.61)식을 참조하면 (4.57)식의 제3항과 제4항은

$$\begin{aligned}&\frac{1}{2}\sum_{k=1}^{N/2-1}(A_k+iB_k)e^{-i(2\pi km/N)}+\frac{1}{4}(A_{N/2}+iB_{N/2})e^{-i(2\pi\frac{N}{2}m/N)}\\&=\frac{1}{2}\sum_{k=1}^{N/2-1}(A_{N-k}-iB_{N-k})e^{i[2\pi(N-k)m/N]}+\frac{1}{4}(A_{N/2}-iB_{N/2})e^{i(2\pi\frac{N}{2}m/N)}\end{aligned}$$

이 된다. 여기서 이번에는 우변의 N-k대신 k를 대입하면

$$\begin{aligned}&\frac{1}{2}\sum_{k=1}^{N/2-1}(A_k+iB_k)e^{-i(2\pi km/N)}+\frac{1}{4}(A_{N/2}+iB_{N/2})e^{-i(2\pi\frac{N}{2}m/N)}\\&=\frac{1}{2}\sum_{k=N-1}^{N/2+1}(A_k-iB_k)e^{i(2\pi km/N)}+\frac{1}{4}(A_{N/2}-iB_{N/2})e^{i(2\pi\frac{N}{2}m/N)}\end{aligned}$$

이 된다. 이식 우변의 Σ의 항에서는 k가 N-1에서 N/2+1까지 큰 번호에서 작은 번호로 향하여, 역순으로 더해지는데, 이 순서를 바꾸어도 전혀 문제가 없으므로

$$\begin{aligned}&\frac{1}{2}\sum_{k=1}^{N/2-1}(A_k+iB_k)e^{-i(2\pi km/N)}+\frac{1}{4}(A_{N/2}+iB_{N/2})e^{-i(2\pi\frac{N}{2}m/N)}\\&=\frac{1}{4}(A_{N/2}-iB_{N/2})e^{i(2\pi\frac{N}{2}m/N)}+\frac{1}{2}\sum_{k=N/2+1}^{N-1}(A_k-iB_k)e^{i(2\pi km/N)}\end{aligned}$$

그러면 결국 (4.57)식은

$$x_m=\frac{1}{2}\sum_{k=0}^{N/2-1}(A_k-\mathrm{i}B_k)\mathrm{e}^{\mathrm{i}(2\pi km/N)}+\frac{1}{2}(A_{N/2}-\mathrm{i}B_{N/2})\mathrm{e}^{\mathrm{i}(2\pi\frac{N}{2}m/N)}$$

$$+\frac{1}{2}\sum_{k=N/2+1}^{N-1}(A_k-\mathrm{i}B_k)\mathrm{e}^{\mathrm{i}(2\pi km/N)}$$

$$=\frac{1}{2}\sum_{k=0}^{N-1}(A_k-\mathrm{i}B_k)\mathrm{e}^{\mathrm{i}(2\pi km/N)} \tag{4.62}$$

이제 다음과 같이 복소 Fourier 계수 또는 복소진폭이라 불리우는 복소수 C_k를 정의하면

$$C_k=\frac{A_k-\mathrm{i}B_k}{2} \qquad k=0,1,2,\cdots\cdots,N-1 \tag{4.63}$$

(4.62)식은

$$x_m=\sum_{k=0}^{N-1}C_k\mathrm{e}^{\mathrm{i}(2\pi km/N)} \quad m=0,1,2,\cdots\cdots,N-1 \tag{4.64}$$

이 되고 이것을 유한복소 Fourier 급수라 한다.

(4.63)식에서 정의된 복소 Fourier 계수는 (4.58)식에 의해

$$C_k=\frac{1}{N}\sum_{m=0}^{N-1}x_m\left(\cos\frac{2\pi km}{N}-\mathrm{i}\sin\frac{2\pi km}{N}\right)$$

또는 (4.54)식에 의해

$$C_k=\frac{1}{N}\sum_{m=0}^{N-1}x_m\mathrm{e}^{-\mathrm{i}(2\pi km/N)} \quad k=0,1,2,\cdots\cdots,N-1 \tag{4.65}$$

로 주어진다. (4.65)식이 복소표시에 의한 이산적인 표본치 x_m의 Fourier 변환, (4.64) 식이 Fourier 역변환이다.

(4.63)식의 정의에서 알수 있는 바와같이 유한 Fourier cos계수, sin계수와 유한복소 Fourier계수와는

$$\left.\begin{aligned}A_k&=\ \ 2\Re(C_k)\\B_k&=-2\Im(C_k)\end{aligned}\right\}k=0,1,2,\cdots\cdots,\frac{N}{2} \tag{4.66}$$

와 관계가 있다. 그러나 여기서 조금 주의해야될 것은 Fourier 해석에서 분해될 수 있는 한도는 진동수 $f_{N/2}$의 성분까지 라는 것이다. k가 $N/2$보다 큰 고차성분에 대해서는 전혀 알수 없다는 것은 앞에서 언급한 바와

같지만 (4.65)식에서 보는 바와같이 유한복소 Fourier 계수 C_k는 $N/2$차를 훨씬 넘어서 $k=N-1$까지 주어져 있다. 차수 k가 $N/2$를 넘어선 곳에서는 도대체 어떻게 될 것인가. 그런데 A_k, B_k는 (4.7)식과 같이 전체가 N개이며 유한 Fourier 근사식이 N개의 표본점에서 성립한다는 (4.8)식의 조건에 의해 결정되었다. 이에 대해 C_k는 $k=0,1,2,\cdots N-1$의 N개이지만 복소수이므로 실수부와 허수부가 있고 이것을 따로따로 세어보면 2N개가 되는 것을 알 수 있다. N개의 표본치에서 어떻게 2N개의 값이 결정될 것인가 하는 것도 마음에 걸린다.

이의 의문에 답해주는 것이 (4.60)식 이다. 먼저 예제파에 대해 C_k값을 전부 계산해 보면 계산결과는 표 4.5와 같으며 REAL(C)가 C_k의 실수부, IMAG(C)가 허수부, ABS(C)의 열이 C_k의 절대치를 나타낸다.

이 표를 보면 곧 다음을 알 수 있다. 먼저 C_k의 실수부는 중앙에 있는 $k=N/2$의 행을 경계로 해서, 그 전후 같은 위치에 있는 값은 서로 같다.

표 4.5 예제파의 유한복소 Fourier 계수

EXAMPLE WAVE

-- FINITE COMPLEX FOURIER COEFFICIENTS --

TOTAL NUMBER OF DATA = 16

K	REAL(C)	IMAG(C)	ABS(C)
0	0,000	0.000	0.000
1	3,830	2.071	4.398
2	2,744	-4.190	5.009
3	2.479	-5.976	6,470
4	-3,375	-4.375	5,526
5	-2,094	1.928	2,846
6	-3.619	1.185	3.808
7	1,985	2.476	3,173
8	1.000	0.000	1,000
9	1,985	-2.476	3,173
10	-3,619	-1.185	3,808
11	-2.094	-1.928	2,846
12	-3.375	4.375	5,526
13	2.479	5.976	6,470
14	2.744	4.190	5,009
15	3.830	-2.071	4,398

허수부의 열에는 (+)와 (-)만이 바뀌어져 있다. 그러므로 $N/2$를 경계를 해서 전후 같은 위치에 있는 C_k는 서로 공액복소수가 된다. 달리 표시하면 k번째의 C_k와 $(N-k)$번째의 것은 서로 공액이다. 즉

$$C_{N-k}=C_k^* \quad k=1,2,\cdots\cdots,\frac{N}{2}-1 \tag{4.67}$$

이며 이것은 이론상으로 이미 (4.60)식에서 증명된 것이다.

우리들이 지진파를 취급할때 진폭의 표본치 x_m은 항상 실수이다. 시간이력을 허수나 복소수로 표현할 수는 없다. 그러므로 그다지 염려할 필요가 없지만 엄밀히 말하면 (4.67)식의 공액관계는 최초에 주어진 표본치 x_m이 실수일때만 성립한다. 역으로 말하면 (4.67)식의 관계는 (4.64)식의 Fourier 역변환을 실시하는 경우 x_m이 실수가 되기 위한 필요충분조건이며 이러한 사실은 매우 중요하다.

그림 4.7 예제파의 유한복소 Fourier 계수와 절곡점

C_{N-k}와 C_k와 공액이므로 표 4.5에서도 알수 있는 바와 같이 그 절대치는 같다. 표 4.5의 절대치를 차수 k에 대해 그려보면 그림 4.7과 같이 된다. 이 그림은 k의 중앙점을 축으로 해서 좌우대칭으로, 이 점을 중심으로 구부리면 좌우가 정확히 포개진다. 이런 의미로 k=N/2번째의 점을 절곡점, k=N/2에 대응하는 진동수

$$f_{N/2}=\frac{1}{2\Delta t}$$

을 절곡진동수(folding frequency)라 한다. 절곡 진동수는 앞에서 설명한 Nyquist 진동수와 같다.

이와같이 유한 복소 Fourier 계수는 실수부와 허수부를 포함해서 합계 2N개가 있는 것처럼 보인다. (4.67)식의 공액관계에 의해 실질적으로 N개 이며 N개의 표본치로부터 결정되는 조건도 모순이 없다. 즉 차수 k가 N/2를 초과하는 것은 실은 미지의 세계가 아니며 단순히 알고 있는 세계를 뒤 바꿔 놓은 것에 불과한 것이다.

더욱 표 4.5와 전술의 표 4.1를 비교하면 유한복소 Fourier 계수 C_k와 유한 Fourier 계수 A_k, B_k의 사이에 (4.66)식의 관계가 성립한다는 것을 주목해야 한다. (4.50)식의 Parseval정리, 즉

$$\frac{1}{N}\sum_{m=0}^{N-1} x_m{}^2=\frac{1}{2}\left(\frac{X_0{}^2}{2}+\sum_{k=1}^{N/2-1} X_k{}^2+\frac{X^2{}_{N/2}}{2}\right)$$

은 (4.43) 및 (4.66)식에 따라

$$\frac{X_0{}^2}{2}=\frac{A_0{}^2+B_0{}^2}{2}=2|C_0|^2$$

$$\sum_{k=1}^{N/2-1} X_k{}^2=\sum_{k=1}^{N/2-1}(A_k{}^2+B_k{}^2)=4\sum_{k=1}^{N/2-1}|C_k|^2$$

$$\frac{X^2{}_{N/2}}{2}=\frac{A^2{}_{N/2}+B^2{}_{N/2}}{2}=2|C_{N/2}|^2$$

이고, 더우기 (4.67)식에 의하면

$$4\sum_{k=1}^{N/2-1}|C_k|^2=2\sum_{k=1}^{N/2-1}|C_k|^2+2\sum_{k=1}^{N/2-1}|C_{N-k}|^2=2\sum_{k=1}^{N/2-1}|C_k|^2+2\sum_{k=N/2+1}^{N-1}|C_k|^2$$

이므로 결국

$$\frac{1}{N}\sum_{m=0}^{N-1} x_m{}^2=\sum_{k=0}^{N-1}|C_k|^2 \tag{4.68}$$

이 성립한다.

4.6 고속 Fourier 변환

주어진 파의 유한 Fourier 계수를 구하는 즉 Fourier 변환을 하기 위해서는 (4.22)식을 사용하는 것이 가장 간단하며 알기 쉽다. 이를위한 프로그램은 앞에서 사용한 FŌUC이다. 그러나 이 방법의 결점은 계산시간이

길며 더욱 표본치의 개수 N이 많게 되면 N^2에 비례해서 계산시간이 증가하게 된다. 이를테면 동경대학 계산기 센터에 있는 계산기 HITAC8700/8800으로 F$\bar{O}$UC에 의해 N=800의 El Centro 지진파의 유한 Fourier 계수를 전부 구하면 52.4250초 소요된다. 그러나 만일 N=8,000의 파를 해석한다고 하면 약 1시간 반이 소요되는데 이것은 계산기에 있어서는 큰 시간이다.

이와같은 결점을 개선해서 매우 빠르게 Fourier 해석을 수행하는 방법을 개발한 사람이 J.W.Cooley와 J.W.Tukey이며 Fourier 해석에 하나의 혁명을 가져온 사람이라 할 수 있다. 이 항에서는 Cooley 또는 Tukey법 혹은 고속 Fourier 변환(Fast Fourier Transform, FFT)라는 방법에 대해 설명하고자 한다.

목적은 등간격의 표본점에서 N개의 표본치 $x_m(m=0,1,2,\cdots,N-1)$에 대한 유한복소 Fourier 계수 $C_k(k=0,1,2,\cdots,N-1)$를 구하는 것이다. 여기서 표본치의 갯수는 N이지만 이것이 2의 누승, 즉

$$
\begin{aligned}
2^3 &= 8\\
2^4 &= 16\\
2^5 &= 32\\
2^6 &= 64\\
2^7 &= 128\\
2^8 &= 256\\
2^9 &= 512\\
2^{10} &= 1024\\
2^{11} &= 2048\\
2^{12} &= 4096\\
2^{13} &= 8192\\
2^{14} &= 16384\\
&\cdots\cdots
\end{aligned}
$$

등으로 된면 좋다. 고속 Fourier 변환이 더욱 위력을 발휘하는 것은 N이 이와같이 2의 누승이 되는 경우이다. 실제 지진파의 표본수가 2의 누승이 아닌 경우 어떻게 할 것인가는 나중에 설명한다.

먼저 N개의 표본치의 수열 x_m을 다음과 같이 2개의 수열로 분해한다.

$$\left.\begin{aligned} y_m &= x_{2m} \\ z_m &= x_{2m+1} \end{aligned}\right\} \quad m=0,1,2,\cdots\cdots,\frac{N}{2}-1 \tag{4.69}$$

즉 x_m의 번호가 짝수인 것을 제1열에, 홀수인 것을 제2열에 배치하여 각각 수열 y_m 및 z_m이라 한다. 수열 y_m 과 z_m은 모두 $N/2$개이고, (4.65)식에 의해 각각의 Fourier 변환은

$$\left.\begin{aligned} Y_k^{(N/2)} &= \frac{2}{N}\sum_{m=0}^{N/2-1} y_m e^{-i[2\pi km/(N/2)]} \\ Z_k^{(N/2)} &= \frac{2}{N}\sum_{m=0}^{N/2-1} z_m e^{-i[2\pi km/(N/2)]} \end{aligned}\right\} \quad k=0,1,2,\cdots\cdots,\frac{N}{2}-1 \tag{4.70}$$

이 된다. 여기서 Fourier변환 Y_k와 Z_k의 오른쪽 위에 붙인 (( ))는 수열의 요소갯수이며 따라서 그 수열의 Fourier 변환에 의해 구해지는 복소 Fourier 계수의 갯수를 나타낸다. 그래서 (4.65)식에 의하면

$$C_k^{(N)} = \frac{1}{N}\sum_{m=0}^{N-1} x_m e^{-i(2\pi km/N)}$$

이지만 (4.69)식과 같이 x_m을 분할하였으므로 이식의 우변은 각각의 수열에 대해 계산한 것을 더할 수 있다. 즉

$$C_k^{(N)} = \frac{1}{N}\sum_{m=0}^{N/2-1} \{y_m e^{-i[2\pi k(2m)/N]} + z_m e^{-i[2\pi k(2m+1)/N]}\}$$

이 되고 이 식을 변형하면

$$C_k^{(N)} = \frac{1}{N}\sum_{m=0}^{N/2-1} y_m e^{-i[2\pi km/(N/2)]} + e^{-i[\pi k/(N/2)]}\frac{1}{N}\sum_{m=0}^{N/2-1} z_m e^{-i[2\pi km/(N/2)]}$$

이 된다. (4.70)식을 참조하면

$$C_k^{(N)} = \frac{1}{2}Y_k^{(N/2)} + \frac{1}{2}e^{-i[\pi k/(N/2)]} Z_k^{(N/2)}$$

$$k=0,1,2,\cdots\cdots,\frac{N}{2}-1 \tag{4.71}$$

이 되고, 더우기 (4.70)식에서 k대신 $k+N/2$로 두고, (4.56)식 즉 $e^{-i(2\pi m)}=1$ 인 것을 고려하면

$$Y_{k+N/2}^{(N/2)}=\frac{2}{N}\sum_{m=0}^{N/2-1}y_m e^{-i[2\pi(k+N/2)m/(N/2)]}=\frac{2}{N}\sum_{m=0}^{N/2-1}y_m e^{-i[2\pi km/(N/2)+2\pi m]}$$

$$=\frac{2}{N}\sum_{m=0}^{N/2-1}y_m e^{-i[2\pi km(N/2)]}=Y_k^{(N/2)}$$

같은 요령으로

$$Z_{k+N/2}^{(N/2)}=Z_k^{(N/2)}$$

이 되고 (4.71)식에 의해

$$C_{k+N/2}^{(N)}=\frac{1}{2}Y_{k+N/2}^{(N/2)}+\frac{1}{2}e^{-i[\pi(k+N/2)/(N/2)]}Z_{k+N/2}^{(N/2)}$$

$$=\frac{1}{2}Y_{k+N/2}^{(N/2)}+\frac{1}{2}e^{-i[\pi k/(N/2)]}e^{-i\pi}Z_{k+N/2}^{(N/2)}$$

그런데 (4.54)식의 Eular공식에 의해

$$e^{-i\pi}=\cos\pi-i\sin\pi=-1$$

이므로

$$C_{k+N/2}^{(N)}=\frac{1}{2}Y_k^{(N/2)}-\frac{1}{2}e^{-i[\pi k/(N/2)]}Z_k^{(N/2)} \tag{4.72}$$

이 된다.

(4.71) 및 (4.72)식을 다시 쓰면

$$\left.\begin{aligned}2C_k^{(N)}&=Y_k^{(N/2)}+e^{i[-\pi k/(N/2)]}Z_k^{(N/2)}\\2C_{k+N/2}^{(N)}&=Y_k^{(N/2)}-e^{i[-\pi k/(N/2)]}Z_k^{(N/2)}\end{aligned}\right\}k=0,1,2,\cdots\cdots,\frac{N}{2}-1 \tag{4.73}$$

이 된다. 이식에 의하면 수열 x_m의 Fourier 변환은 반으로 분할된 수열 y_m, z_m의 Fourier 변환으로 부터 간단히 계산될 수 있음을 알 수 있다.

같은 요령으로 이제는 수열 Y_m과 Z_m을 (4.69)식과 같은 방법으로 2개의 수열 즉 y_m을 y_m'와 z_m'로, z_m을 y_m''와 z_m''로 각각 분할한다. 이와 같이 해서 구한 길이 $N/4$의 수열의 Fourier 변환으로부터 $Y_k^{((N/2))}$및

$Z_k^{((N/2))}$는

$$\left.\begin{aligned}
2Y_k^{(N/2)} &= Y_k^{\prime(N/4)} + e^{i[-\pi k/(N/4)]} Z_k^{\prime(N/4)} \\
2Y_{k+N/4}^{(N/2)} &= Y_k^{\prime(N/4)} - e^{i[-\pi k/(N/4)]} Z_k^{\prime(N/4)} \\
2Z_k^{(N/2)} &= Y_k^{\prime\prime(N/4)} + e^{i[-\pi k/(N/4)]} Z_k^{\prime\prime(N/4)} \\
2Z_{k+N/4}^{(N/2)} &= Y_k^{\prime\prime(N/4)} - e^{i[-\pi k/(N/4)]} Z_k^{\prime\prime(N/4)}
\end{aligned}\right\} k=0,1,2,\cdots\cdots,\frac{N}{4}-1 \quad (4.74)$$

으로 구할 수 있다.

좀더 자세하게 수열을 한 번 더 분할했을때의 관계식을 표시하면 다음과 같다.

$$\left.\begin{aligned}
2Y_k^{\prime(N/4)} &= Y_k^{\prime\prime\prime(N/8)} + e^{i[-\pi k/(N/8)]} Z_k^{\prime\prime\prime(N/8)} \\
2Y_{k+N/8}^{\prime(N/4)} &= Y_k^{\prime\prime\prime(N/8)} - e^{i[-\pi k/(N/8)]} Z_k^{\prime\prime\prime(N/8)} \\
2Z_k^{\prime(N/4)} &= Y_k^{\prime\prime\prime\prime(N/8)} + e^{i[-\pi k/(N/8)]} Z_k^{\prime\prime\prime\prime(N/8)} \\
2Z_{k+N/8}^{\prime(N/4)} &= Y_k^{\prime\prime\prime\prime(N/8)} - e^{i[-\pi k/(N/8)]} Z_k^{\prime\prime\prime\prime(N/8)} \\
2Y_k^{\prime\prime(N/4)} &= Y_k^{\prime\prime\prime\prime\prime(N/8)} + e^{i[-\pi k/(N/8)]} Z_k^{\prime\prime\prime\prime\prime(N/8)} \\
2Y_{k+N/8}^{\prime\prime(N/4)} &= Y_k^{\prime\prime\prime\prime\prime(N/8)} - e^{i[-\pi k/(N/8)]} Z_k^{\prime\prime\prime\prime\prime(N/8)} \\
2Z_k^{\prime\prime(N/4)} &= Y_k^{\prime\prime\prime\prime\prime\prime(N/8)} + e^{i[-\pi k/(N/8)]} Z_k^{\prime\prime\prime\prime\prime\prime(N/8)} \\
2Z_{k+N/8}^{\prime\prime(N/4)} &= Y_k^{\prime\prime\prime\prime\prime\prime(N/8)} - e^{i[-\pi k/(N/8)]} Z_k^{\prime\prime\prime\prime\prime\prime(N/8)}
\end{aligned}\right\} k=0,1,2,\cdots\cdots,\frac{N}{8}-1 \quad (4.75)$$

원수열 x_m의 길이가 $N=2^p$이면 (4.69)식과 같은 분할을 p회 실시하면 분할된 수열이 모두 1개의 요소로만 된다. 여기서 분할은 끝이 난다. 요소가 단 하나인 수열의 Fourier 변환은 그 요소의 수치 자체이다. 그러므로 이번에는 여기서 시작하여 (4.75),(4.74) 및 (4.73)식과 역순으로 차례로 상위의 Fourier변환에 합성하면 결국 p회 조작에 의해 구해지는 Fourier 변환 C_k의 값에 도달한다. 이것이 고속 Fourier 변환의 원리이다. (4.69)식과 같은 수열의 분할을 진행해가는 조작을 표 1.1에 주어진 예제파의 데이타에 대해 실시하면 표 4.6과 같이 된다. 단 N=16의 예제파로는 설명이 조금 길어서 앞의 반 즉 $N=8=2^3$개의 데이타만 사용한다. 그리고

$$e^{-i[0]} = 1.0000$$
$$e^{-i[\pi/4]} = 0.7071-0.7071\,i$$
$$e^{-i[\pi/2]} = -1.0000\,i$$
$$e^{-i[3\pi/4]} = -0.7071-0.7071\,i$$

을 염두에 두고 표 4.6(d)에서 출발하여, 역으로 계수를 차례로 합성하면서 주어진 수열의 Fourier 변환 C_k을 구하는 조작은 표 4.7과 같다.

이로부터 이 방법의 포인트는, 먼저 주어진 수열을 제1열과 제2열로 분할하고 다시같은 요령으로 반복하면서 결국 표 4.6(d)의 종방향으로 정리한 수열에 도달한 후, 수열요소를 나란히 배치하는 것이다. 그러면 이것을 계산기로는 어떻게 실행할 것인가. 이것은 매우 어려운 문제이며 어느정도 프로그램에 익숙한 사람일지라도 조금 어려울 것이다. 더우기 메모중에 수열요소의 배치를 위한 작업영역을 취하지 않고 하려면 몹시 어려울 것이다. 이 문제를 해결하는 키는 다음에 표시한다.

표 4.6 수열의 분할

(a) 원수열

m	0	1	2	3	4	5	6	7
x_m	5	32	38	−33	−19	−10	1	−8

(b) 1회 분할

m	0	1	2	3
y_m	5	38	−19	1
z_m	32	−33	−10	−8

(c) 2회 분할

m	0	1
y_m'	5	−19
z_m'	38	1
y_m''	32	−10
z_m''	−33	− 8

(d) 3회분활

m	0
y_m'''	5
z_m'''	−19
y_m''''	38
z_m''''	1
y_m'''''	32
z_m'''''	−10
y_m''''''	−33
z_m''''''	− 8

수열요소의 배치를 끝낸 표 4.6(d)에서 수열의 「수치」가 아니라 원 수열요소의 「번호」가 어떠한 모양으로 배치되어 있는가를 보면 표 4.8의 좌측 2열과 같이 되어 있음을 알 수 있다. 그래서 이번에는 이 배치전의 번호와 배치후의 번호를 2진수로 써보면 표의 우측 2열과 같이 된다.

표 4.7 계수의 합성

(a) 최종분할

k	0
$Y_k'''^{((1))}$	5
$Z_k'''^{((1))}$	−19
$Y_k''''^{((1))}$	38
$Z_k''''^{((1))}$	1
$Y_k'''''^{((1))}$	32
$Z_k'''''^{((1))}$	−10
$Y_k''''''^{((1))}$	−33
$Z_k''''''^{((1))}$	− 8

(b) 1회 합성

k	0	1
$Y_k'^{((2))}$	− 7.0	12.0
$Z_k'^{((2))}$	19.5	18.5
$Y_k''^{((2))}$	11.0	21.0
$Z_k''^{((2))}$	−20.0	−12.5

(c) 2회 합성

k	0	1	2	3
$Y_k^{((4))}$	6.25	6.00 − 9.25i	−13.25	6.00 + 9.25i
$Z_k^{((4))}$	−4.75	10.50 + 6.25i	15.75	10.50 − 6.25i

(d) 3회합성

k	0	1	2	3	4	5	6	7
$C_k^{((8))}$	0.750	8.922 −6.128i	−6.625 −7.875i	−2.922 +3.122i	5.500	−2.922 −3.122i	−6.625 +7.875i	8.922 +6.128i

이 2열을 비교해보면 재미있는 것을 안다. 같은 위치에 있는 2진수의 비트가 각각 반대 순서로 나열되어 있다. 이와 같이 2진수의 비트가 반대로 되어 있는 형을 역 2진형 또는 2진수의 반전형이라 한다. 이를테면 10진수의 19를 나타내는 2진수 10011은 25를 나타내는 2진수 11001의 반전형이 된다.

표 4.8 번호의 배치

번 호 m		번 호 m (2진 표시)	
배치전	배치후	배치전	배치후
0	0	000	000
1	4	001	100
2	2	010	010
3	6	011	110
4	1	100	001
5	5	101	101
6	3	110	011
7	7	111	111

이상으로 최초 수열의 번호를 표시하는 자연수를 먼저 2진수로 표시하고 이들의 역2진형이 작은 순서로 나열하여 배치하면 최종적으로 수열이 완성된다.

표 4.8에서는 이것을 N=8의 간단한 경우에 대해 설명하였으나 수열의 길이 N이 2의 누승이면 항상 성립하는 원리이다. 이것은 대단히 흥미가 있으며 중요한 것으로서 나중에 나오는 고속 Fourier 변환의 프로그램에서도 이 원리가 이용된다.

이와같은 Fourier 변환의 수법에 따르면 계산시간은, 데이타의 개수 N의 2승이 아니고, $N=2^p$일때 PN에 비례한다. 이를테면 HITAC 8700/8800 시스템에 의한 El Centro 지진파의 고속 Fourier 변환은 0.1807초로 끝난다. 앞에서 말한 고전적인 직접계산법에 의한 소요시간 52초에 비하면 얼마나 빠른가를 알 수 있다. 다시 El Centro 지진파의 10배 길이의 파를 해석하는 경우에도 계산시간은 약 1.9초에 불과하다. 앞의 약 1시간반에 비하면 참으로 놀랄만한 속도이다.

마지막으로 다시한번 원위치로 돌아가 Fourier 변환의 식 (4.65)와 역변환식 (4.64)를 비교해 보자. 계수 1/N을 제외하고 형식적으로는 같은 식이다. 단 (4.65)식에서는 e의 지수가 -이고(4.64)식에서는 +가 되어 있는 것이 다를뿐이다. 그러므로 앞의 설명에서 사용한 (4.70)에서 (4.75)까지의 식에서 e의 상단에 있는 부호를 +로 바꾸어주면 이들은 모두 그대로 Fourier 역변환의 식이 된다. 사실 다음에서 설명할 고속 Fourier 변환의 프로그램도 단지 부호가 -인지 +인지를 지정하는 것을 제외하고는 전적으로 같은 식이 Fourier 변환이나 Fourier 역변환을 구하기 위해 사용된다.

예제파의 표본치를 먼저 Foureir 변환해서 그것을 그대로 역변환하여 원래의 파로 환원한 예를 표 4.9에 표시했다. 먼저 좌측의 열은 예제파의 데이타, FŌURIER TRANSFŌRM과 INVERSE TRANSFŌRM의 2열은 각각 복소 Fourier 계수 및 그것을 역변환한 실수부와 허수부이다. FOURIER TRANSFORM의 경우 앞의 표 4.5와 같다. INVERSE

표 4.9 예제파의 Fourier 변환과 역변환

```
EXAMPLE WAVE

-- FOURIER AND INVERSE TRANSFORMS --

  M   DATA      K     FOURIER TRANSFORM   INVERSE TRANSFORM

  0     5.      0       0.000   0.000       5.000  0.000
  1    32.      1       3.880   2.071      32.000  0.000
  2    38.      2       2.744  -4.190      38.000  0.000
  3   -33.      3       2.479  -5.976     -33.000  0.000
  4   -19.      4      -3.375  -4.375     -19.000  0.000
  5   -10.      5      -2.094   1.928     -10.000  0.000
  6     1.      6      -3.619   1.185       1.000  0.000
  7    -8.      7       1.985   2.476      -8.000  0.000
  8   -20.      8       1.000   0.000     -20.000  0.000
  9    10.      9       1.985  -2.476      10.000  0.000
 10    -1.     10      -3.619  -1.185      -1.000  0.000
 11     4.     11      -2.094  -1.928       4.000  0.000
 12    11.     12      -3.375   4.375      11.000  0.000
 13    -1.     13       2.479   5.976      -1.000  0.000
 14    -7.     14       2.744   4.190      -7.000  0.000
 15    -2.     15       3.880  -2.071      -2.000  0.000
```

TRANSFŌRM의 경우는 최초에 주어진 데이타가 실수치로서 재현되어 있는 것을 알 수 있다.

4.7 고속 Fourier 변환 프로그램

이 프로그램 FAST(Fast Fourier Transform)는 프로그램 리스트 중의 코멘트와 같이 N.M.Brenner가 작성한 프로그램을 참고해서 필자가 다소 수정한 것이다. 실행문이 겨우 27행으로 고속 Foureir 변환 프로그램으로서는 가장 간결하게 쓰여진 것이 아닌가 생각된다.

계산방법은 앞에서 설명한 바와 같다. 즉 먼저 프로그램의 전반부에서는 역2진형에 의해 배열요소의 순서를 정한다. 프로그램의 이 부분은 다소 교묘하게 작성되어 2진수로의 변환도 비트의 반전과 같이 표면에는 나타나지 않는다. 이것이 왜 역2진법에 의하여 쓰여져 있는가는 간단히 설명하기 어렵다. 독자는 N=8 또는 N=16정도의 경우에 대해 변수 I,J,M 이 어떻게 변화하면서 배열이 정해지는지 살펴보면 그 배경에는 역 2진법이 사용된다는 것을 알 수 있을 것이다.

이와같은 배열에 의해 데이타의 최종적인 분할이 이루어진 후에는 프로그램의 후반에서 계수의 합성을 한다. 이 부분에 대해서는 특별한 설명이 필요치 않을 것이다. 표 4.7의 예에서는 복소수형 배열 X의 각 요소는 표 4.10과 같이 값이 구해진다. 여기서 주의하지 않으면 안 될 것은 (4.71) 및 (4.72)의 기본관계식에서 우변의 각항에 1/2이 있고 (4.74)와 (4.75)식에서는 좌변에 2가 곱해져 있다. 그러므로 1회합성을 행할때마다 2로 나누지 않으면 안된다. 그런데 이 프로그램에서는 1회의 합성시마다 2로 나누는 조작을 하지 않는다. 그래서 결국 최종적으로 계수가 2^p=N배된 결과로 되어 있다. 따라서 Fourier 변환을 할 경우에는 이 프로그램에 의한 계산결과를 주 프로그램에서 1/N배 해야 한다. 단 이 프로그램으로 Fourier 역변환을 실시할 경우에는 이와 같은 조작은 불필요하게 되며 계산결과가 그대로 변환치로 된다는 것은 (4.64)식과 (4.65)식의 형이 다르기 때문이라는 것을 주목하면 곧 이해될 것이다.

표 4.10 배열내의 계수

첨자	최종분할	1회합성	2회합성	3회합성
1	$Y_0'''^{((1))}$	$Y_0'^{((2))}$	$Y_0^{((4))}$	$C_0^{((8))}$
2	$Z_0'''^{((1))}$	$Y_1'^{((2))}$	$Y_1^{((4))}$	$C_1^{((8))}$
3	$Y_0''''^{((1))}$	$Z_0'^{((2))}$	$Y_2^{((4))}$	$C_2^{((8))}$
4	$Z_0''''^{((1))}$	$Z_1'^{((2))}$	$Y_3^{((4))}$	$C_3^{((8))}$
5	$Y_0'''''^{((1))}$	$Y_0''^{((2))}$	$Z_0^{((4))}$	$C_4^{((8))}$
6	$Z_0'''''^{((1))}$	$Y_1''^{((2))}$	$Z_1^{((4))}$	$C_5^{((8))}$
7	$Y_0''''''^{((1))}$	$Z_0''^{((2))}$	$Z_2^{((4))}$	$C_6^{((8))}$
8	$Z_0''''''^{((1))}$	$Z_1''^{((2))}$	$Z_3^{((4))}$	$C_7^{((8))}$

이 프로그램에서는 최초에 주어진 데이타도 복소수형으로서 취급되므로 실수 데이타의 Fourier 변환을 행할때에는 주 프로그램에서 허수부를 모두 0으로 두지 않으면 안된다. 또 역으로 복소 Fourier 계수 C_k(k=0,1,2,…,N/2)가 주어지고, 그 Fourier 역변환을 구할때에는 데이타의 후반

$$C_{N-k}=C_k^* \quad k=1,2,\cdots\cdots,\frac{N}{2}-1$$

표 4.11

N	인 수 분 해	계산시간(초)
4094	$2\times 23\times 89$	11.2
4095	$3^2\times 5\times 7\times 13$	3.4
4096	2^{12}	0.87
4097	17×241	25
4098	$2\times 3\times 683$	67
4099	소 수(素數)	400
4100	$2^2\times 5^2\times 41$	5.5

에 인 공액 복소수를 입력하지 않으면 안된다.

이 프로그램은 실제 데이타의 개수 N이 2의 누승이 아니면 적용할 수 없다. 실제표본치의 갯수가 2의 누승이 아닌 경우의 조치는 나중에 설명하기로 한다. 데이타의 갯수가 임의인 경우에 대해서도 고속 Fourier 변환 프로그램을 사용해야 한다. N.M.Brenner도 그러한 프로그램을 제시하였지만 시험적으로 N이 여러가지 값의 경우 계산시간을 측정해 보면 표 4.11과 같다.

이 표로부터 N이 인수로서 2를 많이 포함하고 있으면 계산 시간이 매우 빠름을 알 수 있다. 임의 갯수일지라고 경우에 따라서는 특히 N이 소수(素數)등에는 고속변환 프로그램도 이미 고속이라는 이름을 사용할 수 없게 된다.

사용예 1 또는 사용예 2는 각각 표 4.5 및 표 4.9를 계산하여 인쇄한 주 프로그램이다.

FAST(고속 Foureir 변환)

목 적

주어진 등간격 복소수형 데이타의 고속 Fourier 변환과 역변환을 1배 정도로 계산한다.

사용법

(1) 접속방법

CALL FAST (N, X, ND, IND)

인 수	형	부프로그램을 부르는 경우의 내용	부프로그램으로부터 읽어들이는 내용
N	I	복소수형 데이타 및 복소수형변환치의 수	좌 동
X	C 1차원배열(ND)	등간격 복소수형데이타	Fourier 변환치의 N배 또는 역 Fourier 변환치

ND	I	주프로그램에서 X의 차원	좌 동
IND	I	Fourier 변환의 경우 IND=-1 Fourier 역변환의 경우 IND=+1	좌 동

(2) 주의사항

i) N은 2의 누승이 되어야 한다.

ii) Fourier 변환 IND=-1인 경우 변환치는 N배 된다.

(3) 필요한 서브루틴 및 함수 프로그램은 없다.

프로그램 리스트

```
C  * * * * * * * * * * * * * * * * * * * * * * *                     FAST  1
C     SUBROUTINE FOR FAST FOURIER TRANSFORM                           FAST  2
C  * * * * * * * * * * * * * * * * * * * * * * *                     FAST  3
C                                                                      FAST  4
C                        CODED BY Y.OHSAKI                             FAST  5
C                                                                      FAST  6
C     PURPOSE                                                          FAST  7
C       TO PERFORM FAST FOURIER OR INVERSE FOURIER TRANSFORM FOR       FAST  8
C       A SERIES OF EQUI-SPACED DATA                                   FAST  9
C                                                                      FAST 10
C     USAGE                                                            FAST 11
C       CALL FAST(N,X,ND,IND)                                          FAST 12
C                                                                      FAST 13
C     DESCRIPTION OF PARAMETERS                                        FAST 14
C       N      - TOTAL NUMBER OF COMPLEX DATA AND TRANSFORMED VALUES   FAST 15
C       X(ND)  - EQUI-SPACED COMPLEX DATA/TRANSFORMED VALUES AT        FAST 16
C                CALL/RETURN                                           FAST 17
C       ND     - DIMENSION OF X IN CALLING PROGRAM                     FAST 18
C       IND    - IND=-1 FOR FOURIER TRANSFORM                          FAST 19
C                    +1 FOR INVERSE FOURIER TRANSFORM                  FAST 20
C                                                                      FAST 21
C     REMARKS                                                          FAST 22
C       (1) N MUST BE EQUAL TO POWERS OF 2                             FAST 23
C       (2) WHEN IND=-1, TRANSFORMED VALUES ARE MULTIPLIED BY N        FAST 24
C       (3) EXAMPLE OF CALLING                                         FAST 25
C                COMPLEX    A(1024) *                                  FAST 26
C                DIMENSION DATA(1024)                                  FAST 27
C                DATA       NN/1024/                                   FAST 28
C                DO 1 M=1,NN                                           FAST 29
C                A(M)=CMPLX(DATA(M),0.0)                               FAST 30
C              1 CONTINUE                                              FAST 31
C                CALL FAST(NN,A,1024,-1)                               FAST 32
C                                                                      FAST 33
C     REFERENCE                                                        FAST 34
C       N.M.BRENNER/ THREE FORTRAN PROGRAMS THAT PERFORM THE COOLEY-   FAST 35
C       TUKEY FOURIER TRANSFORM / MIT JULY 1967                        FAST 36
C                                                                      FAST 37
C     SUBROUTINES AND FUNCTION SUBPROGRAMS REQUIRED                    FAST 38
C       NONE                                                           FAST 39
C                                                                      FAST 40
      SUBROUTINE FAST(N,X,ND,IND)                                      FAST 41
C                                                                      FAST 42
      COMPLEX X(ND),TEMP,THETA                                         FAST 43
```

```
C                                                                       FAST 44
      J=1                                                               FAST 45
      DO 140 I=1,N                                                      FAST 46
      IF(I.GE.J) GO TO 110                                              FAST 47
      TEMP=X(J)                                                         FAST 48
      X(J)=X(I)                                                         FAST 49
      X(I)=TEMP                                                         FAST 50
  110 M=N/2                                                             FAST 51
  120 IF(J.LE.M) GO TO 130                                              FAST 52
      J=J-M                                                             FAST 53
      M=M/2                                                             FAST 54
      IF(M.GE.2) GO TO 120                                              FAST 55
  130 J=J+M                                                             FAST 56
  140 CONTINUE                                                          FAST 57
      KMAX=1                                                            FAST 58
  150 IF(KMAX.GE.N) RETURN                                              FAST 59
      ISTEP=KMAX*2                                                      FAST 60
      DO 170 K=1,KMAX                                                   FAST 61
      THETA=CMPLX(0.0,3.141593*FLOAT(IND*(K-1))/FLOAT(KMAX))            FAST 62
      DO 160 I=K,N,ISTEP                                                FAST 63
      J=I+KMAX                                                          FAST 64
      TEMP=X(J)*CEXP(THETA)                                             FAST 65
      X(J)=X(I)-TEMP                                                    FAST 66
      X(I)=X(I)+TEMP                                                    FAST 67
  160 CONTINUE                                                          FAST 68
  170 CONTINUE                                                          FAST 69
      KMAX=ISTEP                                                        FAST 70
      GO TO 150                                                         FAST 71
      END                                                               FAST 72
```

사용예1

```
      COMPLEX   C(16)                                                          1
      DIMENSION DATA(16)                                                       2
      DATA      DATA/5.,32.,38.,-33.,-19.,-10.,1.,-8.,-20.,10.,-1.,4.,         3
     1          11.,-1.,-7.,-2./,NN/16/                                        4
C                                                                              5
      DO 110 M=1,NN                                                            6
      C(M)=CMPLX(DATA(M),0.0)                                                  7
  110 CONTINUE                                                                 8
      CALL FAST(NN,C,16,-1)                                                    9
      DO 120 K=1,NN                                                           10
      C(K)=C(K)/FLOAT(NN)                                                     11
  120 CONTINUE                                                                12
      WRITE(6,601) NN                                                         13
      DO 130 K=1,NN                                                           14
      K1=K-1                                                                  15
      AMP=CABS(C(K))                                                          16
      WRITE(6,602) K1,C(K),AMP                                                17
  130 CONTINUE                                                                18
      STOP                                                                    19
C                                                                             20
  601 FORMAT(1H1/6(1H0/)/1H ,35X,12HEXAMPLE WAVE/1H0,35X,41H-- FINITE CO      21
     1MPLEX FOURIER COEFFICIENTS --/1H0,39X,22HTOTAL NUMBER OF DATA =,I3      22
     2/1H0/1H ,42X,1HK,7X,7HREAL(C),4X,7HIMAG(C),4X,6HABS(C)/)                23
  602 FORMAT(1H ,40X,I3,2X,3F11.3)                                            24
      END                                                                     25
```

사용예2

```
      COMPLEX   C(16),X(16)                                                    1
      DIMENSION DATA(16)                                                       2
      DATA      DATA/5.,32.,38.,-33.,-19.,-10.,1.,-8.,-20.,10.,-1.,4.,         3
     1          11.,-1.,-7.,-2./,NN/16/                                        4
```

```
C                                                                        5
      DO 110 M=1,NN                                                      6
      C(M)=CMPLX(DATA(M),0.0)                                            7
  110 CONTINUE                                                           8
      CALL FAST(NN,C,16,-1)                                              9
      DO 120 K=1,NN                                                     10
      C(K)=C(K)/FLOAT(NN)                                               11
      X(K)=C(K)                                                         12
  120 CONTINUE                                                          13
      CALL FAST(NN,X,16,+1)                                             14
      WRITE(6,601)                                                      15
      DO 130 MK=1,NN                                                    16
      MK1=MK-1                                                          17
      WRITE(6,602) MK1,DATA(MK),MK1,C(MK),X(MK)                         18
  130 CONTINUE                                                          19
      STOP                                                              20
C                                                                       21
  601 FORMAT(1H1/6(1H0/)/1H ,30X,12HEXAMPLE WAVE/1H0,30X,36H-- FOURIER A 22
     1ND INVERSE TRANSFORMS --/1H0/1H ,36X,1HM,3X,4HDATA,7X,1HK,4X,17HFO 23
     2URIER TRANSFORM,2X,17HINVERSE TRANSFORM/)                         24
  602 FORMAT(1H ,35X,I2,F7.0,I8,5X,2F7.3,5X,2F7.3)                      25
      END                                                               26
```

4. 8 Fourier 급수

이 절과 다음절에서 설명하고자 하는 사항은, 이른바 부록과 같은 것으로서 이 입문서의 본질과는 그다지 관계가 없다. 지금까지는 데이터라 하면 모두 이산적인 표본치만을 취급하였다. 여기서는 이산 간격을 점차로 작게해서 결국 무한히 작게 해버리면 어떻게 될 것인가에 대해서 알아보자. 그러나 우리들이 취급하는 지진파의 데이타는 항상 유한한 간격의 표본점에 있는 이산적인 값이므로 여기서 언급하는 것은 그다지 실용적 의미는 없으며 오히려 이론적 의미만 있을 뿐이다. 지금까지는 0에서 T까지 시간의 (+) 구간에 주어진 함수에 대해서 유한 Fourier 근사나 그 복소수 표시에 대하여 설명하였다. 지진파를 문제로 했을때 파가 t=0에서 시작하여 t=T까지 계속하는 현상을 시간의 (+)축상에서 생각하는 것이 당연하기 때문이다.

그러나 여기서는 주로 이론적인 일반성을 목적으로 하고 있으므로 현상을 시간축의 (-) 범위까지 확장해서 생각하는 것으로 한다. 이를위해 먼저 시간축의 원점을 지속시간 T의 중앙에 주고, 현상이 $-T/2<t\leq T/2$의 범위내에 있다고 하자.

이렇게 하면 앞에서 구한 여러가지 식들은 각각 다음과 같이 변한다. 먼저 (4.2)식은

$$x_m = x(m\Delta t)$$

$$m = -\frac{N}{2}+1,\ -\frac{N}{2}+2, \cdots\cdots, 0, 1, \cdots\cdots, \frac{N}{2} \qquad (4.76)$$

이 되고 (4.58)식에서 k대신 $-k$로 두면

$$A_{-k} - iB_{-k} = \frac{2}{N} \sum_{m=-N/2+1}^{N/2} x_m \left[\cos\frac{2\pi(-k)m}{N} - i\sin\frac{2\pi(-k)m}{N} \right]$$

$$= \frac{2}{N} \sum_{m=-N/2+1}^{N/2} x_m \left(\cos\frac{2\pi km}{N} + i\sin\frac{2\pi km}{N} \right)$$

이 되고 (4.59)식과 비교하면 (4.60)식에 따라

$$A_k + iB_k = A_{-k} - iB_{-k} \qquad (4.77)$$

따라서 (4.57)식의 우변 3번째 항은

$$\frac{1}{2}\sum_{k=1}^{N/2-1}(A_k + iB_k)e^{-i(2\pi km/N)} = \frac{1}{2}\sum_{k=1}^{N/2-1}(A_{-k} - iB_{-k})e^{i[2\pi(-k)m/N]}$$

$$= \frac{1}{2}\sum_{k=-1}^{-N/2+1}(A_k - iB_k)e^{i(2\pi km/N)}$$

이므로 (4.57)식은 (4.62)식과 같이

$$x_m = \frac{1}{2}\sum_{k=-N/2+1}^{N/2}(A_k - iB_k)e^{i(2\pi km/N)}$$

으로 표현된다. (4.63)식과 같이 복소 Fourier계수 C_k를 정의하면 결국 이 경우의 Fourier변환 및 역변환은

$$C_k = \frac{1}{N}\sum_{m=-N/2+1}^{N/2} x_m e^{-i(2\pi km/N)}$$

$$k = -\frac{N}{2}+1, -\frac{N}{2}+2, \cdots\cdots, 0, 1, \cdots\cdots, \frac{N}{2} \qquad (4.78)$$

$$x_m = \sum_{k=-N/2+1}^{N/2} C_k e^{i(2\pi km/N)}$$

$$m = -\frac{N}{2}+1, -\frac{N}{2}+2, \cdots\cdots, 0, 1, \cdots\cdots, \frac{N}{2} \qquad (4.79)$$

이 되고 (4.77)식에 의해 (4.67)식과 같이

$$C_{-k} = C_k^* \quad k = 1, 2, \cdots\cdots, \frac{N}{2}-1 \qquad (4.80)$$

이 되어 (4.80)식과 (4.67)식에 의해 그림 4.8과 같은 관계가 성립한다.

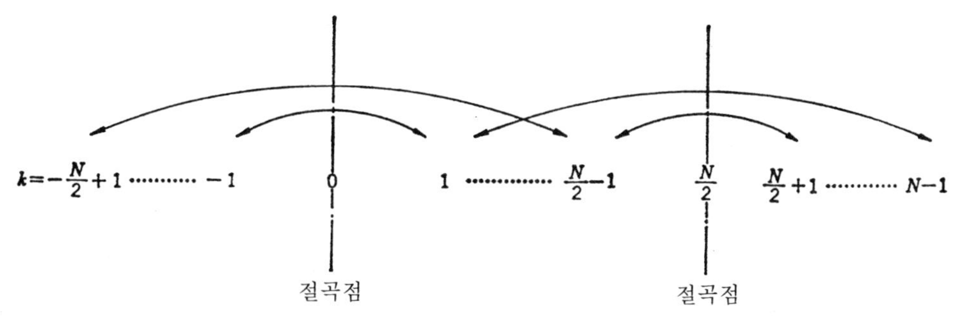

그림 4.8 복소 Fourier 계수의 질곡관계

(4.68)식의 Parseval의 정리는

$$\frac{1}{N}\sum_{m=-N/2+1}^{N/2} x_m^2 = \sum_{k=-N/2+1}^{N/2} |C_k|^2 \tag{4.81}$$

이 된다.

여기까지는 모두 $m=-N/2+1$에서 $N/2$까지, 시간으로는 $-T/2$에서 $T/2$까지의 사이에 있고 간격 Δt, 갯수 N인 이산 표본치에 대한 식이다. 여기서 지속시간

$$T=N\Delta t \tag{4.82}$$

는 일정치이므로 표본치의 개수 N을 점점 늘려서 무한대까지 가보자. 그러면 표본점의 간격 Δt는 점점 작아져 결국에는 무한히 작게 된다. 유한 Fourier 근사식 $\tilde{x}(t)$는, 원래 N개의 표본점에 있어서 표본치 x_m로 표시되는 곡선상의 점을 통하도록 정해진 것이다. 따라서 표본점의 수가 점점 증가하여 그 간격이 작게되면 $\tilde{x}(t)$는 서서히 함수 x(t)와 일치하게 된다. $N\to\infty$, $\Delta t\to 0$가 되는 극한에서는 $-T/2<t\leq T/2$의 범위에서 연속함수 $x(t)$의 정확한 Fourier 표시식이 된다.

(4.78)식의 복소 Fourier 계수 C_k는

$$C_k=\frac{1}{N\Delta t}\sum_{m=-N/2+1}^{N/2}(x_m\Delta t)e^{-i[2\pi k(m\Delta t)/N\Delta t]} \tag{4.83}$$

$$k=-\frac{N}{2}+1, \cdots\cdots, 0, \cdots\cdots, \frac{N}{2}$$

로 쓸 수 있고, 여기서 $N\Delta t=T$를 일정하게 유지하면서 N을 무한대, Δt

를 무한히 작게하면

$$m\Delta t \longrightarrow t$$

$$x_m \Delta t \longrightarrow x(t)\mathrm{d}t$$

가 되어 (4.83)식의 합의 기호는 적분으로 되어

$$C_k = \frac{1}{T}\int_{-T/2}^{T/2} x(t)\mathrm{e}^{-\mathrm{i}(2\pi kt/T)}\mathrm{d}t \quad -\infty < k < \infty \tag{4.84}$$

으로 쓸 수 있다. 같은 요령으로 (4.79)식은

$$x(t) = \sum_{k=-\infty}^{\infty} C_k \mathrm{e}^{\mathrm{i}(2\pi kt/T)} \tag{4.85}$$

이 되고, 이식을 $-T/2 \langle t \leq T/2$의 범위에서 함수 $x(t)$의 Fourier 급수 전개라고 한다.

유한 Fourier 근사의 경우 (4.39)식에 대응하는 기본진동수는

$$f_1 = \frac{1}{T} \quad \text{(cps)} \tag{4.86}$$

이 되고, 계수 C_k는 진동수 간격 $f_1=1/T$의 이산점에서 주어진다.

그리고 (4.81)식은

$$\frac{1}{N\Delta t}\sum_{m=-N/2+1}^{N/2} x_m^2 \Delta t = \sum_{k=-N/2+1}^{N/2} |C_k|^2$$

으로 쓸 수 있으므로 Parseval 정리는

$$\frac{1}{T}\int_{-T/2}^{T/2} x^2(t)\mathrm{d}t = \sum_{k=-\infty}^{\infty} |C_k|^2 \tag{4.87}$$

로 표시할 수 있다.

4.9 Fourier 적분

지금까지는 시간 함수를 크게 두가지 다른 방법으로 취급해 왔다. 처음에는 함수가 총수 N, 시간간격 Δt의 이산 표본치로 표시되는 것으로 가정하였고 전항에서는 $-T/2<t\leq T/2$ 즉 지속시간 T의 범위내에서 연속함수로 취급하였다. 그러나 어느쪽의 경우도 현상이 시간에 따라 변하는 양으로 되어 있어서 이와같은 취급하는 범위를 시간영역(time domain)이라한다. 이에 반해 예를들면 Fourier 스펙트럼과 같이 현상의 특성을 진

동수에 따라 변하는 량으로 취급하는 방법도 있으며 이와같이 취급하는 영역을 주파수영역(frequency domain)이라한다.

앞의 이산 표본치의 경우 유한 Fourier 근사에 의해 주파수영역에서는, 총수는 역시 N이며 진동수 간격이 $1/N\Delta t$의 이산적인 값에 따라 나타나고 있다. 뒤의 연속함수의 경우는 Fourier 급수전개에 의해 주파수 영역으로 변환되어 무한개의 성분으로 분해될 것이나 각 성분의 진동수는 $1/T$(cps)마다 역시 이산적이다. 이와같은 유한 Fourier 근사 및 Fourier 급수전개에 관계되는 모든 양의 관계를 정리하면 표 4.12와 같다.

표 4.12

	시 간 영 역			주 파 수 영 역
	지속시간 (sec)	시간간격 (sec)	항의 수	진동수간격 (cps)
유한Fourier근사	T	Δt	N	$1/N\Delta t$
Fourier급수전개	T	연 속	∞	$1/T$
Fourier 적 분	∞	연 속	∞	연 속

이 표로부터도 알 수 있는 바와같이, 더욱 이론적인 일반성을 갖기 위해서는 시간의 범위는 $-\infty \leqq t \leqq +\infty$, 즉 (+)(-) 양방향 모두 무한대까지 확장된 함수에 대해 제3의 취급법을 고려할 필요가 있다. 지속시간 T가 무한대로 되면 주파수 영역에서 진동수 간격 $1/T$은 무한히 작게되어, 현상의 특성이 진동수에 대해 이산적이 아닌 하나의 연속량으로서 나타나게 된다.

여기서 지속시간이 무한대라는 의미에 대해 설명을 추가할 필요가 있을 것이다. 유한 Fourier 근사 혹은 Fourier 급수전개에 있어서 지속시간 T가 일정한 현상을 취급해 보자. 그러나 실제는 그림 4.9(a)와 같이, 주기 T를 가지고 무한히 반복순환하는 현상에 대해 단지 1주기 성분만을 대상으로 한다. 그러므로 1주기 성분의 마지막 점은 다음 순환의 시점이 된다. 앞의 표 1.1에서 파의 지속시간은 $(N-1)\Delta t$가 아니고 $T=N\Delta t$로 한 것은 이를 위한 것이다. 그림 4.10은 시간 축을 원주로 해서 그 축에 대

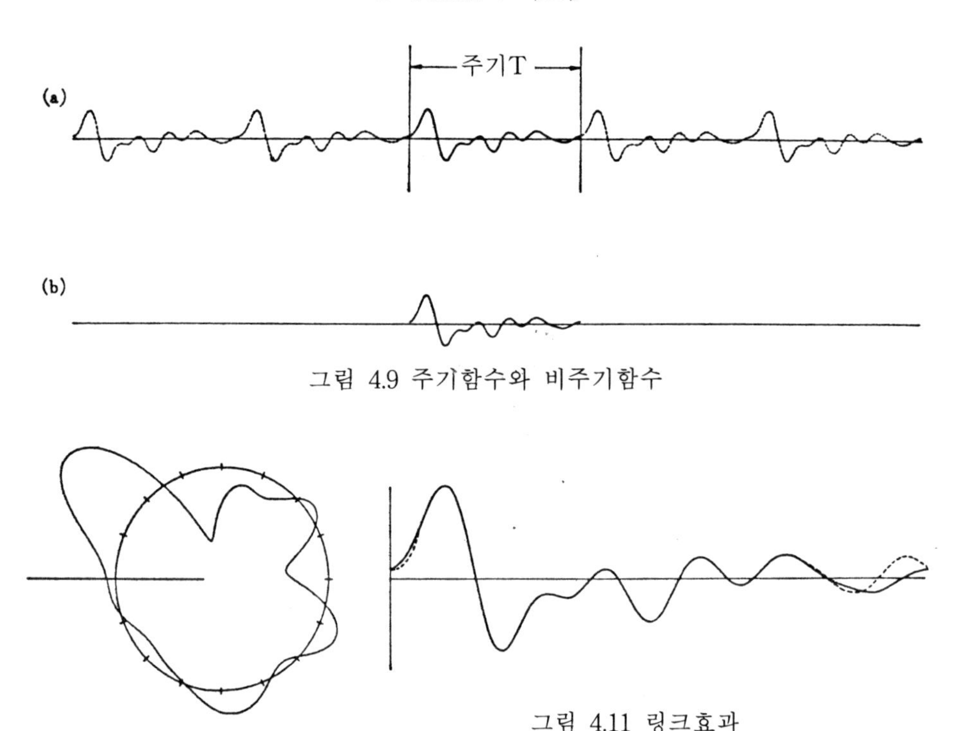

그림 4.9 주기함수와 비주기함수

그림 4.10 파의 연결

그림 4.11 링크효과

해 예제파의 파형을 그린 것이다. 파의 머리와 꼬리가 연결되어 있으며 우리는 지금까지 이런 파를 취급해 왔던 것이다. 머리와 꼬리가 연결되어 있는것을 표시하는 데는 다음과 같은 예를 들수가 있다. 그림 4.11의 실선은 예제파의 파형이다. 지금 표 1.1에서 표시한 예제파의 마지막 표본치를 $x_{m=15}=10$으로 바꾸고 (4.22)식에 대해 A_k, B_k를 구한다. 그리고 A_k, B_k를 이용하여 (4.24)식에 의해 구해지는 파형 $\tilde{x}(t)$를 그리면 그림의 파선과 같이 된다. 표본치를 바꾼 꼬리부분에서 파형이 변하는 것은 당연하다. 그러나 근소하지만 머리부분에도 변화가 일어나고 있다. 이것이 머리와 꼬리가 연결됨을 표시한는 일예이며 이와같은 현상을 링크효과라 부른다. 링크효과는 파의 해석시 때로는 바람직하지 않는 영향을 갖는다.

이 절에서는 제3의 방법으로서 Fourier 적분은, $-\infty \leq + \leq +\infty$의 범위에서 정의 된 지속시간 $T=\infty$의 함수를 취급하지만 이것은 반드시 현상이 무한시간 지속되는 것을 의미하는 것은 아니다. 그림 4.9(b)와 같이 임의의 시간에 시작해서 어느시간 계속하면 거기서 끝이나고 반복하지 않는 비주기적인 함수까지 취급할 수 있도록 해석의 대상을 확장해 보려는 것이다.

이제 (4.85)식, 즉

$$x(t)=\sum_{k=-\infty}^{\infty} C_k e^{i(2\pi kt/T)}$$

을

$$x(t)=\sum_{k=-\infty}^{\infty} (TC_k) e^{i[2\pi(k/T)t]} \frac{1}{T} \tag{4.88}$$

로 두면, $1/T$은 Fourier 급수전개에서 기본진동수, 또는 진동수의 간격이 된다. 진동수를 f라 하고 (4.88)식에서 $T\to\infty$로 두면

$$\frac{k}{T} \longrightarrow f$$

$$\frac{1}{T} \longrightarrow \mathrm{d}f$$

이 되고 (TC_k)는

$$TC_k \longrightarrow F(f) \tag{4.89}$$

즉 진동수의 연속함수로 극한화한 것이 된다. 따라서 (4.88)식의 합은

$$x(t)=\int_{-\infty}^{\infty} F(f) e^{i(2\pi ft)} \mathrm{d}f \tag{4.90}$$

과 같은 적분이 되고, 같은 요령으로 (4.84)식은

$$TC_k=\int_{-T/2}^{T/2} x(t) e^{-i[2\pi(k/T)t]} \mathrm{d}t$$

가 되고 $T\to\infty$가 되면

$$F(f)=\int_{-\infty}^{\infty} x(t) e^{-i(2\pi ft)} \mathrm{d}t \tag{4.91}$$

이 된다.

함수 $F(f)$를 함수 x(t)의 Fourier 적분 또는 Fourier 변환이라고 부르고 (4.90)식을 Fourier 역변환이라고 한다.

(4.89)식과 같이 TC_k를 극한화 한 것이 Fourier 변환 $F(f)$가 되는 것에 주의해야 한다. (4.63)식에 의해

$$TC_k=\frac{T}{2}(A_k-\mathrm{i}B_k)$$

이지만 앞에서 Fourier 계수 A_k, B_k로부터 진폭 X_k를 구하고 그림 4.5(b)의 스펙트럼을 그리는 경우, $T/2$즉 지속시간의 1/2을 곱한것은 이를 위한 것이다.

진동수 대신, 원 진동수 w를 사용하고

$$2\pi f=\omega$$

$$x(t) \longrightarrow f(t)$$

$$F(f)\longrightarrow F(\omega)$$

라 두고 Fourier 변환 및 역변환을

Fourier 변환 $$F(\omega)=\int_{-\infty}^{\infty}f(t)\mathrm{e}^{-\mathrm{i}\omega t}\mathrm{d}t \qquad (4.92)$$

Fourier 역변환 $$f(t)=\frac{1}{2\pi}\int_{-\infty}^{\infty}F(\omega)\mathrm{e}^{\mathrm{i}\omega t}\mathrm{d}\omega \qquad (4.93)$$

로 표시하는 것도 자주 이용된다. 이 경우 함수 $f(t)$와 $F(w)$을, Fourier 변환쌍이라 하고

$$f(t)\longleftrightarrow F(\omega) \qquad (4.94)$$

로 쓴다. (4.92)식으로 부터 $f(t)$가 실함수이면

$$F(-\omega)=F^*(\omega) \qquad (4.95)$$

가 된다.

4.10 Fourier 스펙트럼의 의미

실제 지진파의 Fourier 스펙트럼을 구하는 프로그램은 다음 6.1절에서 서술할 것이나 El Centro 지진파의 Fourier 스펙트럼을 그려보면 그림 4.12 또는 그림 4.13과 같이 된다. 그림 4.12는 Fourier 진폭을 진동수의 산술눈금으로, 그림 4.13은 주기의 대수 눈금으로 그린 것이다. 이와같은 Fourier 스펙트럼 표시의 중요한 의의로써 다음 두가지 사실을 들 수 있

다. 하나는 시간 이력에 포함되는 진동수 성분의 검출이고 또 하나는 시간영역에서 주파수 영역으로의 변환이다. 진동수 성분의 검출에 대해서는 이미 4.3절에서 기술하였다. Fourier 스펙트럼은 원파가 어떠한 진동수의 성분을 포함하고 있으며, 어떠한 성분의 진폭이 큰 것인가를 표시하는 것으로 이에 의해 그 지진파가 구조물에 주는 영향을 추측할 수 있다. 특히 큰 진폭의 성분이 있을때 그 성분을 탁월하다고 하고 이와같은 성분파의 진동수 혹은 주기를 각각 탁월진동수 혹은 탁월주기라고 한다. 그림 4.13에서 보면 El Centro 지진파의 탁월주기는 대체로 0.2초 부근, 0.5에서 1초 사이, 그리고 3초 부근이다. 그러나 앞에서도 기술한 바와같이 Fourier 스펙트럼에 의해서도 Nyquist 진동수보다 고주파의 진동수 성분은 검출되지 않는다.

앞에 표시한 그림 1.1은 El Centro 지진파의 가속도 기록을 시간축에 대해 그린 것이다. 즉 시간영역에서의 표시인 것이다. 이에 반해 그림 4.12는 진동수에 대해서 그린 것으로 주파수 영역에서의 표시이다. 이와 같이 시간이력을 Fourier 변환하므로서 시간의 세계에서 진동수의 세계

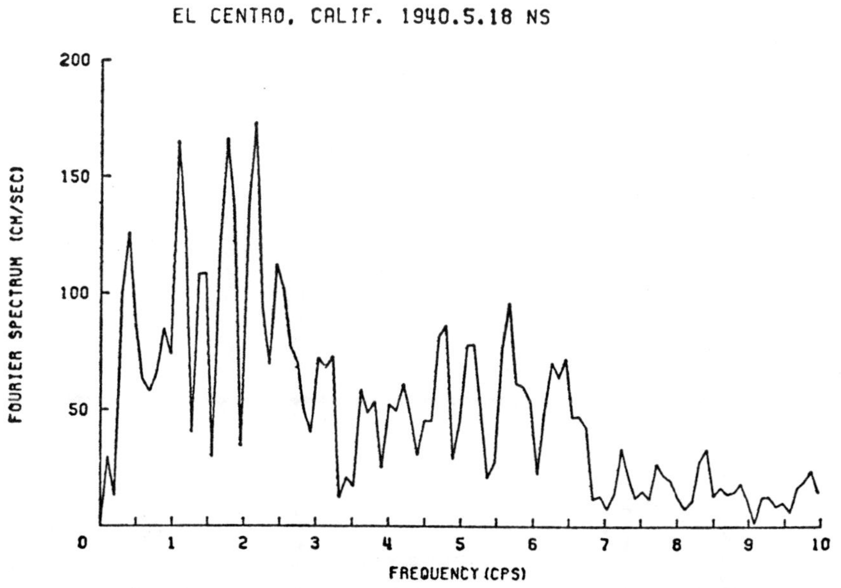

그림 4.12 El Centro 지진파의 Fourier 스펙트럼(진동수표시)

로 변환이 이루어 진다. 그리고 필요하다면 진동수의 세계에서 시간의 세계로 재변환, 즉 원파형을 재현하는 것도 가능한데 이것이 Fourier 역변환이다. 이와같이 파형과 스펙트럼은 형식에는 큰 차이가 있으나 양자가 갖고 있는 정보는 전적으로 같다.

단 한가지 주의해 둘 것은, 주파수 영역에서 그림 4.12의 Fourier 진폭 스펙트럼만에 의해서는 정보가 불충분하다는 것이다. 앞의 그림 4.6에 표시한 Fourier 위상 스펙트럼과 합해져서 원래의 시간영역에 있는 정보가 구해진다. 바꾸어말하면 복소 Fourier 계수 C_k의 절대치 만으로는 불충분하며 그 실수부와 허수부를 따로따로 아는 것이 중요하다.

지진파 그 자체의 해석 혹은 지진파의 작용을 받는 구조물의 거동해석은 시간의 영역에서 행하는 것이 본래의 자세이다. 그러나 경우에 따라서는 이것을 일단 스펙트럼으로 변환한 뒤 주파수 영역에서 해석하는 것이 훨씬 편리할 수도 있다. 특히 고속 Fourier 변환 수법이 개발되면서 시간영역에서 임의 시간간격마다 차례로 계산을 진행하는 것과 비교할 수 없을 만큼 빨리 스마트하게 해석되는 경우가 많다.

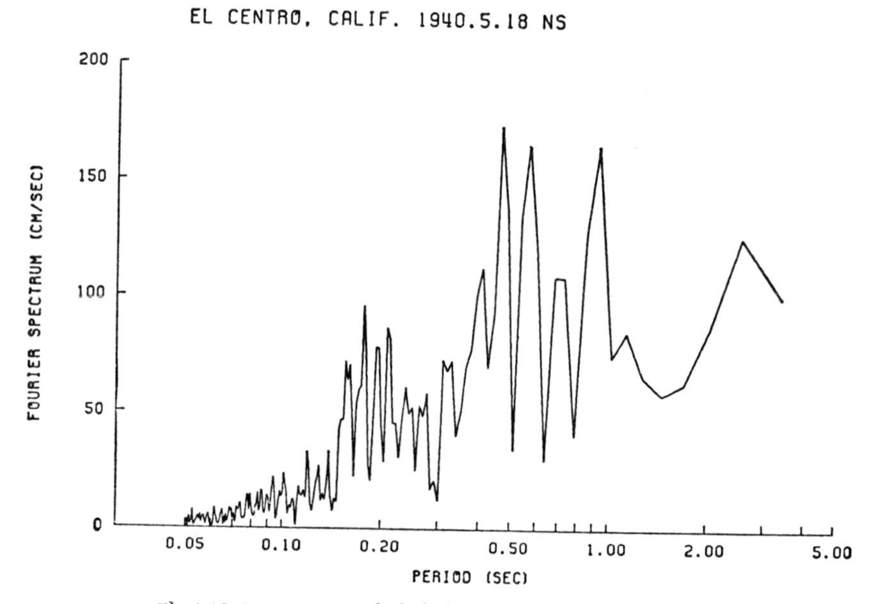

그림 4.13 El Centro 지진파의 Fourier 스펙트럼(주기표시)

이와같은 Fourier 해석에서도 한편에서는 다소 문제점이 있다. 이에 대해 다음과 같이 생각해 보자.

먼저 고속 Fourier 변환이 대단히 강력한 무기가 되는 것은 반복해서 기술했다. 대단히 불편한 것은 데이타의 수가 2의 누승이 아니면 사용하지 못한다는 것이다. 완전히 사용하지 못하는 것은 아니지만, 고속이라는 위력이 없어지고 만다. 그래서 그 대책으로서 이를테면 El Centro 지진파의 데이타수는 N=800이고, 거기서 일단 파가 끝난다고 하고 이후에는 진폭이 0인 파가 계속하는 것으로 생각한다. 그래서 데이타의 뒤에 224개의 0을 붙이면

$N=800+224=1024=2^{10}$

으로서 즉 2의 누승이 된다. 이와같이 뒤에 0을 부치는 것을 후속의 제로(trailing zeros)라 한다. 앞의 그림 4.9에서 유한개 데이타의 Fourier 변환은 실제로 파가 끝나지 않고 같은 파가 반복되고 있는 것으로 취급하여 링크의 효과가 있음을 기술하였다. 뒤에 0을 부치는 것은 이와같이 문자그대로 악순환을 제거하는 이점도 있다.

그러나 여기서 주의할 것은 이와같이 뒤에 0을 부치면 원파와 다른 것을 해석하고 있지 않는가 하고 생각할 수도 있을 것이다. 예제파의 표본치의 최초의 10개를 취해서

데이타 I : 5,32,38,-33,-19,-10,1,-8,-20,10

로 하고 이것에 0을 6개 붙여 데이타수를 16으로 한것을

데이타 II: 5,32,38,-33,-19,-10,1,-8,-20,10,0,0,0,0,0,0 라 한다.

그러면

$$\text{데이타 I}: N=10 \quad \Delta t=0.5\,\text{sec} \quad \Delta f=\frac{1}{N\Delta t}=0.200\,\text{cps}$$

$$\text{데이타 II}: N=16 \quad \Delta t=0.5\,\text{sec} \quad \Delta f=\frac{1}{N\Delta t}=0.125\,\text{cps}$$

이다.

두가지 데이타의 Fourier 스펙트럼을 구해보면 그림 4,14와 같이 된다. 이 두개는 Fourier 진폭을 구하는 진동수가 달라 차이가 있지만, 어느쪽

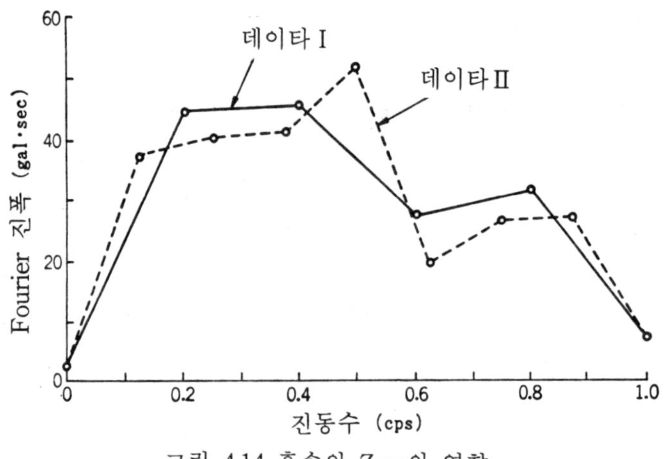

그림 4.14 후속의 Zero의 영향

도 옳바른 스펙트럼이다. 오히려 뒤에 0을 붙이는 것이 링크효과를 제거하므로서 실제파의 스펙트럼에 가깝다고 할 수 있다.

뒤에 0을 많이 붙여서 데이타수를 늘리면 높은 진동수까지 파악할 수 있다고 하는 것은 착각이다. N가 증가하면 주파수 영역에 있어 진동수 간격 $\Delta f=1/N\Delta t$은 작게 되지만 Nyquist 진동수는 당연히 $f_{N/2}=1/2\Delta t$로서, 시간영역에서의 시간간격만에 의해 정해진다.

다음 문제점에 들어가기 전에 간단한 예제를 생각해보자. 그림 4.15(a)는 지속시간 T, 진폭 α의 sin파 즉

$$x_1(t)=\alpha\sin\frac{4\pi t}{T} \qquad -\frac{T}{2}<t\leqq\frac{T}{2} \tag{4.96}$$

이다. (4.84)식에 의해 Fourier 진폭을 구하면

$$|F_1(k)|=\begin{cases}\dfrac{T\alpha}{2} & k=2\\ 0 & k\neq 2\end{cases}$$

가 된다. 마찬가지로 그림(b)의 진폭이 $\alpha/2$인 sin파, 즉

$$x_2(t)=\frac{\alpha}{2}\sin\frac{4\pi t}{T} \qquad -\frac{T}{2}<t\leqq\frac{T}{2} \tag{4.97}$$

에 대해서는

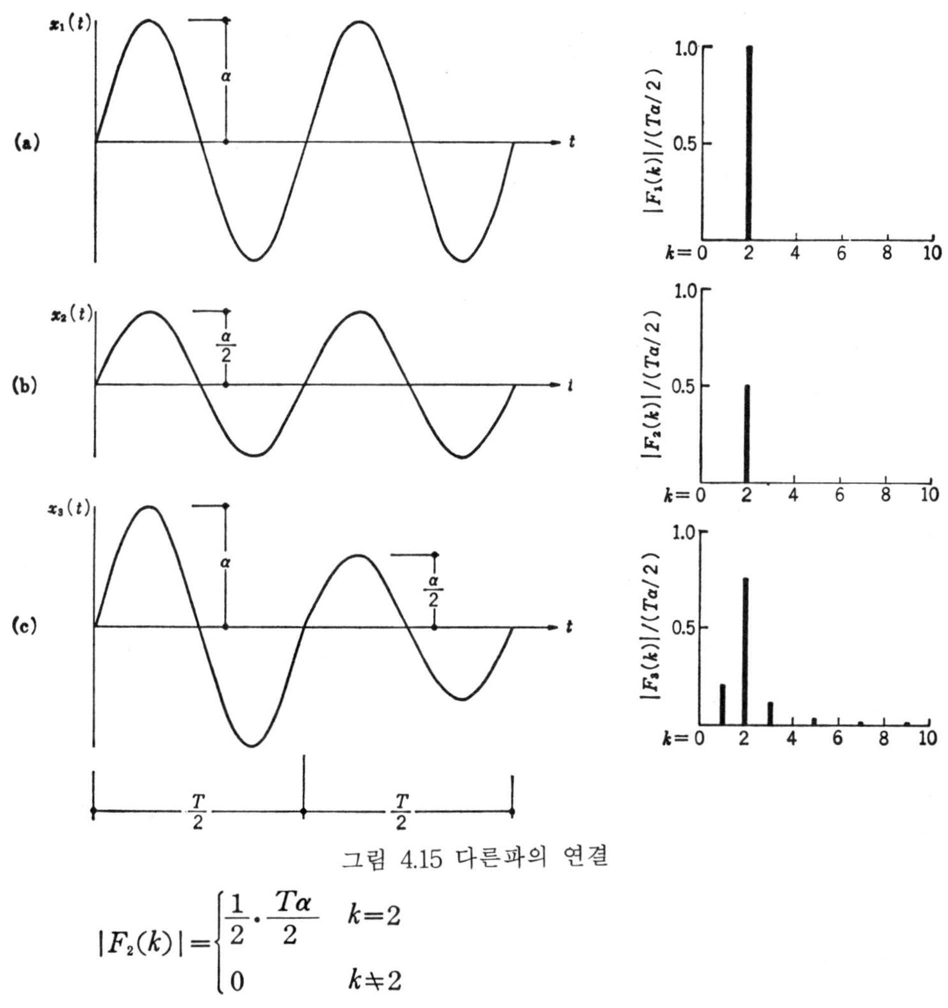

그림 4.15 다른파의 연결

$$|F_2(k)| = \begin{cases} \dfrac{1}{2}\cdot\dfrac{T\alpha}{2} & k=2 \\ 0 & k\neq 2 \end{cases}$$

가 된다. 이러한 2개의 파에 대한 Fourier 스펙트럼은 각각 그림의 우측에 있는 것과 같다.

이제 앞의 두 파의 전반부와 후반부를 연결하여 만든 그림 4.15(c)의 파는, 지속시간이 T일때

$$x_3(t) = \begin{cases} \alpha \sin\dfrac{4\pi t}{T} & -\dfrac{T}{2} < t \leqq 0 \\ \dfrac{\alpha}{2}\sin\dfrac{4\pi t}{T} & 0 \leqq t \leqq \dfrac{T}{2} \end{cases} \tag{4.98}$$

이고 이 파의 Fourier 진폭을 (4.84)식에 따라 구해보면

$$|F_3(k)| = \begin{cases} \dfrac{2}{\pi|4-k^2|}\cdot\dfrac{T\alpha}{2} & k\text{: 홀수} \\ \dfrac{3}{4}\cdot\dfrac{T\alpha}{2} & k=2 \\ 0 & k\text{: 2이외의 짝수} \end{cases} \tag{4.99}$$

이 되고 이 스펙트럼도 그림 4.15(c)의 우측에 그려져 있다. 이 그림에서 보는바와 같이 주어진 파가 지속시간동안 성질이 다른파형으로 변하면 주어진 파형이외의 스펙트럼도 생기게 된다. 따라서 Fourier 스펙트럼은 지속시간동안 어느 성분파가 일정하게 연속되는 경우가 아니면 그 의미는 흐려지는 경향이 있다. 실제 지진파의 경우는 파형은 불규칙 하지만 적어도 처음과 끝에서는 불규칙성이 다른 경우가 많고 때에 따라서는 성격이 다른 파형이 몇개 연속해서 기록될 수도 있다.

이것에 대한 확실한 예가 그림 4.16에 표시한 니가타 (新潟) 지진의 강진기록이다. 니가타지진에 의해 4층 철큰콘크리트 아파트 4호동의 상부구조가 완전히 전도된 것은 지금도 기억이 생생하다. 그 원인은 지반의 액상화(liquefaction)였다. 액상화란 진동에 의해 모래지반이 거의 액체와 같이 되어버리는 현상이다. 전도된 4동에 인접헤 있던 2호동도 역시 지반이 액상화되어 전도는 겨우 면했으나 큰 경사가 생겼다. 이 2호동의 지하실에 설치되어 있던 지진계로 기록한 가속도 파형이 그림 4.16이다.

이 기록을 보면 지진이 시작된 후 약 7초간은 주기가 짧은 파가 계속되었고, 그후 진동의 양상이 변하여 약 10초 이후는 대단히 장주기의 파가 이어지고 있다. 처음부분은 원래의 지진파이나 7초에서 10초쯤 사이에 지반의 액상화가 일어나 이후는 물 위에 뜬 배와 같이, 액상화된 지반위에서 서서히 흔들리는 건물의 진동이 기록된 것으로 생각된다.

이와같이 도중에 성질이 변한 파의 스펙트럼을 그대로 구해 보아도 앞에서 언급한 바와같이 별다른 의미가 없다. 여기서 시험적으로 기록을 12초마다 분리하여

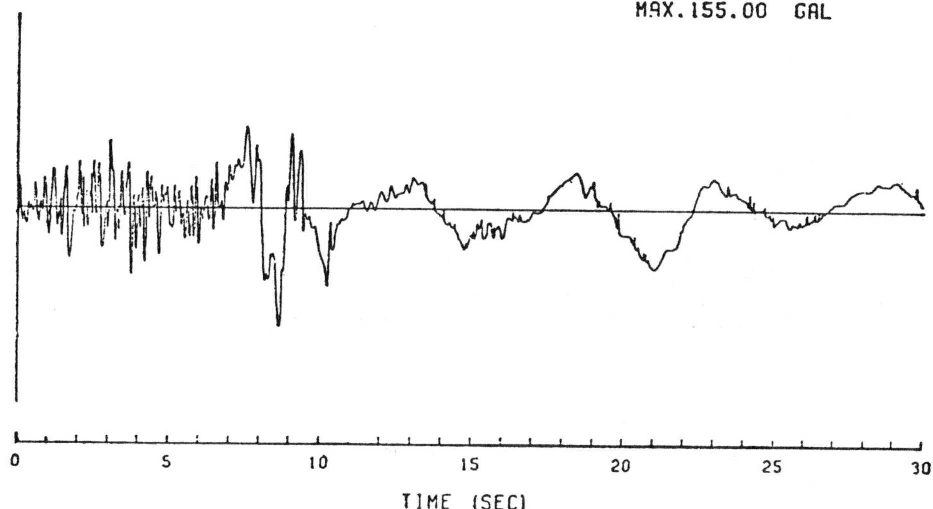

그림 4.16 니가타 지진의 강진계 기록

사진 4.2 니가타시의 아파트2호동

(a) 0～12, 3～15 sec
(b) 6～18 sec
(c) 9～21, 12～24 sec

각각의 부분에 대한 Fourier 스펙트럼을 구하면 그림 4.17과 같이 된다. 액상화 이전의 파는 거의 (a)의 스펙트럼으로 되고 액상화를 일으킨 후의 스펙트럼 (c)와는 모양이 현저히 다르다. 6～18초의 스펙트럼(b)는 두가지의 중간적인 형이다.

이와같이 기록된 파를 어느 시간폭으로 분리하여 그 시간폭을 약간씩 변경시키면서, 각각의 부분에 대해 구한 일련의 스펙트럼을, Running Spectrum 이라 한다. 도중에 성격이 다른 파가 연결되어 있는 기록에 대해, 각각의 파의 성질을 분리하여

(a)

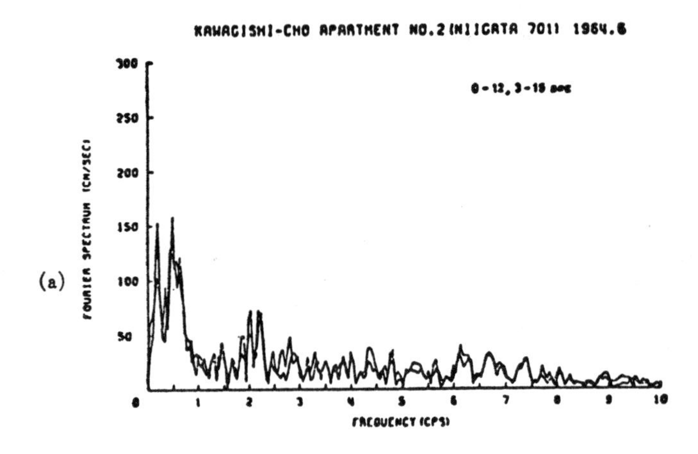

(b)

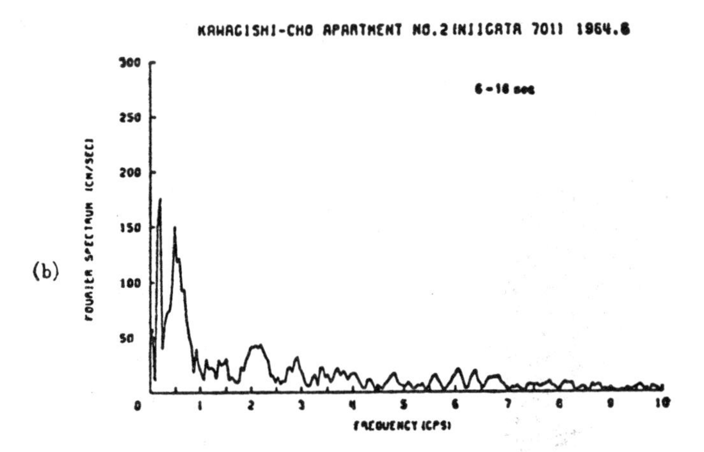

(c)

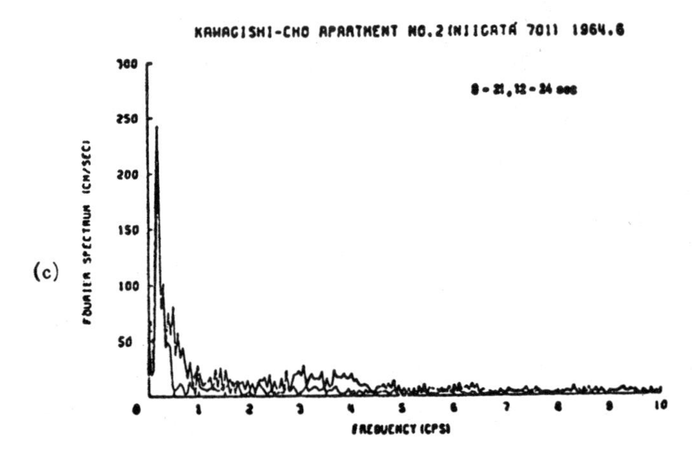

그림 4.17
Running Spectrum

구하는 경우 또는 도중의 파의 성격이 크게 변하는지를 식별하는 경우에 Running Spectrum이 자주 이용된다.

5. 파워 스펙트럼, 자기상관함수

5.1 파워스펙트럼

앞에서 언급한 바와같이 함수의 표본치 x_m의 2승 평균

$$\frac{1}{N}\sum_{m=0}^{N-1} x_m^2$$

을 평균파워라고 부른다. 평균파워를 (4.65)식으로 주어지는 유한복소 Fourier 계수로 나타내면 (4.68)식에 표시된 바와같이

$$\frac{1}{N}\sum_{m=0}^{N-1} x_m^2=\sum_{k=0}^{N-1} |C_k|^2$$

이 된다. (4.67)식에 의하면

$$C_{N-k}=C_k^* \quad k=1, 2, \cdots\cdots, \frac{N}{2}-1$$

이기 때문에 위의 평균파워의 식은

$$\frac{1}{N}\sum_{m=0}^{N-1} x_m^2=|C_0|^2+2\sum_{k=1}^{N/2-1} |C_k|^2+|C_{N/2}|^2 \tag{5.1}$$

이 된다.

(4.66)식 즉

$$\left.\begin{aligned} A_k &= \ \ 2\Re(C_k) \\ B_k &= -2\Im(C_k) \end{aligned}\right\} k=0, 1, 2, \cdots\cdots, \frac{N}{2}$$

을 이용하면 (5.1)식은 (4.50)식

$$\frac{1}{N}\sum_{m=0}^{N-1} x_m^2=\frac{1}{2}\left(\frac{X_0^2}{2}+\sum_{k=1}^{N/2-1} X_k^2+\frac{X^2_{N/2}}{2}\right)$$

과 같다.

(5.1)식은 파의 평균파워를 각 성분파의 기여로 분해한 것이다. 따라서 (5.1)식 우변의 각 항을 각각의 성분파의 진동수에 대해 그리면 평균파워 중 어느 성분의 것이 크고 어느성분에 속하는 것이 작은지를 알 수 있

다. 그러나 일반적으로는 (5.1)식의 양변에 파의 지속시간 $T=N\Delta t$를 곱하여

$$\sum_{m=0}^{N-1} x_m^2 \Delta t = T|C_0|^2 + 2\sum_{k=1}^{N/2-1}(T|C_k|^2) + T|C_{N/2}|^2 \tag{5.2}$$

이 식의 우변의 각항을

$$\left.\begin{aligned} k &= 0, 1, 2, \cdots\cdots, \frac{N}{2} \\ f_k &= k\Delta f \\ \omega_k &= 2\pi k\Delta f \end{aligned}\right\}$$

에 대해 그린 것을 파워스펙트럼이라 한다.

여기서

$$\Delta f = \frac{1}{N\Delta t} \quad \text{(cps)}$$

는, 앞에서와 같이 주파수 영역에서의 진동수 간격이다. 또 $k=N/2$은 그림 4.7에 표시한 절곡점이고, $f_{N/2}=1/(2\Delta t)$은 절곡 진동수이다.

El Centro지진파의 파워스펙트럼을 그려보면 그림 5.1과 같다. 유한 갯

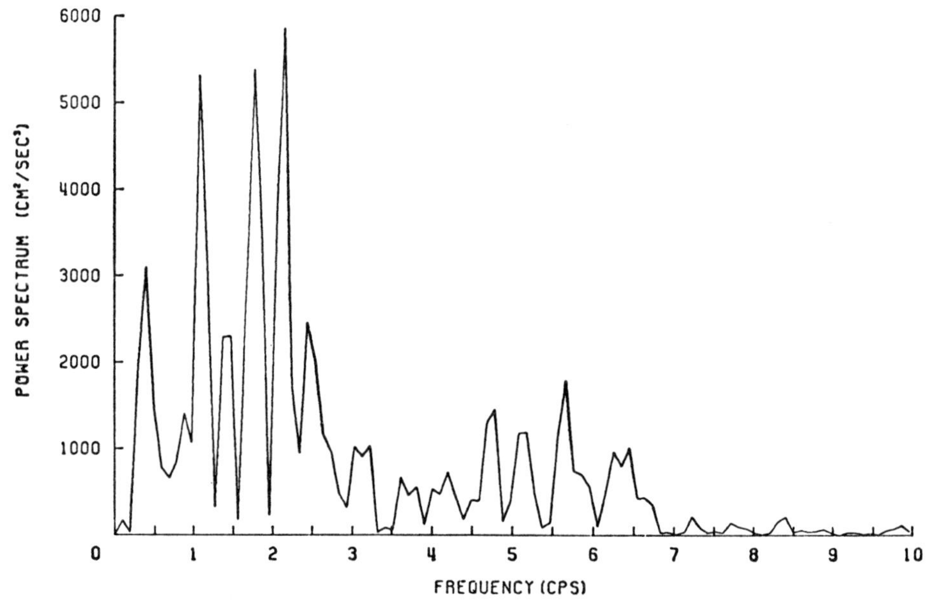

그림 5.1 El Centro 지진파의 파워스펙트럼

수의 데이타에 대한 파워스펙트럼은 실제 Δf만큼 떨어진 진동수에 대해 구한 이산 스펙트럼이다. 이것을 그림 5.1과 같이 절선으로 연결한 형으로 표시한 것은 Fourier 스펙트럼에서 설명한 것과 같이 단순히 형식적인 것에 불과하다.

파워스펙트럼의 단위는 데이타 x_m이 가속도 [gal=cm/sec^2] 이면 (5.2) 식에서 알 수 있는 바와 같이 [gal^2 · sec] 혹은 [cm^2/sec^3] 이다. 데이타가 속도나 변위이면 각각 [cm^2/sec] 또는 [㎠ · sec]가 된다. 이것은 모두 물리학에서 말하는 파워(단위 시간당의 일, 단위 왓트)와는 다르다. 그러므로 지진파의 경우는 파워 스펙트럼이라고 해도, 물리량으로서의 파워를 나타내는 것이 아니고 앞의 4.4절에서 서술한 바와같이 습관상 파워라는 말을 사용한 것 뿐이다.

파워스펙트럼과 Fourier 스펙트럼과는 본질적으로 크게 다른 것은 아니다. 단 파워 스펙트럼쪽이 Fourier 스펙트럼의 종축을 대체로 2승한 것과 같은 관계에 있으므로 각 성분파가 구조물에 주는 영향이 그만큼 강조되어 있다고 해석하면 된다.

유한Fourier 계수 A_k, B_k 혹은 복소 Fourier 계수의 실수부와 허수부는

표 5.1 예제파의 유한 Fourier 계수
(시간축 2.5초 이동)

```
EXAMPLE WAVE

-- FINITE FOURIER COEFFICIENTS --

   TOTAL NUMBER OF DATA = 16
```

K	A	B
0	0.000	0.000
1	-6.797	-5.583
2	-9.807	-2.044
3	0.007	12.940
4	8.750	6.750
5	5.345	1.960
6	-3.443	-6.794
7	-3.055	-5.563
8	-2.000	-0.000

시간축을 이동시키면 변화한다. 그림 1.6과 같이 지금까지는 파의 좌측에 있다고 가정한 시간 축의 원점 $t=0$을 예를들어 2.5sec만큼 우측으로 이동해 보자. 이것의 Fourier계수 A_k, B_k를 계산해 보면 표 5.1과 같이 되며 앞의 표 4.1에 표시한 예제파의 Fourier 계수와는 차이가 있다. 이것은 시간의 원점을 정하는 방법에 따라 성분파의 위상각이 변하기 때문이다.

그러나 표 4.1과 표 5.1을 비교하면 $|C_k|^2$ 즉 $A_k^2+B_k^2$의 값은 같다는 것을 확인할 수 있다. 즉 평균파워의 각 진동수 성분 즉 파워 스펙트럼은 시간축의 이동에 대해서 불변량(invariant)이며 Fourier 변환의 절대치 즉 진폭에만 관계되고 위상에는 전혀 관계없는 양이다.

이것은 또 역으로 말하면 다음과 같이 된다. 그림 4.5 및 4.6에 표시한 Fourier 진폭스펙트럼 및 Fourier 위상 스펙트럼이 주어지면 원 파형은 일률적으로 재현된다. 이에 비해 파워 스펙트럼의 경우는, 각 성분파에 각각의 위상각을 부여하기에 따라 같은 파워 스펙트럼을 갖는 파를 무수히 많이 유도할 수 있다.

5.2 스펙트럼 밀도함수

(4.87)식에 표시한 Parseval의 정리

$$\frac{1}{T}\int_{-T/2}^{T/2} x^2(t)\mathrm{d}t=\sum_{k=-\infty}^{\infty}|C_k|^2$$

은

$$\frac{1}{T}\int_{-T/2}^{T/2} x^2(t)\mathrm{d}t=\sum_{k=-\infty}^{\infty}(T|C_k|^2)\frac{1}{T}$$

이 되고 여기서 $T\to\infty$로 두면

$$\frac{1}{T}\longrightarrow \mathrm{d}f=\frac{1}{2\pi}\mathrm{d}\omega$$

이 되고 다시

$$\lim_{T\to\infty}(T|C_k|^2)=G(f) \tag{5.3}$$

과 같은 진동수 함수 $G(f)$를 정의하면

$$\lim_{T\to\infty}\frac{1}{T}\int_{-T/2}^{T/2}x^2(t)\mathrm{d}t=\int_{-\infty}^{\infty}G(f)\mathrm{d}f \tag{5.4}$$

가 된다. $G(f)df$는 진동수가 f와 $f+df$의 사이에 있는 성분의 파워에 대한 기여를 표시하므로 앞의 확률밀도와 같은 의미로, $G(f)$를 **스펙트럼 밀도 함수**(spectral density function) 혹은 연속함수에 대한 파워 스펙트럼이라 부른다.

앞에서 파워스펙트럼을 (5.1)식이 아닌 T를 곱한, (5.2)식으로 표시하는 이유는 (5.3)식을 보면 이해될 것이다.

(5.4)식에서 일반함수를 표시하는 의미로서 $x(t)$의 대신 $f(t)$로 쓰고 스펙트럼 밀도함수 G를 원진동수의 w의 함수로 표시하여

$$\lim_{T\to\infty}\int_{-T/2}^{T/2}f^2(t)\mathrm{d}t=\frac{1}{2\pi}\int_{-\infty}^{\infty}G(\omega)\mathrm{d}\omega \tag{5.5}$$

로 쓰는 것도 많이 이용된다.

Fourier 적분에서 서술한 (4.89)식

$$TC_k \longrightarrow F(f)$$

과 (5.3)식을 비교하면 Fourier 변환과 파워스펙트럼사이에는

$$G(f)=\frac{1}{T}|F(f)|^2 \tag{5.6}$$

또는

$$G(\omega)=\frac{1}{T}|F(\omega)|^2 \tag{5.7}$$

의 관계가 있다.

진동수 0으로부터 절곡 진동수 $f_{N/2}$까지 그림 5.1의 파워스펙트럼 아래의 면적

$$\mu_0=\int_0^{f_{N/2}}G(f)\mathrm{d}f \tag{5.8}$$

이, 파의 전 파워를 표시하는 것은 앞에서 설명한 바와같다. 그리고 이

면적의 원점을 통하는 종축에 대한 2차모멘트를 구하면

$$\mu_2=\int_0^{f_{N/2}} f^2 G(f)\mathrm{d}f \tag{5.9}$$

가 된다. 따라서 (5.9)식과 (5.8)식의 비의 평방근을 구하여

$$\sqrt{\frac{\mu_2}{\mu_0}}=\sqrt{\frac{\int_0^{f_{N/2}} f^2 G(f)\mathrm{d}f}{\int_0^{f_{N/2}} G(f)\mathrm{d}f}}\equiv \bar{N}_0 \tag{5.10}$$

으로 주면, $\bar{N}_0$는 파가 단위시간 동안 +에서 −측으로 혹은 −에서 +측을 향해 제로선을 지나는 평균횟수가 된다. 증명은 생략하지만 앞의 2.1절에서 서술한 Zero Crossing법과 파워 스펙트럼의 관계를 표시해 흥미롭다.

El Centro지진파(지속시간T=8sec)에 대해, 이 스펙트럼으로부터 (5.10)식의 $\bar{N}_0$를 계산하면

$$\bar{N}_0=3.89$$

가 되고 Zero Cross점의 총수는

$$2\bar{N}_0 T=2\times 3.89\times 8.0=62.24$$

가 되어 앞에서 서술한 실제의 Zero Cross점 점수 62와 일치한다.

그림 5.1로 부터도 알 수 있는 바와 같이, 파워 스펙트럼은 주파수 영역에서 하나의 파의 형으로 주어진다. 따라서 파워 스펙트럼의 파워스펙트럼을 계산할 수도 있다. 이와같이 파워 스펙트럼의 파워 스펙트럼 혹은 그 파워 스펙트럼을 차례로 구해가며 원파형의 성질을 다루는 것도 현재 연구로서 진행중에 있다.

5.3 자기상관함수

하나의 집단에 속하는 각각의 표본에 대해 2가지 성질 X와 Y - 예를 들면 학급 학생의 신장과 체중이나, 일본 각 지역의 벚꽃 개화일과 그 곳의 년간 평균온도등 - 이 측정될때 일반적으로 X와 Y사이의 관계를 상관(correlation)이라 한다. 측정치 X와 Y의 각각의 평균치를 $\bar{X}$, $\bar{Y}$로

하면 상관의 대소는

$$\Sigma(X-\bar{X})(Y-\bar{Y})$$

또는 $\bar{X}=\bar{Y}=0$ 일때는 ΣXY인 곱의 합의 대소에 의해 표시된다. 또한 2가지 양 사이의 상관을 눈으로 보기 위해서는, 예를들면 각각의 학생들에 대해 측정한 신장과 체중을 가지고, 신장을 횡축으로, 체중을 종축으로 해서 표시할때, 점이 제멋대로라면 2개의 양의 사이에는 상관이 없고, 점이 임의 선 혹은 그 근처에 모여 있으면 상관은 크며, 두 양의 사이에는 밀접한 관계가 있는 것을 알 수 있다. 이와같은 그림을 **산포도**(scatter diagram)이라 한다.

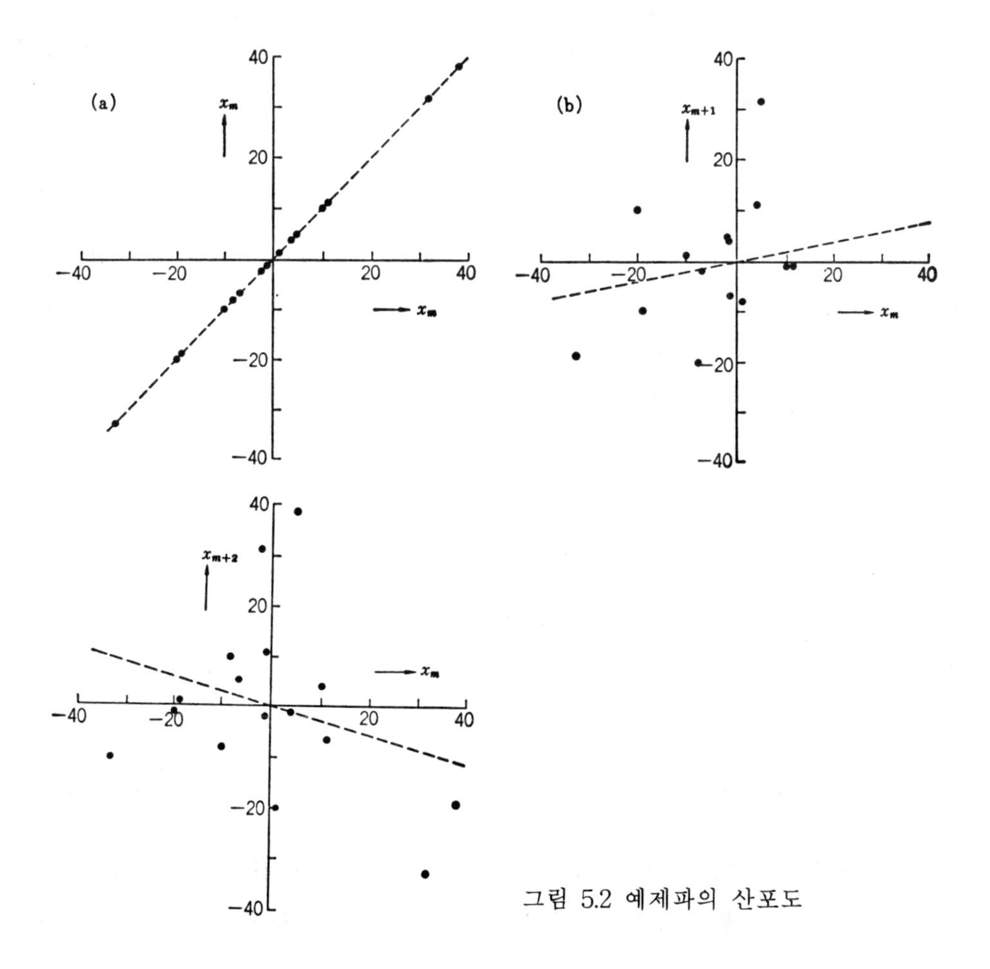

그림 5.2 예제파의 산포도

여기서 조금 다른 상관을 고려해 보자. 파의 기록의 하나의 표본치와 그 다음 표본치 즉 x_m과 x_{m+1}사이의 상관을 조사해 보자. 예제파의 경우 x_m과 x_{m+1} 사이의 산포도를 그려보면 그림 5.2(b)와 같이 되어 x_m과 x_{m+2} 사이의 상관을 계산할 수 있다. 같은 요령으로 x_m과 x_{m+2} 사이의 산포도를 그리면 그림 5.2(c)을 얻는다. 이와같은 상관은 신장과 체중이란 어느 속성과 그것과 성질이 다른 속성 사이의 관계는 아니고 하나의 수열 데이타 내에서 다소 떨어진 데이타들의 상관이기 때문에 자기상관(auto-correlation)이라고 한다. 임의 연령의 신장과 그로부터 몇 년 뒤의 신장의 관계등은 자기상관이 된다.

그림 5.2의 관계를 같은 요령으로 세번째, 네번째의 표본치에 대하여 구할 수가 있다. 일반적으로 말하면 지금 함수의 표본치를 $x_m(m=0,1,2,, \cdots,N-1)$라 했을때 이로부터

$$R_j=\frac{1}{N}\sum_{m=0}^{N-1}x_m x_{m+j} \tag{5.11}$$

에 의해 계산되는 수열 $R_j(j=0,1,2,\cdots,N-1)$을 계산할 수 있다. 이것을 **자기공분산계수**(autocovariance)라하고 두개의 표본점 m과 $m+j$ 사이의 시간간격 $j\Delta t$을 **시간이격**(time lag)라 한다.

(5.11)식에서 $m+j$가 주어진 m의 범위 $(0\leqq m\leqq N-1)$에서 벗어나는 경우, 즉 $m+j>N-1$일때

$$m+j \longrightarrow m+j-N$$

로 하여, 다시 처음부터 x_m의 값을 순차적으로 이용한다.

$j=0$의 경우는, x_m과 x_m 즉 자기자신과의 관계이므로 그림 5.2(a)와 같이 완전한 상관관계에 있다는 것은 말할 필요도 없다. (5.11)식에서 $j=0$으로 두면

$$R_0=\frac{1}{N}\sum_{m=0}^{N-1}x_m^2 \tag{5.12}$$

이 되어 표본치의 2승 평균, 즉 평균파워를 표시하게 된다.

그래서 (5.11)식을 (5.12)식으로 나누어 자기공분산계수 R_j를 R_o에 대해

규준화하면

$$\rho_j = \frac{\sum_{m=0}^{N-1} x_m x_{m+j}}{\sum_{m=0}^{N-1} x_m^2} \tag{5.13}$$

이 된다. 이것을 **자기상관계수** 또는 이산데이타에 관한 **자기상관함수**라고 부른다. (5.13)식과 같이 규준화 되어 있어서 당연한 것이지만 자기상관함수는 무차원량이다. (5.13)식에 의해 예제파의 자기상관함수를 계산하면 표 5.2와 같이 된다. 표중의 **LAG**는, $\tau = j\Delta t$(sec) 즉 시간지연이다. 이것을 그림으로 나타내면 그림 5.3이 된다.

이와같이 자기상관함수를 시간지연에 대해 그린 그림을 Correlogram이라 한다. 표본치가 유한개 N일때 자기상관계수는, 표본치의 표본점 간격과 같은 Δt 만큼 떨어진 점에서 주어지고, $j=0$에서 $j=N/2$까지, 시간지연으로 $(N/2)\Delta t$ 즉, 파의 지속시간의 1/2까지 주어진다. Correlogram의 횡축은 이와같이 시간이 되지만 표본점 사이의 시간차일뿐 일반적인 의미의 시간은 아니다. 그러므로 Correlogram은 전술한 시간 영역, 진동수 영역과 비례하여 **시간지연영역**(lag domain)에서의 표시로 부르는 것이 적당하다.

표 5.2 예제파의 자기상관계수

EXAMPLE WAVE

-- AUTOCORRELATION COEFFICIENTS --

TOTAL NUMBER OF DATA = 16

J	LAG(SEC)	R
0	0.00	1.000
1	0.50	0.190
2	1.00	-0.297
3	1.50	-0.237
4	2.00	-0.057
5	2.50	0.131
6	3.00	-0.103
7	3.50	-0.097
8	4.00	-0.058

그림 5.3의 자기상관계수에는 $\tau=2.5$초에서 피크가 있다. 만약 예를들어 원래의 파형이, 그림 2.1과 같은 주기 T의 완전한 주기함수라고 하면, $x(t)$와 $x(t+T)$는 모두 같은 값이므로 시간지연이 T인 경우 자기상관계수는

$$\rho_T = 1.0$$

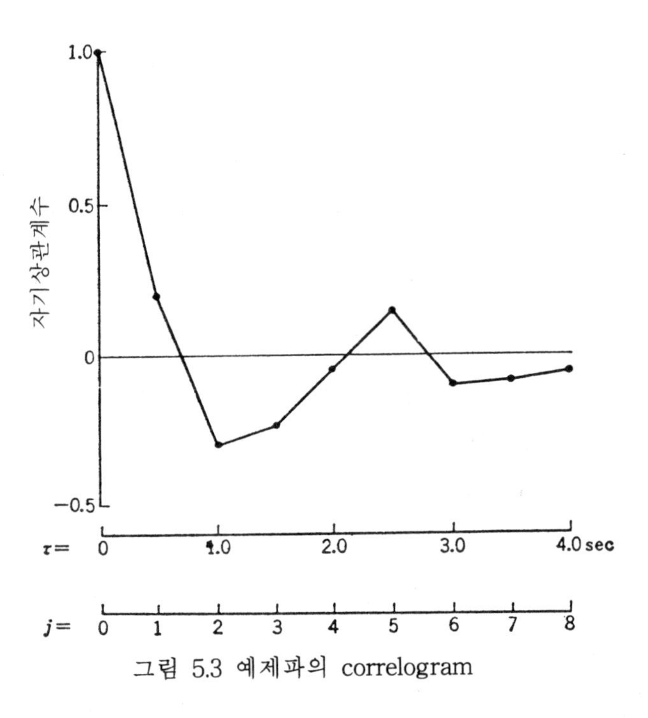

그림 5.3 예제파의 correlogram

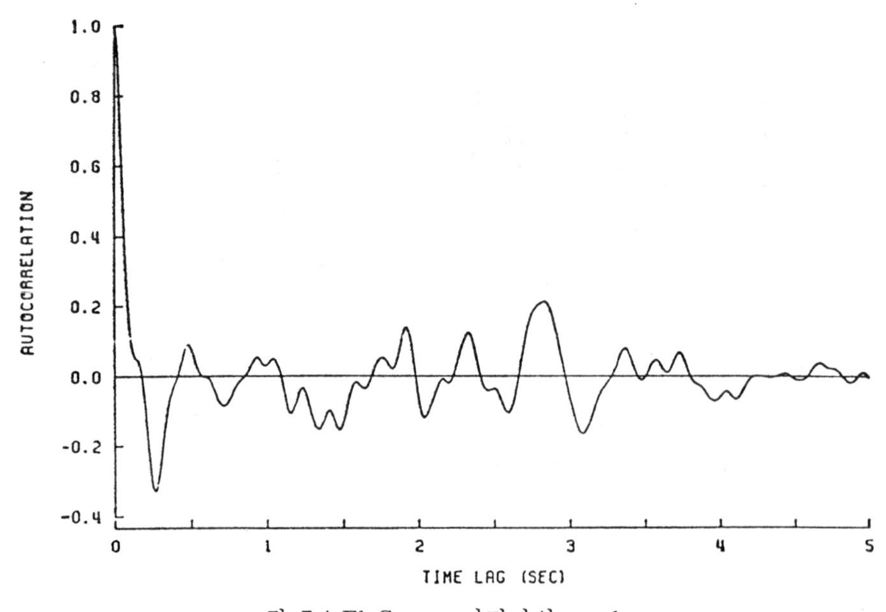

그림 5.4 El Centro 지진파의 corrlogram

이 될 것이다. 따라서 Correlogram의 피크는 그점의 시간지연에 상응하는 주기의 파가 원파의 성분으로 포함되어 있는 것을 의미한다. 그림 5.3의 $\tau=2.5$sec의 피크는 그림 4.5에 표시한 예제파의 Fourier스펙트럼이 진동수 약 0.4cps 즉 주기 약 2.5sec에서 산(山)이 있는 것에 대응한다. 이와같이 자기상관계수의 계산은 함수치에 포함된 주기성을 검출하는 것에 이용되며 Correlogram도 역시 일종의 스펙트럼이다.

그림 5.4는 El Centro 지진파의 Correrlogram을 표시한 것이다.

5.4 자기상관함수를 구하는 프로그램

이 프로그램 **AUTŌ**(**Auto**correlation Coefficents)는 (5.13)식에 의해 자기상관계수를 계산하는 것으로 특히 설명할 필요는 없다. 식중에서 $m+j>N-1$의 경우는 $m+j \rightarrow m+j-N$로 하여 x_m의 값을 순차적으로 사용한다.

단 뒤에 서술하는 바와같이 자기상관계수의 계산에는 더욱 효율이 좋은 방법이 있으므로 실용상 이 프로그램을 사용되는 기회는 적을 것으로 생각된다.

사용예는 앞의 표 5.2를 계산 인쇄한 주 프로그램이다.

AUTŌ(자기상관계수)

목 적

주어진 등간격데이타 $x_m(m=1,2,\cdots,N)$의 자기상관계수를

$$\rho_j=\frac{\sum_{m=1}^{N} x_m x_{m+j-1}}{\sum_{m=1}^{N} x_m^2} \qquad j=1,2,\cdots\cdots,\mathrm{NF\bar{O}LD}$$

에 의해 1배 정도로 계산한다. NFŌLD는 N이 짝수의 경우 N/2+1, 홀수의 경우 (N+1)/2이다.

사용법

(1) 접속방법

CALL AUTŌ (N, X, ND1, R, ND2, NFŌLD)

인 수	형	부프로그램을 부르는 경우의 내용	부프로그램으로부터 읽어들이는 내용
N	I	데이타의 수	좌 동
X	R 1차원배열(ND1)	데이타	좌 동
ND1	I	주프로그램에서 X의 차원	좌 동
R	R 1차원배열(ND2)	무엇이든 좋다	자기상관계수
ND2	I	주프로그램에서 R의 차원 ND2≥N/2+1이 되어야 한다.	좌 동
NFOLD	I	무엇이든 좋다	자기 상관계수의 수

(2) 주의사항

i) 자기상관계수는 데이타의 2승평균으로 규준화되어 있다.

ii) 자기상관계수는 시간지연 0에서, 데이타의 시간간격과 같은 간격마다 계산한다.

(3) 필요한 서브루틴 및 함수프로그램은 없다.

프로그램리스트

```
C  * * * * * * * * * * * * * * * * * * * * * * * * *                     AUTO  1
C     SUBROUTINE FOR AUTOCORRELATION COEFFICIENTS                        AUTO  2
C  * * * * * * * * * * * * * * * * * * * * * * * * *                     AUTO  3
C                                                                        AUTO  4
C                              CODED BY Y.OHSAKI                         AUTO  5
C                                                                        AUTO  6
C     PURPOSE                                                            AUTO  7
C       TO COMPUTE AUTOCORRELATION COEFFICIENTS OF A SERIES OF EQUI-     AUTO  8
C       SPACED DATA                                                      AUTO  9
C                                                                        AUTO 10
C     USAGE                                                              AUTO 11
C       CALL AUTO(N,X,ND1,R,ND2,NFOLD)                                   AUTO 12
C                                                                        AUTO 13
C     DESCRIPTION OF PARAMETERS                                          AUTO 14
C       N       - TOTAL NUMBER OF DATA                                   AUTO 15
C       X(ND1)  - EQUI-SPACED DATA                                       AUTO 16
C       ND1     - DIMENSION OF X IN CALLING PROGRAM                      AUTO 17
C       R(ND2)  - AUTOCORRELATION COEFFICIENTS                           AUTO 18
C       ND2     - DIMENSION OF R IN CALLING PROGRAM  ND2.GE.N/2+1        AUTO 19
C       NFOLD   - TOTAL NUMBER OF TIME LAGS                              AUTO 20
C                                                                        AUTO 21
C     REMARKS                                                            AUTO 22
C       (1) AUTOCORRELATION COEFFICIENTS ARE NORMALIZED IN TERMS OF      AUTO 23
C           MEAN SQUARED VALUE OF DATA                                   AUTO 24
C       (2) AUTOCORRELATION COEFFICIENTS ARE SPACED AT SAME INTERVAL AS  AUTO 25
C           THE GIVEN SERIES OF DATA                                     AUTO 26
```

```
C                                                                       AUTO 27
C     SUBROUTINES AND FUNCTION SUBPROGRAMS REQUIRED                    AUTO 28
C       NONE                                                            AUTO 29
C                                                                       AUTO 30
      SUBROUTINE AUTO(N,X,ND1,R,ND2,NFOLD)                              AUTO 31
C                                                                       AUTO 32
      DIMENSION X(ND1),R(ND2)                                           AUTO 33
C                                                                       AUTO 34
      NFOLD=N/2+1                                                       AUTO 35
      DO 120 J=1,NFOLD                                                  AUTO 36
      RJ=0.0                                                            AUTO 37
      DO 110 M=1,N                                                      AUTO 38
      MJ=M+J-1                                                          AUTO 39
      IF(MJ.GT.N) MJ=MJ-N                                               AUTO 40
      RJ=RJ+X(M)*X(MJ)                                                  AUTO 41
  110 CONTINUE                                                          AUTO 42
      R(J)=RJ                                                           AUTO 43
  120 CONTINUE                                                          AUTO 44
      R0=R(1)                                                           AUTO 45
      DO 130 J=1,NFOLD                                                  AUTO 46
      R(J)=R(J)/R0                                                      AUTO 47
  130 CONTINUE                                                          AUTO 48
      RETURN                                                            AUTO 49
      END                                                               AUTO 50
```

사용예

```
      DIMENSION DATA(16),R(9)                                              1
      DATA      DATA/5.,32.,38.,-33.,-19.,-10.,1.,-8.,-20.,10.,-1.,4.,     2
     1          11.,-1.,-7.,-2./,DT/0.5/,NN/16/                            3
C                                                                          4
      CALL AUTO(NN,DATA,16,R,9,NFOLD)                                      5
      WRITE(6,601) NN                                                      6
      DO 110 J=1,NFOLD                                                     7
      J1=J-1                                                               8
      TAU=FLOAT(J1)*DT                                                     9
      WRITE(6,602) J1,TAU,R(J)                                            10
  110 CONTINUE                                                            11
      STOP                                                                12
C                                                                         13
  601 FORMAT(1H1/8(1H0/)/1H ,40X,12HEXAMPLE WAVE/1H0,40X,34H-- AUTOCORRE  14
     1LATION COEFFICIENTS --/1H0,44X,22HTOTAL NUMBER OF DATA =,I3/1H0/1H  15
     2 ,48X,1HJ,4X,8HLAG(SEC),5X,1HR/)                                    16
  602 FORMAT(1H ,46X,I3,F10.2,F10.3)                                      17
      END                                                                 18
```

5.5 자기상관함수와 파워스펙트럼

임의 데이타의 수열이 주어졌을때, 그 Fourier 변환은 일반적으로 (4.65)식으로 계산된다. 지금 (5.11)식에 의해 구한 자기공분산계수의 수열 $R_j(j=0,1,2,\cdots,N-1)$의 Fourier 변환을 구해보자. (4.65)식의 x_m에 R_j를 대입하고 표본점 번호 m대신 j를 사용하면

$$\frac{1}{N}\sum_{j=0}^{N-1}R_j e^{-i(2\pi kj/N)}=\frac{1}{N}\sum_{j=0}^{N-1}\left[e^{-i(2\pi kj/N)}\cdot\frac{1}{N}\sum_{m=0}^{N-1}x_m x_{m+j}\right]$$
$$=\frac{1}{N}\sum_{m=0}^{N-1}x_m\cdot\frac{1}{N}\sum_{j=0}^{N-1}x_{m+j}e^{-i(2\pi kj/N)}$$
$$=\frac{1}{N}\sum_{m=0}^{N-1}x_m\cdot\frac{1}{N}\sum_{j=0}^{N-1}x_{m+j}e^{-i[2\pi k(m+j)/N]}e^{-i[2\pi(-k)m/N]}$$
$$=\left\{\frac{1}{N}\sum_{m=0}^{N-1}x_m e^{-i[2\pi(-k)m/N]}\right\}\cdot\left\{\frac{1}{N}\sum_{m+j=m}^{N-1+m}x_{m+j}e^{-i[2\pi k(m+j)/N]}\right\}$$
$$=C_{-k}\cdot C_k$$

이 된다. (4.80)식에 의하면

$$C_{-k}=C_k^*$$

이므로

$$C_{-k}\cdot C_k=|C_k|^2$$

이 되고, 결국

$$\frac{1}{N}\sum_{j=0}^{N-1}R_j e^{-i(2\pi kj/N)}=|C_k|^2 \tag{5.14}$$

이 된다. (5.2)식에 의하면 자기공분산계수의 Fourier 변환은 파워스펙트럼의 각 성분에 대응한다는 것을 알 수 있다.

따라서, 역으로

$$R_j=\sum_{k=0}^{N-1}|C_k|^2 e^{i(2\pi kj/N)} \tag{5.15}$$

즉 자기공분산계수는 파워스펙트럼 성분의 Fourier 역변환이 된다. 데이타의 수가 많을때, (5.11)식을 사용하여 자기상관계수를 직접 계산하는 것보다, 고속 Fourier변환의 고속성을 이용하여 먼저 데이타를 Fourier 변환하고 $|C_k|^2$을 구한 후 이것을 (5.15)식에 의해 역변환하는 쪽이 훨씬 빠르다.

(5.15)식으로 부터

$$R_{N-j}=\sum_{k=0}^{N-1}|C_k|^2 e^{i[2\pi k(N-j)/N]}=\sum_{k=0}^{N-1}|C_k|^2 e^{-i(2\pi kj/N)}$$

가 되고, 이식과 (5.15)식을 비교하면

$$R_{N-j}=R_j^*$$

가 되고, 자기공분산계수는 실수이므로

$$R_{N-j}=R_j \tag{5.16}$$

이 된다. 더우기 자기공분산계수 또는 자기상관계수도, $j=N/2$을 절곡점으로, 그 전후를 절곡한 것으로 된다.

(5.11)식을

$$R_j=\frac{1}{N\Delta t}\sum_{m=-N/2+1}^{N/2} x_m x_{m+j}\Delta t$$

$$j\Delta t=\tau$$

로 두고 $T=N\Delta t$을 일정하다고 하고, $N\to\infty$, $\Delta t\to 0$으로 두면 연속함수에 대한 자기상관함수로서

$$R(\tau)=\frac{1}{T}\int_{-T/2}^{T/2} x(t)x(t+\tau)\mathrm{d}t \tag{5.17}$$

이 얻어진다. 여기서 τ는 시간지연이다. 함수 $x(t)$가 유한한 지속시간을 갖고 $t<-T/2$이고, $T/2<t$ 범위에서 그 값이 0 이라면, 적분의 상・하한을 각각 $\pm\infty$까지 확장시켜도 문제는 없다. 그리고 $x(t)$대신 $f(t)$로 두면 (5.17)식은

$$R(\tau)=\frac{1}{T}\int_{-\infty}^{\infty} f(t)f(t+\tau)\mathrm{d}t \tag{5.18}$$

이 된다. (5.18)식의 Fourier 변환을 구하면

$$\begin{aligned}\int_{-\infty}^{\infty} R(\tau)\mathrm{e}^{-\mathrm{i}\omega\tau}\mathrm{d}\tau &= \int_{-\infty}^{\infty}\left[\frac{1}{T}\int_{-\infty}^{\infty} f(t)f(t+\tau)\mathrm{d}t\right]\mathrm{e}^{-\mathrm{i}\omega\tau}\mathrm{d}\tau \\ &= \frac{1}{T}\int_{-\infty}^{\infty} f(t)\left[\int_{-\infty}^{\infty} f(t+\tau)\mathrm{e}^{-\mathrm{i}\omega\tau}\mathrm{d}\tau\right]\mathrm{d}t \\ &= \frac{1}{T}\int_{-\infty}^{\infty} f(t)\left[\int_{-\infty}^{\infty} f(t+\tau)\mathrm{e}^{-\mathrm{i}\omega(t+\tau)}\mathrm{d}\tau\right]\mathrm{e}^{\mathrm{i}\omega\tau}\mathrm{d}t\end{aligned}$$

[ ] 안은 (4.92)식에 의해 $F(w)$와 같으므로

$$\int_{-\infty}^{\infty} R(\tau)\mathrm{e}^{-\mathrm{i}\omega\tau}\mathrm{d}\tau=\frac{1}{T}F(\omega)\int_{-\infty}^{\infty} f(t)\mathrm{e}^{\mathrm{i}\omega\tau}\mathrm{d}t=\frac{1}{T}F(\omega)F(-\omega)$$

이므로 (4.95)식에 의하면

$$F(-\omega)=F^*(\omega)$$

이므로,

$$F(\omega)F(-\omega)=|F(\omega)|^2$$

이 되고, 결국

$$\int_{-\infty}^{\infty}R(\tau)e^{-i\omega\tau}d\tau=\frac{1}{T}|F(\omega)|^2$$

이 된다.

더우기 (5.7)식에 의하면

$$\left.\begin{aligned}G(\omega)&=\int_{-\infty}^{\infty}R(\tau)e^{-i\omega\tau}d\tau\\ \therefore R(\tau)&=\frac{1}{2\pi}\int_{-\infty}^{\infty}G(\omega)e^{i\omega\tau}d\omega\end{aligned}\right\} \qquad (5.19)$$

즉 자기상관함수와 스펙트럼밀도함수는 서로 Fourier 변환의 대응관계로서

$$R(\tau)\longleftrightarrow G(\omega)$$

가 된다.

6. 스펙트럼, 자기상관함수를 구하는 프로그램

6.1 계산프로그램

이 프로그램 **SPAC**(Fourier **S**pectrum, **P**ower Spectrum and **A**uto **c**orrelation)은 Fourier 스펙트럼, 파워・스펙트럼 및 자기상관함수의 일부 또는 전부를 동시에 구하는 실용적 프로그램이다. 앞에 표시한 유한 Fourier계수나 자기 상관함수를, 각각 하나씩 직접적인 방법에 의해 계산하는 프로그램 FOUC나 AUTO에 비해 월등히 계산이 빠르다.

이 프로그램에서는 고속 Fourier 변환 프로그램 FAST를 이용하므로 먼저 시간간격 Δt의 데이타 $x_m(m=1,2,3,\cdots,N)$를 허수부가 0인 복소수의 실수부로 하여 데이타 수가 N에 가장 가까운 2의 누승 N_{total}이 될때까지 뒷 부분에 0을 추가한다. 이와같이 하면 파의 지속시간은

$$T=N_{total}\Delta t$$

가 되며 절곡점 즉 구할려는 스펙트럼, 자기상관함수의 값의 갯수는

$$N_{fold}=N_{total}/2+1$$

이 된다. 이와같은 복소수 데이타를 FAST에 의해 Fourier 변환하면 복소 Fourier 계수의 데이타의 몇 배, 즉 $N_{total}\cdot C_k$가 얻어진다. 유한 Fourier cos계수 및 Fourier sin계수를 각각 A_k 및 B_k라 하면

$$\left.\begin{aligned} A_k &= 2\Re(C_k) \\ B_k &= -2\Im(C_k) \end{aligned}\right\}$$

이므로, Fourier 스펙트럼의 값은

$$F(k)=\frac{T}{2}\sqrt{A_k^2+B_k^2}=T\,|C_k|$$

즉

$$F(k)=(N_{total}|C_k|)\Delta t \quad k=1,2,\cdots\cdots N_{fold}$$

가 된다. 파워스펙트럼의 값은 (5.2)식 또는 (5.6)식으로 부터

$$\left.\begin{aligned} &G(1)=[F(1)]^2/T \\ &G(k)=2[F(k)]^2/T \qquad k=2,3,\cdots,N_{fold}-1 \\ &G(N_{fold})=[F(N_{fold})]^2/T \end{aligned}\right\}$$

으로 구한다. $F(k)$ 및 $G(k)$의 값은 진동수간격 $\Delta f=1/(N_{total}\Delta t)$마다 주어진다.

(5.14)식에 의해 자기공분산계수 R(j)는 $|C_k|^2$를 Fourier 역변환하여 계산하고 데이타의 2승평균에 의해 규준화하면 자기상관계수는

$$R(j)/R(1) \quad j=1,2,\cdots\cdots,N_{fold}$$

가 된다. 자기상관계수는 시간지연 Δt마다 주어진다.

이 프로그램의 사용예는 지진파의 Fourier 스펙트럼, 파워 스펙트럼 및 자기상관함수의 개략적인 형을 라인프린터에 의해 출력한 주프로그램이고 입력지진파데이타의 카드편성은 앞에 표시한 그림 2.9와 같다. 예제에 포함된 SPAR에 대해서는 다음절에서 기술하기로 한다.

SPAC (Fourier, 파워 · 스펙트럼, 자기상관함수)

목 적

주어진 등간격 데이타의 Fourier 스펙트럼, 파워 스펙트럼 및 자기상관함수의 일부 또는 전부를 계산한다.

사용법

(1) 접속방법

CALL SPAC (N, X, ND1, DT, IND, F, G, R, ND2, NFŌLD, DF)

인 수	형	부프로그램을 부르는 경우의 내용	부프로그램으로부터 읽어들이는 내용
N	I	데이타의 수	좌 동

X	R 1차원배열(ND1)	데이타	좌 동
ND1	I	주프로그램에서 X의 차원	좌 동
DT	R	데이타의 시간간격 (단위 sec)	좌 동
IND	I	계산의 대상을 지정하는 Index 100 : Fourier 스펙트럼 010 : 파워스펙트럼 001 : 자기상관함수	좌 동
F	R 1차원배열(ND2)	무엇이든 좋다	Fourier 스펙트럼 값
G	R 1차원배열(ND2)	무엇이든 좋다	파워 스펙트럼 값
R	R 1차원배열(ND2)	무엇이든 좋다	자기상관함수의 값
ND2	I	주프로그램 F, G, R 의 차원	좌 동
NFOLD	I	무엇이든 좋다	Fourier스펙트럼, 파워 스펙트럼, 자기상관함수의 값의 수
DF	R	무엇이든 좋다	Fourier스펙트럼, 파워 스펙트럼의 진동수 간격 (단위 cps)

(2) 주의사항

i) 인수 IND는 더할 수가 있다. 예로 IND=101(100+001)일때는 Fourier 스펙트럼과 자기상관함수가 계산된다. IND의 여러가지에 대한 계산결과는 아래표와 같다.

표에서 ×로 표시된 곳은 프로그램에서 돌아올때 아무것도 들어있지 않다.

IND	F	G	R
111	○	○	○
110	○	○	×
101	○	×	○
100	○	×	×
011	○	○	○
010	○	○	×
001	×	×	○

ii) ND2≧NT/2+1이 되어야 한다. 여기서 NT는 N보다 큰 최소 2의 누승수 또는 N이 2의 누승수일때는 N이 된다.

iii) 자기상관함수의 값은 데이타의 2승평균으로 규준화 되어 있다.

iv) 자기상관함수의 값은 데이타의 시간간격 DT와 같은 시간지연간격마다 주어진다.

(3) 필요한 서브루틴 및 함수 프로그램

FAST

프로그램리스트

```
C  * * * * * * * * * * * * * * * * * * * * * * * * * * * * * * * * *     SPAC   1
C     SUBROUTINE FOR FOURIER, POWER SPECTRA AND AUTOCORRELATION            SPAC   2
C  * * * * * * * * * * * * * * * * * * * * * * * * * * * * * * * * *     SPAC   3
C                                                                          SPAC   4
C                                          CODED BY Y.OHSAKI               SPAC   5
C                                                                          SPAC   6
C     PURPOSE                                                              SPAC   7
C       TO COMPUTE FOURIER SPECTRUM, POWER SPECTRUM AND/OR AUTOCORRE-      SPAC   8
C       LATION OF A SERIES OF EQUI-SPACED DATA                             SPAC   9
C                                                                          SPAC  10
C     USAGE                                                                SPAC  11
C       CALL SPAC(N,X,ND1,DT,IND,F,G,R,ND2,NFOLD,DF)                       SPAC  12
C                                                                          SPAC  13
C     DESCRIPTION OF PARAMETERS                                            SPAC  14
C       N       - TOTAL NUMBER OF DATA                                     SPAC  15
C       X(ND1)  - EQUI-SPACED DATA                                         SPAC  16
C       ND1     - DIMENSION OF X IN CALLING PROGRAM  ND1.LE.8192           SPAC  17
C       DT      - TIME INCREMENT IN DATA IN SEC                            SPAC  18
C       IND     - 100 FOR FOURIER SPECTRUM                                 SPAC  19
C                 010 FOR POWER SPECTRUM                                   SPAC  20
C                 001 FOR AUTOCORRELATION                                  SPAC  21
C       F(ND2)  - FOURIER SPECTRUM                                         SPAC  22
C       G(ND2)  - POWER SPECTRUM                                           SPAC  23
C       R(ND2)  - AUTOCORRELATION                                          SPAC  24
C       ND2     - DIMENSION OF F,G,R IN CALLING PROGRAM                    SPAC  25
C       NFOLD   - FOLDING POINT                                            SPAC  26
C       DF      - FREQUENCY INCREMENT IN FOURIER AND POWER SPECTRA IN      SPAC  27
C                 CYCLES/SEC                                               SPAC  28
C                                                                          SPAC  29
C     REMARKS                                                              SPAC  30
C      (1) PARAMETER IND IS ADDIBLE. IF, FOR INSTANCE, IND=101(100+001),SPAC  31
C          FOURIER SPECTRUM AND AUTOCORRELATION ARE COMPUTED               SPAC  32
C      (2) ND2.GE.NT/2+1, WHERE NT IS POWER OF 2 EQUAL TO N OR MINIMUM    SPAC  33
C          LARGER THAN N                                                   SPAC  34
C      (3) AUTOCORRELATION IS NORMALIZED IN TERMS OF MEAN SQUARED VALUE SPAC  35
C          OF DATA                                                         SPAC  36
C      (4) AUTOCORRELATION IS SPACED AT SAME INTERVAL AS THE GIVEN        SPAC  37
C          SERIES OF DATA                                                  SPAC  38
C                                                                          SPAC  39
C     SUBROUTINES AND FUNCTION SUBPROGRAMS REQUIRED                        SPAC  40
C       FAST                                                               SPAC  41
C                                                                          SPAC  42
      SUBROUTINE SPAC(N,X,ND1,DT,IND,F,G,R,ND2,NFOLD,DF)                   SPAC  43
C                                                                          SPAC  44
      COMPLEX   A(8192)                                                    SPAC  45
      DIMENSION X(ND1),F(ND2),G(ND2),R(ND2)                                SPAC  46
C                                                                          SPAC  47
C     INITIALIZATION                                                       SPAC  48
C                                                                          SPAC  49
```

```
      DO 110 M=1,N                                                      SPAC 50
      A(M)=CMPLX(X(M),0.0)                                              SPAC 51
  110 CONTINUE                                                          SPAC 52
      NT=2                                                              SPAC 53
  120 IF(NT.GE.N) GO TO 130                                             SPAC 54
      NT=NT*2                                                           SPAC 55
      GO TO 120                                                         SPAC 56
  130 IF(NT.EQ.N) GO TO 150                                             SPAC 57
      DO 140 M=N+1,NT                                                   SPAC 58
      A(M)=(0.0,0.0)                                                    SPAC 59
  140 CONTINUE                                                          SPAC 60
  150 NFOLD=NT/2+1                                                      SPAC 61
      T=FLOAT(NT)*DT                                                    SPAC 62
      DF=1.0/T                                                          SPAC 63
C                                                                       SPAC 64
C     FOURIER TRANSFORM                                                 SPAC 65
C                                                                       SPAC 66
      CALL FAST(NT,A,8192,-1)                                           SPAC 67
C                                                                       SPAC 68
C     FOURIER SPECTRUM                                                  SPAC 69
C                                                                       SPAC 70
      IF(IND.EQ.1) GO TO 180                                            SPAC 71
      DO 160 K=1,NFOLD                                                  SPAC 72
      F(K)=CABS(A(K))*DT                                                SPAC 73
  160 CONTINUE                                                          SPAC 74
      IF(IND.EQ.100) RETURN                                             SPAC 75
C                                                                       SPAC 76
C     POWER SPECTRUM                                                    SPAC 77
C                                                                       SPAC 78
      IF(IND.EQ.101) GO TO 180                                          SPAC 79
      G(1)=F(1)**2/T                                                    SPAC 80
      DO 170 K=2,NFOLD-1                                                SPAC 81
      G(K)=2.0*F(K)**2/T                                                SPAC 82
  170 CONTINUE                                                          SPAC 83
      G(NFOLD)=F(NFOLD)**2/T                                            SPAC 84
      IF(MOD(IND,10).EQ.0) RETURN                                       SPAC 85
C                                                                       SPAC 86
C     AUTOCORRELATION                                                   SPAC 87
C                                                                       SPAC 88
  180 DO 190 K=1,NT                                                     SPAC 89
      A(K)=A(K)*CONJG(A(K))                                             SPAC 90
  190 CONTINUE                                                          SPAC 91
      CALL FAST(NT,A,8192,+1)                                           SPAC 92
      R0=REAL(A(1))                                                     SPAC 93
      DO 200 J=1,NFOLD                                                  SPAC 94
      R(J)=REAL(A(J))/R0                                                SPAC 95
  200 CONTINUE                                                          SPAC 96
      RETURN                                                            SPAC 97
      END                                                               SPAC 98
```

사용예

```
      DIMENSION NAME(12),FMT(5),DATA(800),F(513),G(513),R(513)               1
C                                                                            2
      READ(5,501) NAME,DT,NN,FMT                                             3
      READ(5,FMT) (DATA(M),M=1,NN)                                           4
      CALL SPAC(NN,DATA,800,DT,111,F,G,R,513,NFOLD,DF)                       5
      CALL SPAR(NAME,NFOLD,F,513,DF,100,0)                                   6
      CALL SPAR(NAME,NFOLD,G,513,DF,010,0)                                   7
      CALL SPAR(NAME,NFOLD,R,513,DT,001,0)                                   8
      STOP                                                                   9
C                                                                           10
  501 FORMAT(12A4//F7.0/I5/5A4)                                             11
      END                                                                   12
```

6.2 출력프로그램

앞절의 프로그램 **SPAC**로 구해지는 지진파의 Fourier 스펙트럼, 파워 스펙트럼 및 자기상관함수등은, Curve Plotter로 그리는 것이 보통이다. 앞의 그림 4.12, 4.13, 5.1 및 그림 5.4는 각각 El Centro 지진파의 Fourier 스펙트럼, 파워 스펙트럼 및 자기상관함수를 Curve Plotter로 그린 것이다.

이에반해 여기서 표시하는 프로그램 **SPAR**(Fourier **S**pectrum, **P**ower Spectrum and **A**utocorrelation-**P**rint)는, Fourier 및 파워스펙트럼 또는 자기상관함수의 개략적인 형을 라인 프린트로 출력하기 위한 것이다. 대부분 전산 센타에서는, Curve Plotter에 의해 작도 하기 때문에 다소의 시간이 필요하다. 즉 **turn around** 타임이 긴 것을 알 수 있다. 이럴경우 깨끗한 그림은 천천히 그리기로 하고 결과를 빨리 보고 싶은 경우, 해석

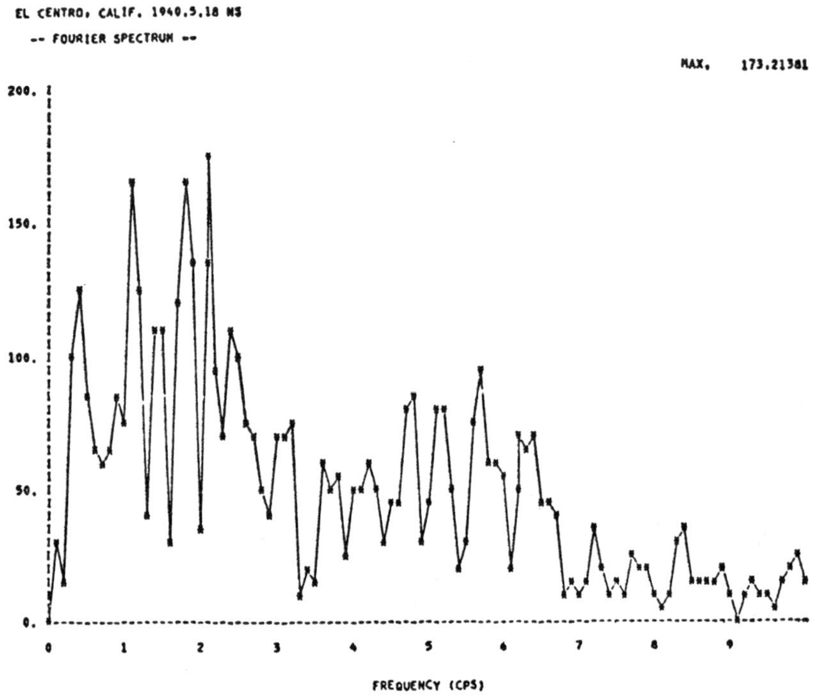

그림 6.1 El Centro 지진파의 Fourier 스펙트럼

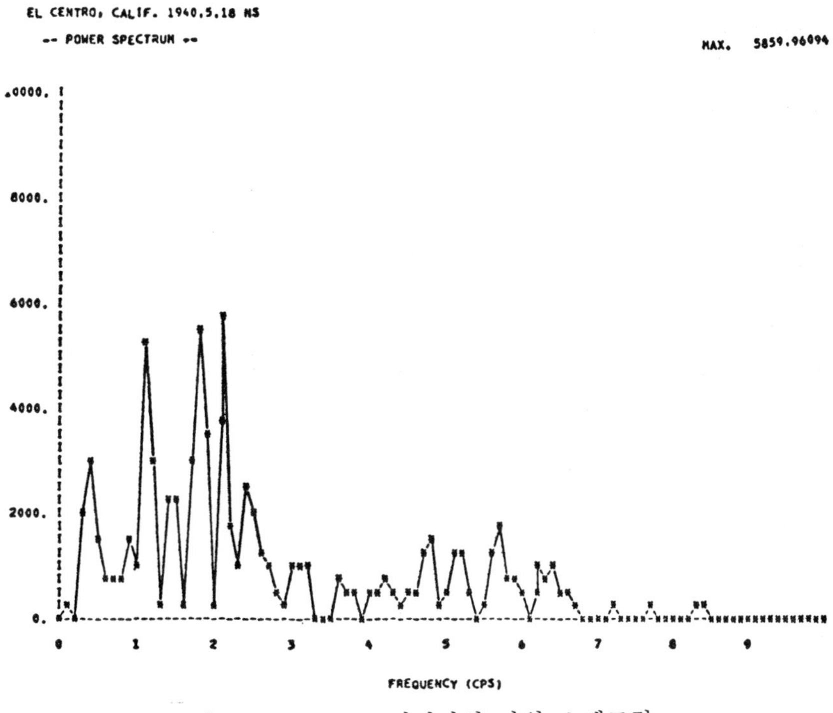

그림 6.2 El Centro 지진파의 파워 스펙트럼

도중에 중간결과를 확인하고자 하는 경우 편리하다고 생각되어 참고로 소개해 두기로 한다. 그러나 라인프린트를 사용하는 경우 여러가지 제약이 있어 엄밀하고 정확한 그림은 그릴 수 없다. 스펙트럼의 개력적인 형만 될 뿐, 그다지 스마트한 프로그램은 아니다. 이 프로그램으로 El Centro 지진파의 Fourier 스펙트럼, 파워 스펙트럼, 자기상관함수를 프린트한 것이 그림 6.1, 6.2 및 6.3이다. 이 프로그램의 사용예는 이미 프로그램 **SPAC**에서 제시하였다.

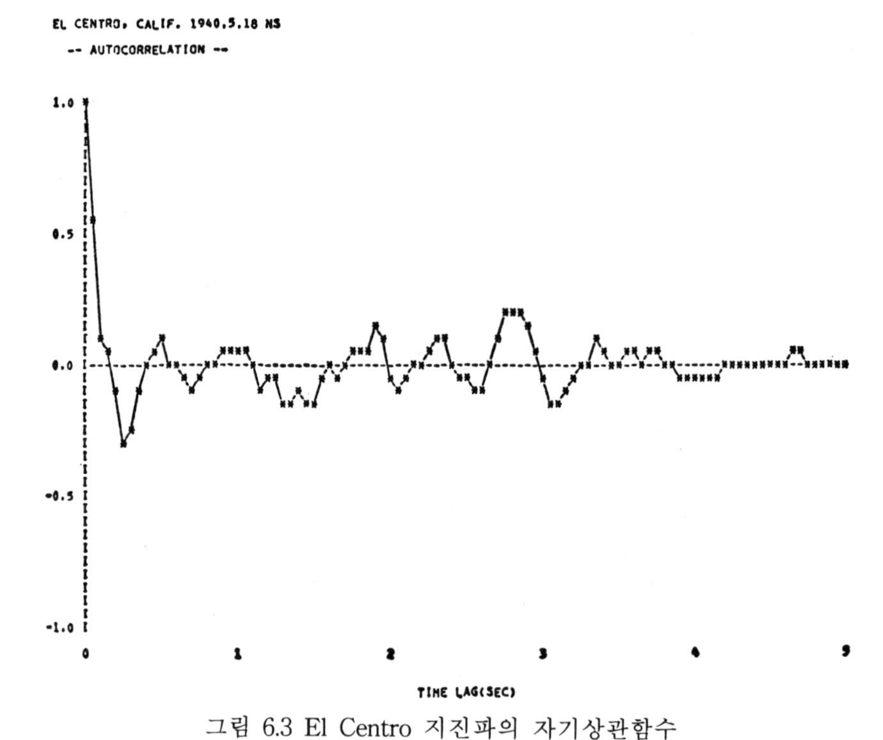

그림 6.3 El Centro 지진파의 자기상관함수

SPAR(스펙트럼, 자기상관함수의 출력)

목 적

Fourier 스펙트럼, 파워 스펙트럼 또는 자기상관함수의 개략적인 형을 라인프린트로 인쇄한다.

사용법

(1) 접속방법

CALL SPAR (NAME, N, Y, ND, DX, IND, IAXIS)

인 수	형	부프로그램을 부르는 경우의 내용	부프로그램으로부터 읽어들이는 내용
NAME	I 1차원배열(12)	데이타의 명칭을 표시하는 문자열	좌 동
N	I	데이타의 수	좌 동
Y	R 1차원배열(ND)	스펙트럼 또는 자기상관 함수의 값	의미가 없는 것으로 된다
ND	I	주프로그램에서 Y의 차원	좌 동
DX	R	Fourier 스펙트럼 및 파워스펙트럼의 진동수간격(단위cps) 또는 자기상관함수의 시간지연 간격(단위sec)	좌 동
IND	I	인쇄대상을 지정하는 Index 100 : Fourier 스펙트럼 010 : 파워 스펙트럼 001 : 자기상관함수	좌 동
IAXIS	I	0 : 종축이 새로이 설정된다 1 : 앞에서 이 프로그램을 부를 때의 종축이 보존된다	좌 동

(2) 주의사항

i) 자기상관함수의 값은 데이타의 2승평균으로 규준화되어야 한다.

ii) 인수 IND=001일때 IAXIS는 별 의미를 갖지 않는다. 즉 자기상관함수는 IAXIS의 값에 관계없이 항상 동일 종축에 대해 그려진다.

(3) 필요한 서브루틴 및 함수 프로그램은 없다.

프로그램 리스트

```
C  * * * * * * * * * * * * * * * * * * * * * * * * * * * * * *          SPAR  1
C      SUBROUTINE FOR PRINT OF SPECTRA AND AUTOCORRELATION                  SPAR  2
C  * * * * * * * * * * * * * * * * * * * * * * * * * * * * * *          SPAR  3
C                                                                           SPAR  4
C                                        CODED BY Y.OHSAKI                  SPAR  5
C                                                                           SPAR  6
C      PURPOSE                                                              SPAR  7
```

```
C         TO PRINT ON LINE-PRINTER APPROXIMATE SHAPE OF FOURIER, POWER     SPAR   8
C         SPECTRA OR AUTOCORRELATION                                       SPAR   9
C                                                                          SPAR  10
C       USAGE                                                              SPAR  11
C         CALL SPAR(NAME,N,Y,ND,DX,IND,IAXIS)                              SPAR  12
C                                                                          SPAR  13
C       DESCRIPTION OF PARAMETERS                                          SPAR  14
C         NAME(12) - NAME OF DATA                                          SPAR  15
C         N        - TOTAL NUMBER OF SPECTRAL VALUES OR AUTOCORRELATION    SPAR  16
C                    COEFFICIENTS                                          SPAR  17
C         Y(ND)    - SPECTRAL VALUES OR AUTOCORRELATION COEFFICINETS       SPAR  18
C         ND       - DIMENSION OF Y IN CALLING PROGRAM                     SPAR  19
C         DX       - FREQUENCY INCREMENT IN CYCLES/SEC IN FOURIER OR       SPAR  20
C                    POWER SPECTRUM, OR LAG INCREMENT IN SEC IN AUTOCOR-   SPAR  21
C                    RELATION                                              SPAR  22
C         IND      - 100 FOR PRINT OF FOURIER SPECTRUM                     SPAR  23
C                    010 FOR PRINT OF POWER SPECTRUM                       SPAR  24
C                    001 FOR PRINT OF AUTOCORRELATION                      SPAR  25
C         IAXIS    - IF 0, VERTICAL SCALE IS NEWLY DEFINED                 SPAR  26
C                  - IF 1, VERTICAL SCALE IN PREVIOUS CALL IS RETAINED     SPAR  27
C                                                                          SPAR  28
C       REMARKS                                                            SPAR  29
C         (1) AUTOCORRELATION MUST HAVE BEEN NORMALIZED IN TERMS OF MEAN   SPAR  30
C             SQUARED VALUE OF DATA                                        SPAR  31
C         (2) FOR IND=001(AUTOCORRELATION), IAXIS HAS NO MEANING           SPAR  32
C                                                                          SPAR  33
C       SUBROUTINES AND FUNCTION SUBPROGRAMS REQUIRED                      SPAR  34
C         NONE                                                             SPAR  35
C                                                                          SPAR  36
        SUBROUTINE SPAR(NAME,N,Y,ND,DX,IND,IAXIS)                          SPAR  37
C                                                                          SPAR  38
        DIMENSION NAME(12),Y(ND)                                           SPAR  39
        DIMENSION L(101),SMAX(4),STEP(4),LSTEP(4),FMT(3),FMT3(6),NUM(9)    SPAR  40
        DATA      SMAX/2.,4.,5.,10./,STEP/.5,1.,1.,2./,LSTEP/10,10,8,8/    SPAR  41
        DATA      FMT3/4H.1) ,4H.2) ,4H.3) ,4H.4) ,4H.5) ,4H.6) /          SPAR  42
        DATA      NUM/1H1,1H2,1H3,1H4,1H5,1H6,1H7,1H8,1H9/                 SPAR  43
C                                                                          SPAR  44
C       HEADING                                                            SPAR  45
C                                                                          SPAR  46
        WRITE(6,601) NAME                                                  SPAR  47
        IF(IND.EQ.100) WRITE(6,602)                                        SPAR  48
        IF(IND.EQ.010) WRITE(6,603)                                        SPAR  49
        IF(IND.EQ.001) WRITE(6,604)                                        SPAR  50
        IF(IND.EQ.001) GO TO 140                                           SPAR  51
        YMAX=0.0                                                           SPAR  52
        DO 110 K=1,N                                                       SPAR  53
        YMAX=AMAX1(YMAX,Y(K))                                              SPAR  54
  110 CONTINUE                                                             SPAR  55
        WRITE(6,605) YMAX                                                  SPAR  56
C                                                                          SPAR  57
C       VERTICAL SCALE                                                     SPAR  58
C                                                                          SPAR  59
        IF(IAXIS.EQ.1) GO TO 160                                           SPAR  60
        M=IFIX(ALOG10(YMAX))                                               SPAR  61
        IF(ALOG10(YMAX).LT.0.0) M=M-1                                      SPAR  62
        DO 120 J=1,4                                                       SPAR  63
        IF(YMAX/10.0**M.LE.SMAX(J)) GO TO 130                              SPAR  64
  120 CONTINUE                                                             SPAR  65
  130 SMAXJ=SMAX(J)*10.0**M                                                SPAR  66
        STEPJ=STEP(J)*10.0**M                                              SPAR  67
        LSTEPJ=LSTEP(J)                                                    SPAR  68
        IF(M.GT.0) FMT(3)=4H.0)                                            SPAR  69
        IF(M.LE.0) FMT(3)=FMT3(1-M)                                        SPAR  70
        LINE0=41                                                           SPAR  71
        XMAX=10.0                                                          SPAR  72
        GO TO 150                                                          SPAR  73
  140 SMAXJ=1.0                                                            SPAR  74
        STEPJ=0.5                                                          SPAR  75
        LSTEPJ=10                                                          SPAR  76
        FMT(3)=4H.1)                                                       SPAR  77
```

```
      LINEO=21                                                      SPAR 78
      XMAX=5.0                                                      SPAR 79
  150 FMT(1)=4H(1H+                                                 SPAR 80
      FMT(2)=4H,F13                                                 SPAR 81
C                                                                   SPAR 82
C     PRINT                                                         SPAR 83
C                                                                   SPAR 84
  160 NSTEP=MAX1(XMAX/DX/100.0+0.0001,1.0)                          SPAR 85
      IF(IND.EQ.001) GO TO 180                                      SPAR 86
      IF(IAXIS.EQ.0) COR=40.0/SMAXJ                                 SPAR 87
      DO 170 K=1,N,NSTEP                                            SPAR 88
      Y(K)=Y(K)*COR                                                 SPAR 89
  170 CONTINUE                                                      SPAR 90
      GO TO 200                                                     SPAR 91
  180 DO 190 K=1,N,NSTEP                                            SPAR 92
      Y(K)=(Y(K)+1.0)*20.0                                          SPAR 93
  190 CONTINUE                                                      SPAR 94
  200 SCALE=SMAXJ                                                   SPAR 95
      DO 250 LINE=1,41                                              SPAR 96
      L(1)=1HI                                                      SPAR 97
      LI=1H                                                         SPAR 98
      IF(LINE.EQ.LINEO) LI=1H-                                      SPAR 99
      DO 210 I=2,101                                                SPAR100
      L(I)=LI                                                       SPAR101
  210 CONTINUE                                                      SPAR102
      BU=FLOAT(41-LINE)+0.5                                         SPAR103
      BL=FLOAT(41-LINE)-0.5                                         SPAR104
      DO 220 K=1,N,NSTEP                                            SPAR105
      IF(FLOAT(K-1)*DX.GT.XMAX) GO TO 230                           SPAR106
      IF(Y(K).GE.BU.OR.Y(K).LT.BL) GO TO 220                        SPAR107
      L(IFIX(FLOAT(K-1)*DX/XMAX*100.0+0.5)+1)=1H*                   SPAR108
  220 CONTINUE                                                      SPAR109
  230 WRITE(6,606)                                                  SPAR110
      IF(MOD(LINE,LSTEPJ).NE.1) GO TO 240                           SPAR111
      WRITE(6,FMT) SCALE                                            SPAR112
      SCALE=SCALE-STEPJ                                             SPAR113
  240 WRITE(6,607) L                                                SPAR114
  250 CONTINUE                                                      SPAR115
C                                                                   SPAR116
C     HORIZONTAL SCALE                                              SPAR117
C                                                                   SPAR118
      L(1)=1H0                                                      SPAR119
      DO 260 I=2,101                                                SPAR120
      L(I)=1H                                                       SPAR121
  260 CONTINUE                                                      SPAR122
      DO 270 I=1,9                                                  SPAR123
      INUM=IFIX(100.0/XMAX)*I+1                                     SPAR124
      IF(INUM.GT.101) GO TO 280                                     SPAR125
      L(INUM)=NUM(I)                                                SPAR126
  270 CONTINUE                                                      SPAR127
  280 WRITE(6,608) L                                                SPAR128
      IF(IND.NE.001) WRITE(6,609)                                   SPAR129
      IF(IND.EQ.001) WRITE(6,610)                                   SPAR130
      RETURN                                                        SPAR131
C                                                                   SPAR132
C     FORMAT STATEMENTS                                             SPAR133
C                                                                   SPAR134
  601 FORMAT(1H1/2(1H0/)/1H0,10X,12A4)                              SPAR135
  602 FORMAT(1H0,12X,22H-- FOURIER SPECTRUM --)                     SPAR136
  603 FORMAT(1H0,12X,20H-- POWER SPECTRUM --)                       SPAR137
  604 FORMAT(1H0,12X,21H-- AUTOCORRELATION --/1H0/)                 SPAR138
  605 FORMAT(1H0,98X,4HMAX.,F13.5/)                                 SPAR139
  606 FORMAT(1H )                                                   SPAR140
  607 FORMAT(1H+,14X,101A1)                                         SPAR141
  608 FORMAT(1H0,14X,101A1/)                                        SPAR142
  609 FORMAT(1H0,57X,15HFREQUENCY (CPS))                            SPAR143
  610 FORMAT(1H0,58X,13HTIME LAG(SEC))                              SPAR144
C                                                                   SPAR145
      END                                                           SPAR146
```

7. 스펙트럼의 평활화

지금까지 살펴본 바와같이 실제 지진파의 Fourier 스펙트럼이나 파워 스펙트럼은 그다지 매끄럽지 못한 것이었다. 그림 4.12가 El Centro 지진파의 Foureir 스펙트럼이며 특히 성분파의 진폭이 큰 탁월진동수는 대체로 0.3cps 정도, 1cps에서 2.5cps 사이, 4.5~6.5cps의 사이에 있다는 것을 알 수 있다. 그러나 매끄럽지 못하여 정확히 스펙트럼의 산이 어디에 있는지 알기 어렵다. 이와같은 것은 예제파로서 사용한 El Centro 지진파의 특유한 것이 아니며, 다른 지진파의 스펙트럼을 그려보아도 거의 같다. 이와같이 매끄럽지 못한것을 없애고 매끄러운 것으로 만드는 조작을 스펙트럼의 평활화(smoothing)라 한다. 평활화는 단순히 형을 매끄럽게 하는 것으로, 파가 갖는 본질적인 것을 흐트러지게 해서는 안된다. 오히려 역으로 불필요한것을 제거하고 원래의 성질을 부각시키도록 하지 않으면 안된다. 이 장에서는 스펙트럼의 평활화에 대해 배우는 것이지만, 본론에 들어가기 전에 Convolution과 그것의 Fourier 변환에 대해 공부할 필요가 있다.

7.1 Convolution의 Fourier 변환

2개의 함수 $f_1(x)$와 $f_2(x)$가 주어질때

$$f(x)=f_1(x)\cdot f_2(x)$$

는 단순히 두함수의 곱(product)이다. 이에 반해

$$f(x)=\int_{-\infty}^{\infty} f_1(y)f_2(x-y)\,dy \tag{7.1}$$

로서 정의되는 함수 $f(x)$를 $f_1(x)$와 $f_2(x)$의 Convolution이라 한다. 변수를 시간 즉 t로 두면

$$f(t)=\int_{-\infty}^{\infty} f_1(\tau)f_2(t-\tau)\mathrm{d}\tau \tag{7.2}$$

가 시간 함수 $f_1(t)$와 $f_2(t)$의 Convolution이다. (7.1)식의 y와 (7.2)식의 τ는 적분하면 소거되는 매개변수이다. Convolution은 또 쓸어담기 적분이라고 부르기도 한다. 함수가 $0 \leqq t < \infty$의 사이에서 정의될 때

$$f(t)=\int_{0}^{t} f_1(\tau)f_2(t-\tau)\mathrm{d}\tau \tag{7.3}$$

도 역시 합적이다. (7.2)식의 정의를 기호로 나타내면

$$f(t)=f_1(t)*f_2(t) \tag{7.4}$$

로 쓸 수 있다. (7.2)식에서 변수변환을 하면

$$f_1(t)*f_2(t)=f_2(t)*f_1(t) \tag{7.5}$$

가 성립함을 알 수 있다. 즉 교환법칙이 성립한다.

이제 Convolution의 Fourier 변환을 생각해 보자. (7.2)식을 Fourier 변환하면 (4.92)식에 의해

$$F(\omega)=\int_{-\infty}^{\infty}\left[\int_{-\infty}^{\infty} f_1(\tau)f_2(t-\tau)\mathrm{d}\tau\right]\mathrm{e}^{-\mathrm{i}\omega t}\mathrm{d}t$$

적분의 순서를 바꾸면

$$F(\omega)=\int_{-\infty}^{\infty} f_1(\tau)\left[\int_{-\infty}^{\infty} f_2(t-\tau)\mathrm{e}^{-\mathrm{i}\omega t}\mathrm{d}t\right]\mathrm{d}\tau$$

가 된다. 그런데 [ ] 내의 적분에서

$$t-\tau\equiv z$$

라 두면

$$t=z+\tau,\ \mathrm{d}t=\mathrm{d}z$$

이므로

$$\int_{-\infty}^{\infty} f_2(t-\tau)\mathrm{e}^{-\mathrm{i}\omega t}\mathrm{d}t=\int_{-\infty}^{\infty} f_2(z)\mathrm{e}^{-\mathrm{i}\omega(z+\tau)}\mathrm{d}z=\int_{-\infty}^{\infty} f_2(z)\mathrm{e}^{-\mathrm{i}\omega z}\mathrm{d}z\cdot\mathrm{e}^{-\mathrm{i}\omega\tau}$$
$$=F_2(\omega)\mathrm{e}^{-\mathrm{i}\omega\tau}$$

로 쓸 수 있다. 따라서

$$F(\omega)=\int_{-\infty}^{\infty} f_1(\tau)\mathrm{e}^{-\mathrm{i}\omega\tau}F_2(\omega)\mathrm{d}\tau=F_1(\omega)\cdot F_2(\omega)$$

가 된다. 즉 2개의 함수 $f_1(x)$와 $f_2(x)$의 Convolution의 Fourier 변환은, 각

각의 함수의 Fourier 변환 $F_1(\omega)$와 $F_2(\omega)$의 곱이 된다. (4.94)식 및 (7.4)식에 표시한 기호를 사용하면

$$\left.\begin{aligned} & f_1(t) \longleftrightarrow F_1(\omega),\ f_2(t) \longleftrightarrow F_2(\omega) \\ & f_1(t) * f_2(t) \longleftrightarrow F_1(\omega) \cdot F_2(\omega) \end{aligned}\right\} \tag{7.6}$$

으로 표시된다. 원 진동수 ω 대신, 진동수 f를 사용하여도

$$\left.\begin{aligned} & f_1(t) \longleftrightarrow F_1(f),\ f_2(t) \longleftrightarrow F_2(f) \\ & f_1(t) * f_2(t) \longleftrightarrow F_1(f) \cdot F_2(f) \end{aligned}\right\} \tag{7.7}$$

이 된다.

이와 반대로, 시간 영역에서 두함수 $f_1(t)$와 $f_2(t)$의 곱의 Fourier 변환은, 각각의 함수의 Fourier 변환 $F_1(\omega)$와 $F_2(\omega)$의 주파수영역에서 Convolution 으로 되는 관계

$$\left.\begin{aligned} & f_1(t) \longleftrightarrow F_1(\omega),\ f_2(t) \longleftrightarrow F_2(\omega) \\ & f_1(t) \cdot f_2(t) \longleftrightarrow \frac{1}{2\pi} F_1(\omega) * F_2(\omega) \end{aligned}\right\} \tag{7.8}$$

또는

$$\left.\begin{aligned} & f_1(t) \longleftrightarrow F_1(f),\ f_2(t) \longleftrightarrow F_2(f) \\ & f_1(t) \cdot f_2(t) \longleftrightarrow F_1(f) * F_2(f) \end{aligned}\right\} \tag{7.9}$$

도 같은 요령으로 유도될 수 있다.

7.2 데이타 WINDOW

먼저 지반진동의 기록 즉 데이타 그 자체의 잡음을 제거하고 가능한 한 매끄럽게 하는 것을 생각해보자. 이를 위해 그림 7.1에 표시한 바와같이 임의 표본점을 중심으로 시간 폭 b 사이에 있는 표본치의 평균을 구해서, 그 값을 중심점에서의 표본치로 하는 방법이 있다. 이 방법을, 시간 폭 b는 항상 일정히 하고, 중심점을 차례로 옮기면서 실시한다. 이와 같은 방법을 이동평균법이라 한다.

그림 7.2(a)에 표시한 예제파에 시간폭 b를 시간간격 Δt의 3배, 5배하여 이동평균법을 실시한 결과는 각각 그림의 (b)와 (c)와 같다. 파의 좌

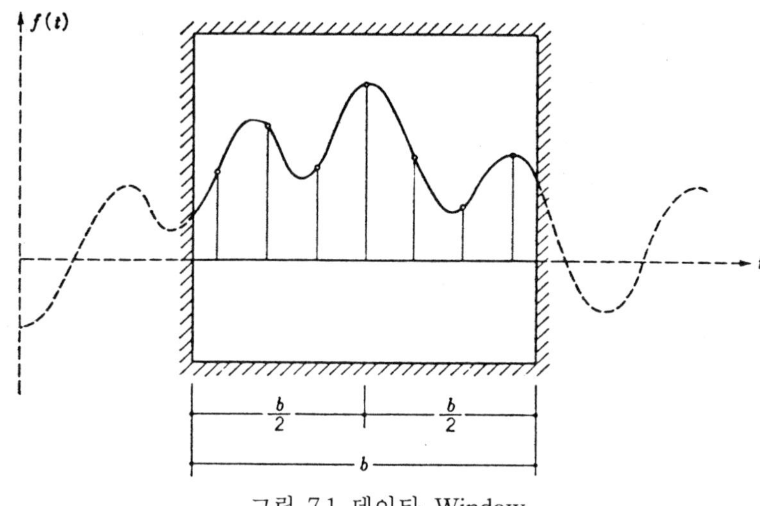

그림 7.1 데이타 Window

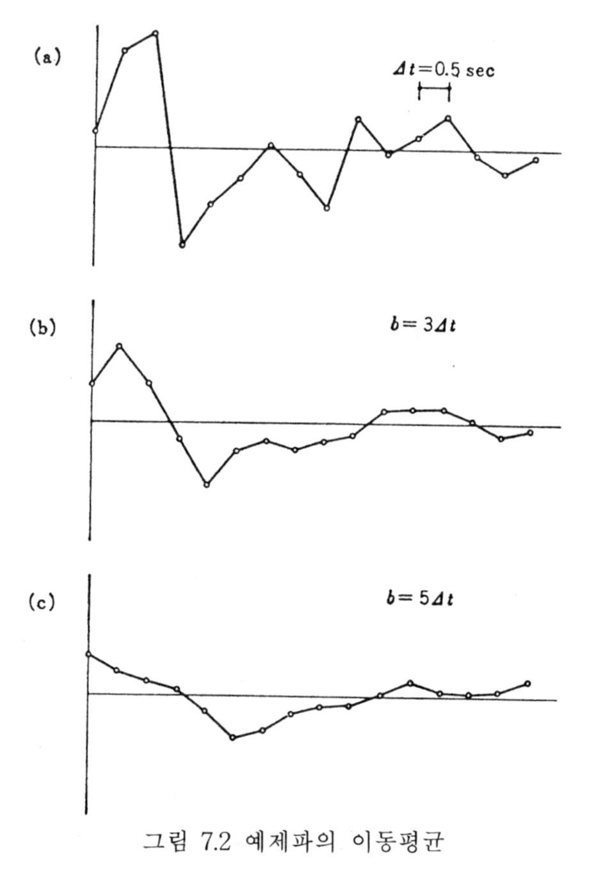

그림 7.2 예제파의 이동평균

우양단 부근에서 시간폭 b가 밖으로 빠져 나올 경우에는 앞에서 설명한 그림 4.9(a) 혹은 그림 4.10과 같이 파의 머리와 꼬리가 붙어 있다고 생각하여 데이타의 값을 순회적으로 이용하게 된다. 그림 7.2를 보면, 시간폭 b가 넓어질수록 파의 형이 매끈해짐을 알 수 있다. 극단적으로 말하면, 시간폭 b를 파의 전체길이 T와 같이 두면, 모든 데이타의 평균이 되므로 이동평균의 결과는 일정치 즉 파는 울퉁불퉁하지 않은 하나의 직선으로 된다. 시간의 연속함수 $f(t)$을 생각해서, 시간폭 b동안의 평균치를, 그 중심값으로 하는 것을 식으로 표시하면

$$\bar{f}_b(t)=\frac{1}{b}\int_{t-\frac{b}{2}}^{t+\frac{b}{2}} f(\tau)\mathrm{d}\tau \tag{7.10}$$

이 된다.

이제 다음과 같은 시간함수 $w(t)$를 생각해 보자.

$$\left.\begin{aligned} w(t)&=\frac{1}{b} \quad |t|\leqq\frac{b}{2} \\ w(t)&=0 \quad |t|>\frac{b}{2} \end{aligned}\right\} \tag{7.11}$$

이와같은 함수의 형은 그림 7.3과 같이 폭 b, 높이 $1/b$, 넓이 1인 사각형이 되며, 이것을 사각형 펄스(pulse)라 부른다.

함수의 정의로 부터

$$\left.\begin{aligned} w(t-\tau)&=\frac{1}{b} \quad t-\frac{b}{2}\leqq\tau\leqq t+\frac{b}{2} \\ w(t-\tau)&=0 \quad \tau<t-\frac{b}{2},\ \tau>t+\frac{b}{2} \end{aligned}\right\}$$

이므로 이동평균법은

$$\bar{f}_b(t)=\int_{-\infty}^{\infty} f(\tau)w(t-\tau)\mathrm{d}\tau \tag{7.12}$$

인 Convolution을 계산하는 것이 된다.

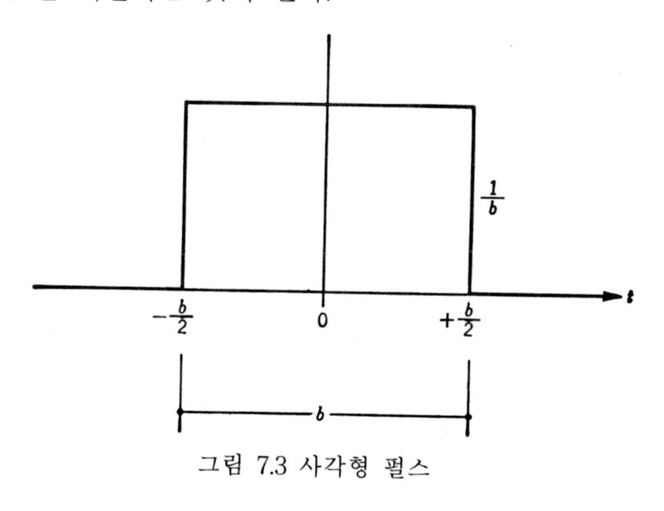

그림 7.3 사각형 펄스

달리 표시하면, 그림 7.1에서 틀로 둘러쌓인 것과 같은 폭 b의 창이 있다. 이 창의 범위밖은 아무것도 보이지 않는다. 그래서 창에서 보이는 것을 전부평균해서, 창의 중심의 값으로 하면, 기차의 창과 같이 다음다음으로 이동해 간다. 이것이 이동평균법이다. 이와같이 데이타의 나열을 보는 창이라는 의미로서 (7.11)식의 함수 $w(t)$를 데이타 Window라 한다. 이 Window에서는 평면 유리가 끼워져 있다. 그래서 창밖의 풍경이 침침하게 보이지 않으며 데이타 값을 일정하게 평균한다. 이에 반해 창에 일종의 렌즈와 같은 유리가 끼워져 있으면, 중앙이 크게 보이고 단부는 작게 보여 데이타가 가중(weight)된 평균치를 갖는 Window도 있다. 이것은 뒤에서 설명한다. (7.12)식의 Convolution의 Fourier 변환을 하면 앞의 준비계산 (7.7)식에 의해

가 된다. 여기서 $F(f)$는 원파형의 Fourier 변환이고, $W(f)$는 데이타 윈도우의 Fourier 변환이다. 즉 시간영역에서 이동평균법을 써서 데이타를 평활화하면, 스펙트럼은 원파형의 스펙트럼에 데이타 Window의 Fourier 변환을 곱한 것이 된다. 그러나

$$W(f)=\int_{-\infty}^{\infty} w(t)e^{-i(2\pi ft)}dt=\frac{1}{b}\int_{-\frac{b}{2}}^{\frac{b}{2}} e^{-i(2\pi ft)}dt$$

$$=-\frac{1}{i(2\pi bf)}\left[e^{-i(2\pi ft)}\right]_{-\frac{b}{2}}^{\frac{b}{2}}=\frac{1}{i(2\pi bf)}\left\{e^{i(\pi bf)}-e^{-i(\pi bf)}\right\}$$

이 되고 (4.55)식에 의하면

$$W(f)=\frac{\sin \pi bf}{\pi bf} \tag{7.13}$$

이 되고 (7.13)식을 그림으로 나타내면 그림 7.4와 같다.

원파형을 이동평균법에 의해 매끄럽게 하면, 즉 원파형의 스펙트럼에 임의 함수를 곱하면, 진동수 f가 크게 됨에 따라, 스펙트럼은 급격히 작게 되며, 그림의 사선부분을 제외하면 $f=1/b$에서 0이 된다. 그러므로 이동평균법은 윈도우폭을 b(sec)로 두면, $1/b$(cps)보다 높은 진동수의 성분

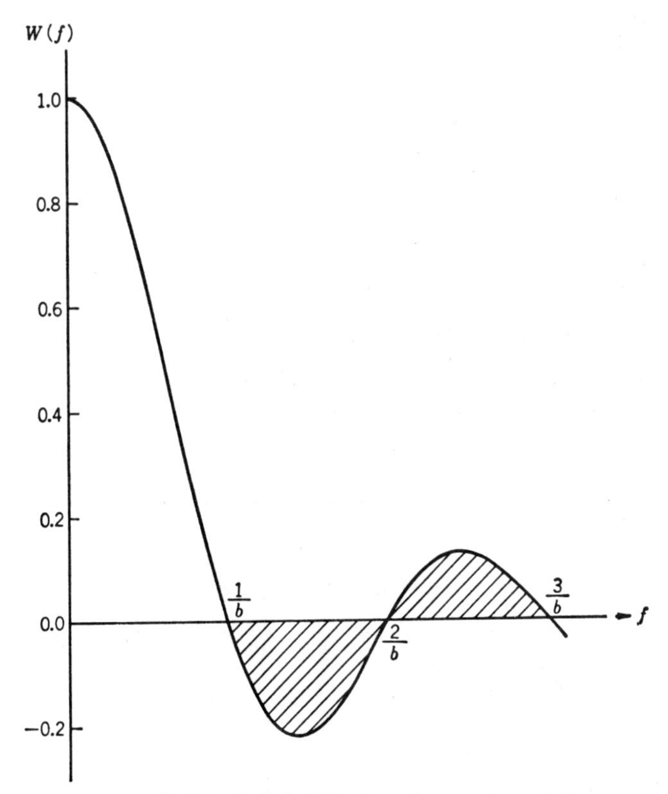

그림 7.4 데이타 Window의 Fourier 변환

을 거의 통과시키지 않는 저역필터를 곱한 것이 된다.

진동수 $1/b$(cps)보다 높은 영역에 나타나는, 그림 7.4에서 빗금친 작은 요철부분을 **side-lobe**이라 한다.

예제파와 이것을 이동평균법으로 평활화한 파형, 즉 그림 7.2의 (a), (b), (c)각각의 파워 스펙트럼을 구해보면 그림 7.5와 같이 된다. side-lobe에 의한 작은 영향을 무시하면 스펙트럼은 각각 거의 $1/b$(cps)에서 종료된다는 것을 알 수 있다.

그림 7.5로부터 알 수 있는 또 다른 중요한 것은, 이동평균을 실시하는 데이타 Window의 폭을 넓히면, 스펙트럼의 면적이 점점 작게 된다는 것이다. 앞에서도 언급한 바와같이 스펙트럼의 면적은 파가 갖고 있는 파

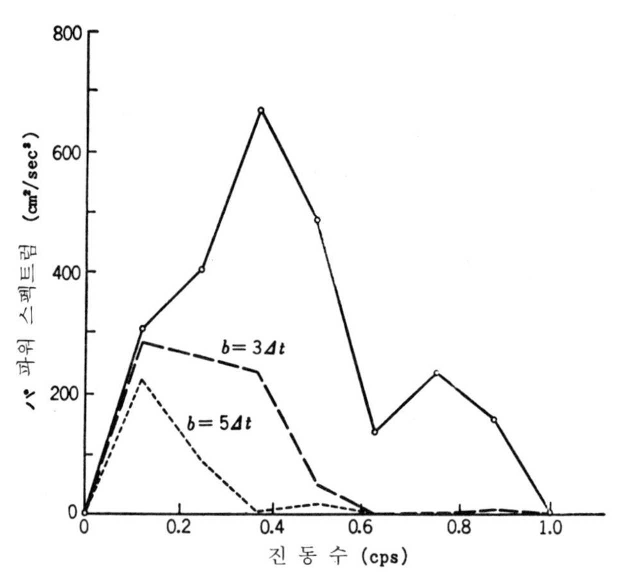

그림 7.5 이동평균법과 파워스펙트럼

워를 나타낸다. 그러므로 이동평균법에 의한 파의 평활화는 파의 중요한 특성의 하나인 파워를 왜곡하게 된다는 사실을 알아야 한다.

7.3 스펙트럼 Window

다음은 스펙트럼 자체를 이동평균법에 의해 평활화해 보자. 즉 주파수 영역에서 이동평균법을 적용하는 것이다.

지금 파워스펙트럼을 $G(f)$라 하고, 여기에 진동수의 함수를 곱하여 이동평균을 한다고 하면 평활화된 파워 스펙트럼은 (7.12)식과 같이 convolution으로 표시된다.

$$\overline{G}(f)=\int_{-\infty}^{\infty}G(g)W(f-g)dg \quad (7.14)$$

이와같은 진동수의 함수 $W(f)$를 **스펙트럼 Window**(spectral window)라 한다.

평활화를 함에 따라, 원파형이 갖는 파워 즉 파워 스펙트럼의 면적을 변하게 해서는 안된다. 또 어느점에서의 평균치를 구할때 그 양측의 값을 취급할때 불균형이 있어서 안된다. 따라서 스펙트럼 Window가 갖는

성질은 면적 불변성과 대칭성이다. 이것을 식으로 표시하면

$$\left.\begin{aligned} &\int_{-\infty}^{\infty} W(f)\mathrm{d}f=1 \\ &W(f)=W(-f) \end{aligned}\right\} \qquad (7.15)$$

(7.15)식과 같은 조건을 갖는 함수는 무수히 많다. 그러므로 스펙트럼 Window도 얼마든지 만들수 있으며, 많은 사람들에 의해 여러가지 종류의 Window가 제시되어 있다. 여기서는 이론적으로 알기 쉽고 실제로 많이 이용되는 것을 몇가지 소개해 둔다.

(1) 사각형 펄스

앞에서 데이타 Window로 사용한 그림 7.3의 사각형 펄스와 전적으로 같은 것이다. 단 여기서는 시간영역이 아닌 주파수영역에서의 Window로서

$$\left.\begin{aligned} &W(f)=\frac{1}{b} \quad |f|\leqq\frac{b}{2} \\ &W(f)=0 \quad |f|>\frac{b}{2} \end{aligned}\right\} \qquad (7.16)$$

이다.

이 함수의 횡축에 관한 분산을 계산해 보면

$$\sigma^2=\int_{-\infty}^{\infty} W^2(f)\mathrm{d}f$$

$$=\int_{-\frac{b}{2}}^{\frac{b}{2}}\left(\frac{1}{b}\right)^2\mathrm{d}f$$

즉

$$\sigma^2=\frac{1}{b} \qquad (7.17)$$

이 된다.

(2) 사각형 윈도우

$$W(f)=2u\left(\frac{\sin 2\pi uf}{2\pi uf}\right) \qquad (7.18)$$

의 형으로 주어지는 진동수의 함수를 **사각형**Window(rectangular window)라 하고 여기서 u는 상수

$$u = \text{const.} \tag{7.19}$$

로서, 단위는 sec이다. 이 윈도우의 형을 그려보면 그림 7.6(a)와 같이 된다. 매우 예리한 피크와 큰 side-lobe이 있는 것이 특징이다. 이러한 형의 윈도우를 왜 「사각형」 이라 하는가는 나중에 설명하기로 한다.

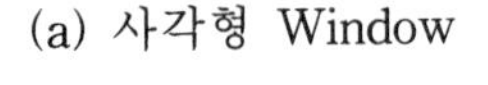
(a) 사각형 Window

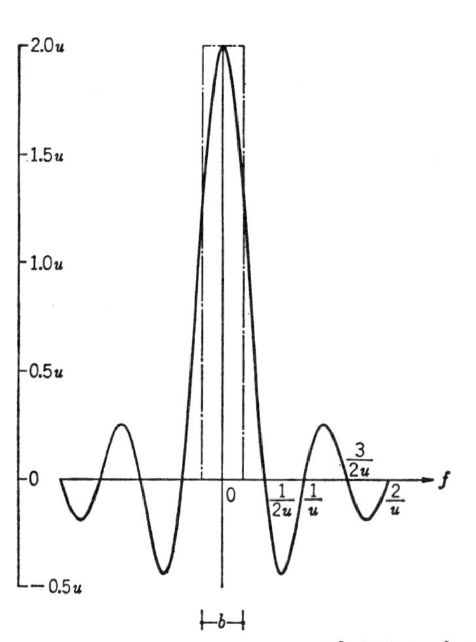

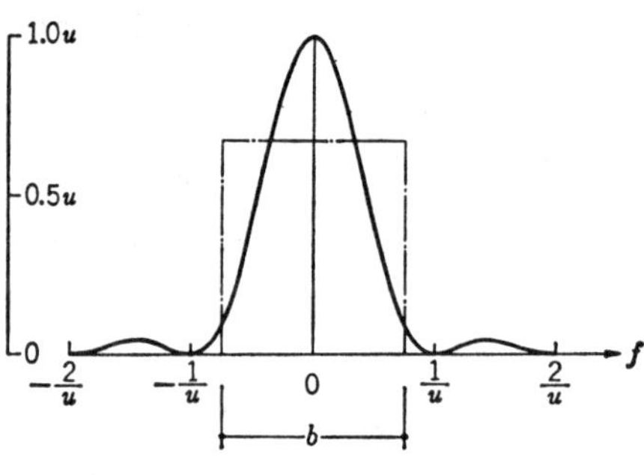

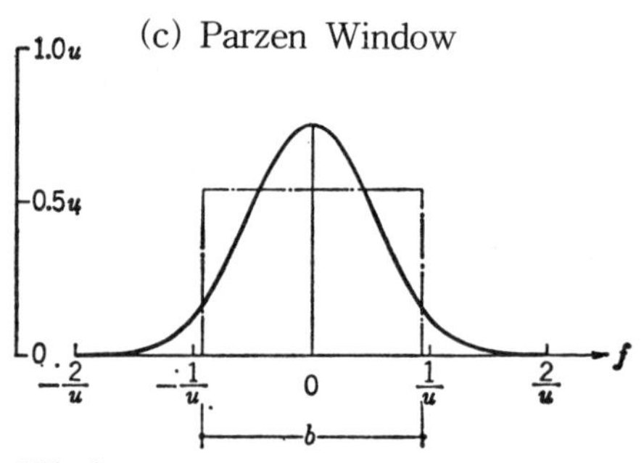

그림 7.6 스펙트럼 Window

(3) Bartlett Window

그림 7.6(b)에 표시한 형의 Window로서

$$W(f) = u\left(\frac{\sin \pi uf}{\pi uf}\right)^2 \tag{7.20}$$

인 함수로 표시된다. 피크의 예리함도 감소하고 side-lobe도 적다.

(4) Parzen Window

$$W(f) = \frac{3}{4}u\left(\frac{\sin\frac{\pi uf}{2}}{\frac{\pi uf}{2}}\right)^4 \tag{7.21}$$

로 표시되고, 그림 7.6(c)에 표시하였다. 아주 매끈한 산의 형을 하고 있으며 side-lobe은 거의 없다.

(7.18) (7.20) (7.21)식을 하나의 식으로 다시쓰면

$$W(f) \propto \left(\frac{\sin \frac{2\pi uf}{n}}{\frac{2\pi uf}{n}} \right)^n \qquad n=1,2,4 \tag{7.22}$$

이 된다. n이 클수록 피크의 폭이 넓어지고 평탄하게 되며 side-lobe은 작게 된다. 이어서 앞의 (7.13)식도 포함하여, 일반적으로 $\sin \pi x/\pi x$의 형의 함수를 **회절함수**(diffraction function)라 한다.

$$\text{dif}\, x \equiv \frac{\sin \pi x}{\pi x}$$

로 쓸수 있다.

(5) Hanning Window

(6) Hamming Window

이 두가지에 대해서는 나중에 디지탈 필터에서 다시한번 설명하기로 한다.

이와같은 Window 의해 스펙트럼의 이동평균을 실시하면, (1)의 사각형 펄스의 경우는, 어느점의 양측에 있는 진동수 폭 b의 범위내의 값이 일정한 평균치를 그 점의 값으로 한다. 그런데 (2) 사각형 Window (3) Bartlett Window (4) Parzen Window 등에서는 중심은 크고 중심에서 멀어지면 작은 가중된 평균치를 갖는다. 그림 7.6의 곡선은 모두 이와같은 평균치를 구할때 가중치를 표시하는 것이다. 앞에서도 언급한바와 같이 (1)에는 평면유리, 그외의 창에는 렌즈와 같은 유리가 끼어져 있다.

또 이러한 Window는 어느 폭의 사이에 있는 진동수 성분만을 통과시킨다는 의미로 대역필터(band-pass filter)의 작용을 하고 있다. 단 (1)의 사각형 펄스의 경우는 밴드 폭 b가 뚜렸하지만 다른 Window의 경우는 어디까지가 대역필터의 밴드 폭인지 확실치 않다.

그래서 하나의 편법으로 (7.18) (7.20) (7.21)식 각각의 함수의 분산을

계산하고 이것과 같은 분산을 갖는 사각형 펄스의 폭을 각각의 Window 밴드 폭으로 볼수 있다.

예를들어, (7.18)식의 함수의 분산을 구하면

$$\sigma^2=\int_{-\infty}^{\infty} W^2(f)\mathrm{d}f=4u^2\int_{-\infty}^{\infty}\left(\frac{\sin 2\pi uf}{2\pi uf}\right)^2\mathrm{d}f=4u^2\cdot\frac{1}{2u}$$

즉

$$\sigma^2=2u \tag{7.23}$$

이 된다. 밴드 폭이 b인 사각형 펄스의 분산은 이미 (7.17)식에서 구했다. 따라서 (7.23)식과 같은 분산을 갖는 사각형 펄스의 폭 b는

$$2u=\frac{1}{b}$$

$$\therefore\ b=\frac{1}{2u}\quad(\mathrm{cps})$$

가 되고, 이것이 (7.18)식의 함수 즉 사각형 Window의 밴드 폭이 된다. 일반적으로는

$$b=\frac{1}{\int_{-\infty}^{\infty} W^2(f)\mathrm{d}f} \tag{7.24}$$

으로 된다.

이식에 의해 다른 Window의 밴드 폭도 계산하면 표 7.1과 같이 된다. 이들의 밴드 폭은 그림 7.6에도 각각의 Window에 표시되어 있다.

표 7.1 스펙트럼 Window의 밴드폭

Window의 종류	밴드폭b(cps)
사각형	$\frac{1}{2u}$
Bartlett	$\frac{3}{2u}$
Parzen	$\frac{280}{151u}$

어떤 경우에도 표 7.1에서 보는 바와 같이 밴드 폭 b(단위cps)는 상수 u(단위sec)에 반비례하고 상수 u를 작게 할수록 밴드 폭 즉 평균을 취하는 유효범위는 넓어져서 파워스펙트럼은 더욱 평활하게 된다.

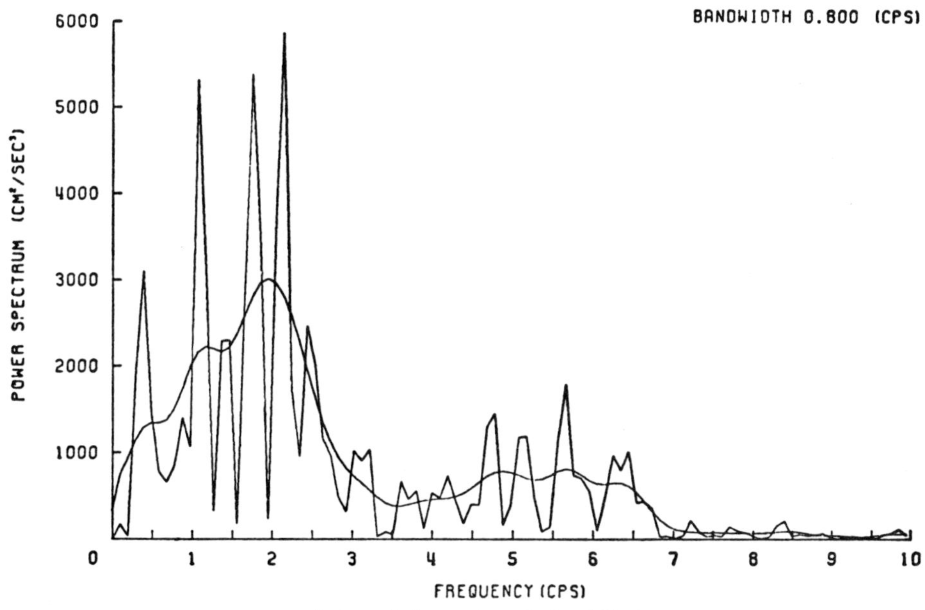

그림 7.7 파워 스펙트럼의 평활화

밴드 폭 0.8cps의 Parzen Window를 사용하여 El Centro 지진파의 파워스펙트럼을 평활화한 결과는 그림 7.7과 같다.

7.4 Lag Window

자기상관함수와 파워스펙트럼 사이에는 (5.19)식과 같이 서로 Fourier 변환의 쌍을 이루는 관계

$$R(\tau)=\frac{1}{2\pi}\int_{-\infty}^{\infty}G(\omega)e^{i\omega\tau}d\omega$$

또는

$$R(\tau)=\int_{-\infty}^{\infty}G(f)e^{i(2\pi f\tau)}df \qquad (7.25)$$

가 있다. 지금 파워스펙트럼 $G(f)$을 스펙트럼 Window를 사용하여 평활화한 것을 $\overline{G}(f)$라 하면, 이것에 대응하는 자기상관함수는

$$\overline{R}(\tau)=\int_{-\infty}^{\infty}\overline{G}(f)e^{i(2\pi f\tau)}df$$

이 된다. 이 식의 $\bar{G}(f)$에 (7.14)식의 Couvolution을 대입하면

$$\bar{R}(\tau)=\int_{-\infty}^{\infty}\left[\int_{-\infty}^{\infty}G(g)W(f-g)\mathrm{d}g\right]e^{i(2\pi f\tau)}\mathrm{d}f$$

(7.9)식에 의하면 주파수 영역에서 두함수의 Couvolution의 Fourier 역변환은 각각의 함수의 Fourier 역변환의 시간영역에서의 곱이므로

$$\bar{R}(\tau)=\int_{-\infty}^{\infty}G(f)e^{i(2\pi f\tau)}\mathrm{d}f\cdot\int_{-\infty}^{\infty}W(f)e^{i(2\pi f\tau)}\mathrm{d}f$$

이 된다.

(7.25)식을 참조하고, 스펙트럼 Window $W(f)$의 Fourier 역변환을

$$w(\tau)=\int_{-\infty}^{\infty}W(f)e^{i(2\pi f\tau)}\mathrm{d}f \qquad (7.26)$$

으로 두면

$$\bar{R}(\tau)=R(\tau)\cdot w(\tau) \qquad (7.27)$$

이 된다. 즉, 스펙트럼 Window에 의해 평활화된 파워 스펙트럼에 대응하는 자기 상관함수는 원파형의 자기상관함수에 스펙트럼 Window의 Fourier 역변환 함수 $w(\tau)$를 곱한 것으로 된다.

앞의 여러가지 스펙트럼 Window에 대해 (7.26)식을 적분하여, 실제로 $w(\tau)$를 구해보면 각각 다음과 같이 된다.

사각형 Window

$$w(\tau)=\begin{cases}1 & |\tau|\leqq u\\ 0 & |\tau|>u\end{cases} \qquad (7.28)$$

Bartlett Window

$$w(\tau)=\begin{cases}1-\dfrac{|\tau|}{u} & |\tau|\leqq u\\ 0 & |\tau|>u\end{cases} \qquad (7.29)$$

Parzen Window

$$w(\tau)=\begin{cases}1-6\left(\dfrac{\tau}{u}\right)^2+6\left(\dfrac{|\tau|}{u}\right)^3 & |\tau|\leqq\dfrac{u}{2}\\ 2\left(1-\dfrac{|\tau|}{u}\right)^3 & \dfrac{u}{2}\leqq|\tau|\leqq u\\ 0 & |\tau|>u\end{cases} \qquad (7.30)$$

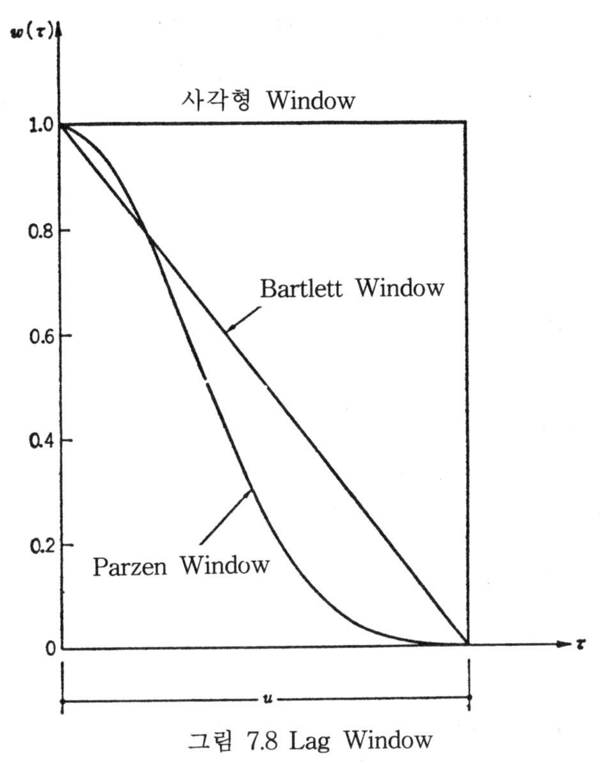

그림 7.8 Lag Window

이들 함수의 형을 그려보면 그림 7.8과 같다. 사각형 Window는 사각형, Bartlett Window는 대각선, Parzen Window는 느슨한 역 S형이며 모두 시간지연 영역에서 일종의 창이 된다. 함수 $w(\tau)$를 Lag Window라고 한다.

어느 경우도 창의 폭은 u이며, 시간지연 τ가 u보다 큰 것은 보이지 않는다. 파워 스펙트럼에 대해 스펙트럼 Window를 곱하는 것은 자기상관함수를 $\tau=u$로 자르고 $0 \leq \tau \leq u$의 범위의 값에 대해 $w(\tau)$인 가중을 취하는 것이 된다. 이 의미로 u를 시간지연 영역에서의 절단폭(truncation width)이라 한다. 지금까지 (7.19)식에서 표시한 바와같이, u를 단순한 상수로 취급해 왔으며 실은 모두 이러한 의미를 갖는다. 또 그림 7.6에 표시한 주파수영역에서 변형 곡선을 사각형 윈도우라 부른 것도 그림 7.8에서 보는 바와 같이 시간지연 영역에서의 Lag Window로 고치면 사각형을 나타내는 것이 그 이유이다.

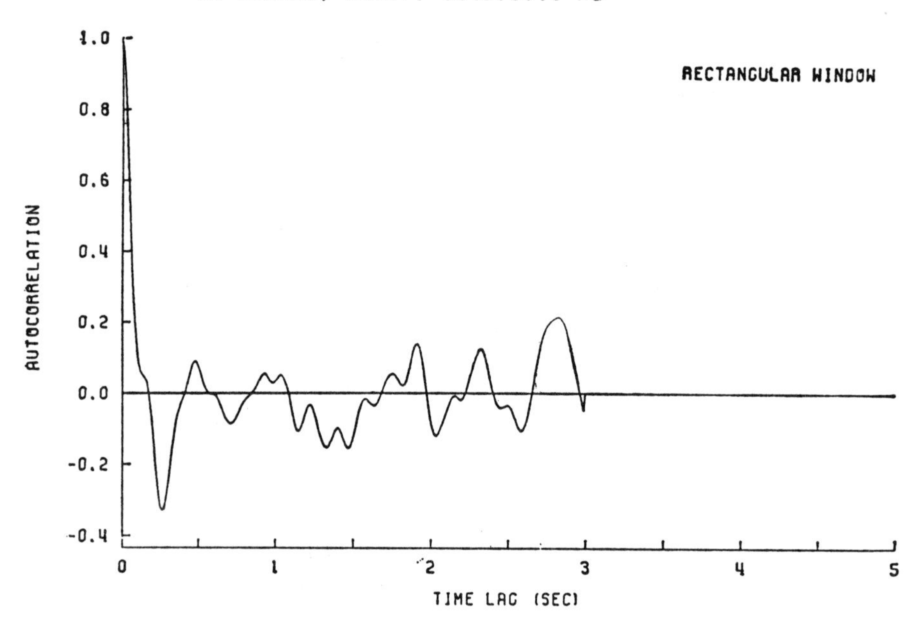

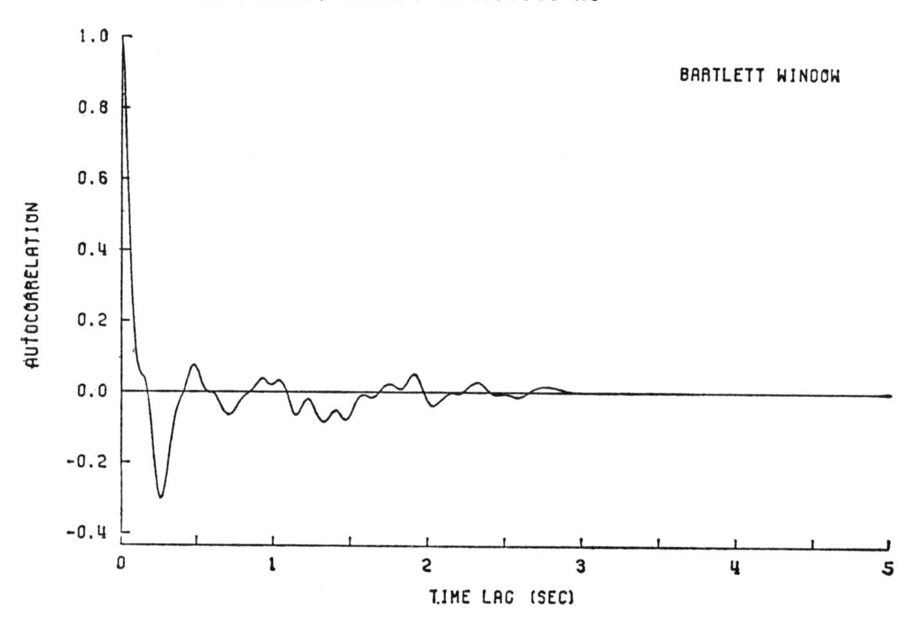

그림 7.9(a) Lag Window에 의한 자기상관함수의 변형(1)

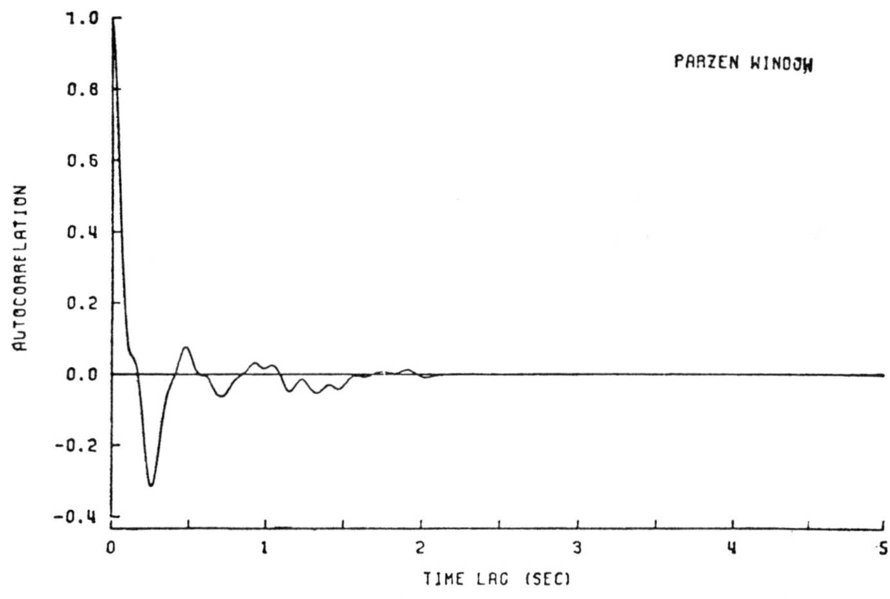

그림 7.9(b) Lag Window에 의한 자기상관함수의 변형(2)

El Centro 지진파의 자기상관함수에 절단 폭 u=3sec의 Lag Window를 적용한 결과를 그림 7.9에 표시한다.

이상에서 알수 있듯이 파워 스펙트럼을 평활화하기 위해서는 원파형의 파워 스펙트럼에 대해서 직접 스펙트럼 Window에 의해 이동평균을 해도 좋으며, 먼저 원파형의 자기 상관함수를 구해서 - 여기서도 원파형으로부터 직접 구하는 방법과 일단 파워 스펙트럼을 구해서 이것을 Fourier 역변환하는 방법등이 있는 것은 앞에서 서술하였다 - 여기에 Lag Window를 적용하여 그 결과를 Fourier 변환해도 좋다.

7.5 디지탈 필터

지금까지 표시한 스펙트럼 Window는 모두 주파수 영역에서 연속함수의 형으로 주어졌다. 이에 반해서 이동평균할때 이산점에서의 계수값으로 가중을 하는 스펙트럼 Window를 특히 **디지탈 필타**(digital filter)라 부른다.

디지탈 필터에도 여러가지가 있는데 가장 간단하며 널리 사용되는 것이 Hanning Window이다. 이 방법은

$$\bar{G}_k = 0.25G_{k-1} + 0.50G_k + 0.25G_{k+1} \tag{7.31}$$

에 따라 평활화하는 것을 기본으로 한다. 즉 어느점에서 파워 스펙트럼의 값 G_k와 그것과 인접하는 양쪽의 값을 0.25, 0.50, 0.25인 가중치로 평균한 것을 그 점에서의 파워스펙트럼의 값 $\bar{G}_k$라 한다.

더욱 필요하면 이와 같이하여 얻은 가중평균 $\bar{G}_k$의 수열을 다시(7.31)식에 의해 평균화한다. 이와같은 평균화 과정을 반복하면 할수록 Window의 폭이 넓어지게 되어 더욱 평활화 된다.

(7.31)식을 반복 적용하는 경우 가중 계수의 값은 다음과 같이 구한다. 즉, 그림 7.10과 같이 먼저 0사이클의 경우 단위길이의 수직선을 그린다. 1사이클 즉 (7.31)식을 1회 적용하면 수직선의 길이는 1/2이 되고, 좌우 인접하는 점에는 1/4씩 나누어 진다. 다음 사이클에서는 이와같이 구한 각 수직선의 길이에 같은 조작을 반복하면 된다. 바꾸어 말하면, 가중계수 그 자체를 마치 스펙트럼과 같이 취급하여 이것에 (7.31)식의 이동평균을 반복적용하면 된다는 것을 알 수 있다. n 사이클 반복하면 중심점의 양쪽으로 n개씩, 합계 $2n+1$개의 계수가 얻어지고, 그외는 0이된다. n 사이클 반복적용하여 구한 $2n+1$개의 계수를 일반적으로 $p_k(k=-n, \cdots, 0, 1, \cdots, n)$라 두면

$$\left.\begin{array}{l} \sum_{k=-n}^{n} p_k = 1 \\ p_k = p_{-k} \end{array}\right\} \tag{7.32}$$

즉 면적불변성과 대칭성은 항상 보존된다. P_k의 분포 즉 Hanning Window의 형은 그림 7.6(c)에 표시한 Parzen Window와 아주 유사하며 $n=10$ 사이클 이상이면, 실질적으로 거의 일치한다.

Hanning Window의 밴드 폭 b는 p_k의 분산을 고려하면 (7.24)식과 같이

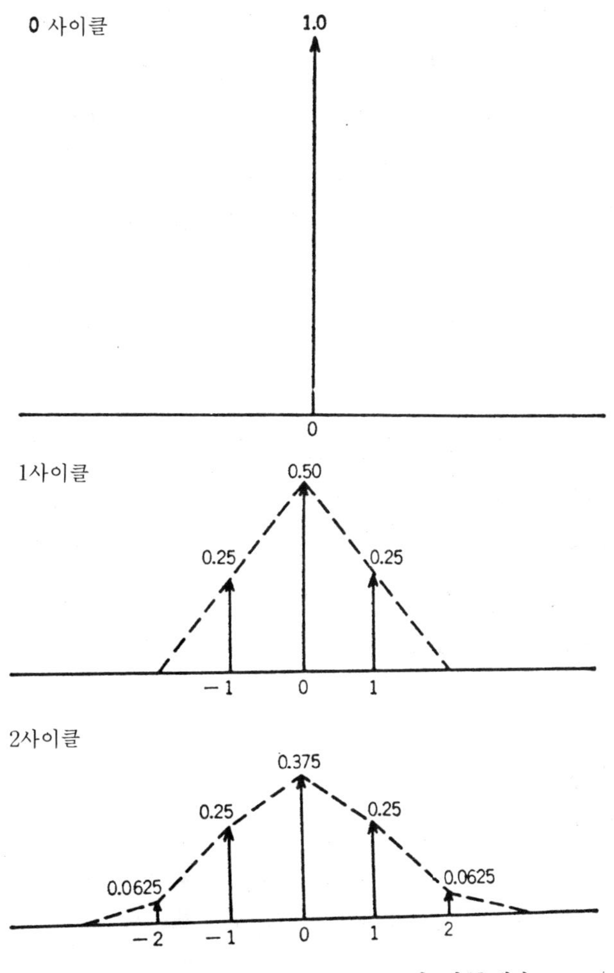

그림 7.10 Hanning Window의 가중계수

$$b=\frac{1}{\sum_{k=-n}^{n} p_k^2} \tag{7.33}$$

으로 계산된다. 사이클수가 증가하면 밴드 폭은 넓어지고, 이것은 필자도 확인한 관계식이지만, 이산적으로 주어진 스펙트럼의 진동수간격을 Δf(cps)라하면, 사이클수 n과 밴드 폭 b(cps) 사이에는

$$b=\frac{3}{8}\sqrt{n}\cdot\Delta f \tag{7.34}$$

라는 간단한 관계가 있다.

더욱 이와같은 Window에 의해 파워스펙트럼의 평활화를 실시하는 경

우 스펙트럼의 양단 부근에서는 Window의 폭이 밖으로 벗어나는 경우가 있다. 그러나 이 경우에는 그림 4.7 또는 4.8로부터 알수 있는 바와같이 스펙트럼의 절곡관계를 이용하여, 스펙트럼의 양측에는 이것을 절곡한 것이 접속되어 있다고 생각하면 된다.

또한 디지탈 필터로서, Hanning의 Window와 아주 유사한 것으로 Hamming Window가 있다. 이것은 (7.31)식의 가중계수를 약간 변경하여

$$\overline{G}_k=0.23G_{k-1}+0.54G_k+0.23G_{k+1} \tag{7.35}$$

로 한 것이다.

더욱이 Hanning Window의 Hanning은 (7.31)식의 제안자의 이름이라고 간혹 오해하는 경우도 있으나, 사실 제안자는 Hanning이 아니고 Julius von Hann이다. 필자의 추측에 의하면 (7.35)식의 Hamming — 이것은 저명한 이름 R.W.Hamming 과 유사하게 어느 사이에 그렇게 불리게 된 것이 아닌가 생각한다.

7.6 스펙트럼 Window의 선택

지금까지 몇가지 스펙트럼 Window에 대해 설명하였지만, 이들중 어느것이 좋다고 판단하는 것은 상당히 어려운 문제이다. 이 문제에 들어가기 전에 스펙트럼 평활화에 대해 다음 2가지 사항을 알아야 된다.

그 첫째는 원래의 스펙트럼 값과 평활화된 값과의 차이다. 스펙트럼 평활화는 어떻든 산을 깍고 계곡을 메워서 전체를 매끄럽게 하는 것이기 때문에 차이가 생기는 것은 어썰수 없시만 가능한 차이를 작게하는 것이 좋다. 이러한 차이를 평활화에 의한 편기(bias)라 한다. 그림 7.6에 표시한 Window 중에서 피크가 예리할수록 편기가 작고 완만한 것일수록 크다.

또 하나는 사이드 롭의 영향이다. 사이드 롭이 크면 평활화할때, 임의점의 스펙트럼 값이 멀리 떨어진 진동수 점의 평균치에 큰 영향을 준다. 이와같은 현상은, 멀리 떨어지면 그 영향이 누수된다(漏)는 의미로서 누

수(leakage)라 한다. 그림 7.6의 사각형 Window는 누수가 크고, Parzen Window에는 누수가 거의 없다.

스펙트럼 Window는 앞에서도 언급하였지만, 일반적으로 (7.22)식으로 표시된다. 이 식으로 부터, n이 작으면 편기가 작은대신 누수가 크고, n이 크면 누수는 작지만 편기가 커진다. 이와같이 편기와 누수사이에는 서로 양립하지 않는 문제가 있다. 따라서 어느 Window가 좋은지는 일반적으로 말할 수 없고, 평활화를 하는 목적과 원 스펙트럼의 형에 따라 다르게 된다.

그리고 사각형 Window는 사이드 롭이 커서 평활화한 결과 간혹 스펙트럼의 값에 (−)가 생길 수 있다. 따라서 일반적으로 이 Window는 사용하지 않는 것이 좋을 것이다. Bartlett와 Parzen은 실제 지진파의 스펙트럼에 적용해 보면 큰 차이가 없다. 단 Parzen의 쪽이 아무래도 그림이 깨끗하고, 앞에서도 언급한 바와같이 디지탈 필터의 특성이 이것과 매우 유사하므로 다음에 언급하는 스펙트럼 평활화 프로그램에서는 Parzen의 Window를 사용한다.

편기와 누수보다도 실용상 큰 문제는 대역 필터로서 밴드 폭을 어느 정도로 할 것인가이다. 밴드 폭이 좁으면 평활화된 스펙트럼에 다소 요철이 많아 어느것이 원래의 스펙트럼 피크인지 구분하기 어렵다. 그러나 밴드 폭이 넓으면 스펙트럼은 매끄럽게 되고 피크의 위치가 분명해지나 오히려 중요한 피크를 누락시킬 경우도 있다. 이러한 변화는 그림 7.11을 보면 잘 알 수 있을 것이다. 따라서 Window의 밴드 폭은 파에 대한 해석의 목적에 따라 그때그때 적당히 결정해야 한다.

이를 위해서는 먼저 큰 밴드 폭을 취하고, 즉 창을 크게 열고 평활화된 스펙트럼을 그린다. 그리고 창을 조금씩 닫으면서 즉 밴드 폭을 조금씩 작게하면서 같은 스펙트럼을 그린다. 그리고 이러한 결과를 서로 비교하면서 어느 정도의 밴드 폭이 적당한지 결정한다. 이와같은 방법을 **윈도우 크로싱**(window closing)이라 한다.

그림 7.11은 El Centro 지진파의 Fourier 스펙트럼에 대해 Parzen

Window를 이용하여 윈도우 크로싱을 실시한 결과이다. 그림은 밴드 폭을 1.2cps로부터 0.4cps까지 0.2cps씩 변화시킨 결과이다. 이 그림은 커버 플롯터를 이용하여 그린 것이지만, 윈도우 크로싱에 의해 밴드 폭을 결정하는 경우에는 앞에서 언급한 프로그램 **SPAR**에 의해 곡선을 라인 프린터에 의해 그리면 결과를 빨리 알 수 있어 편리하다.

7.7 스펙트럼 평활화 프로그램－1

이 프로그램 **LWIN**(Smoothed Spectra by Parzen's **Lag Win**dow)은 Parzen의 Window를 이용하여 주어진 파형을 평활화하여 Fourier 스펙트럼 및 파워스펙트럼을 계산하는 프로그램이다.

먼저 프로그램의 첫부분에서는, 앞에서 언급한 프로그램 SPAC와 같은 요령으로 필요에 따라 데이타의 뒷부분에 제로를 추가하고, 이것을 Fourier 변환하여 복소 Fourier 계수 C_k를 구한다. 그리고 (5.14)식

$$R_j \longleftrightarrow |C_k|^2$$

에 의해 Fourier 역변환을 실시하여 자기공분산계수를 구한다. 이어서 주파수 영역에서 평활화를 위한 밴드 폭 b(cps)를 표 7.1에 표시한

$$b = \frac{280}{151u}$$

의 관계에 의해 절단 폭 u(sec)로 환산하여, Parzen의 Lag Window $w(\tau)$를 (7.30)식에 의해 구한다.

그리고, 시간 지연영역에서 (7.27)식

$$\bar{R}_j = R_j \cdot w(\tau)$$

를 적용하고, $\bar{R}_j$를 다시 Fourier 변환하면 평활화된 Fourier 스펙트럼이 구해지고, 이로부터 평활화된 파워스펙트럼도 구해진다. 이 프로그램은 고속 Fourier 변환을 적극 활용하므로서 계산시간이 매우 빠르다.

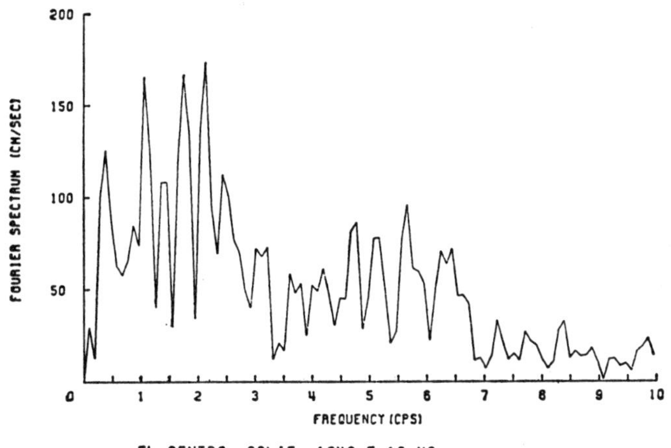

EL CENTRO, CALIF. 1940.5.18 NS.
FOURIER SPECTRUM (CM/SEC)
FREQUENCY (CPS)

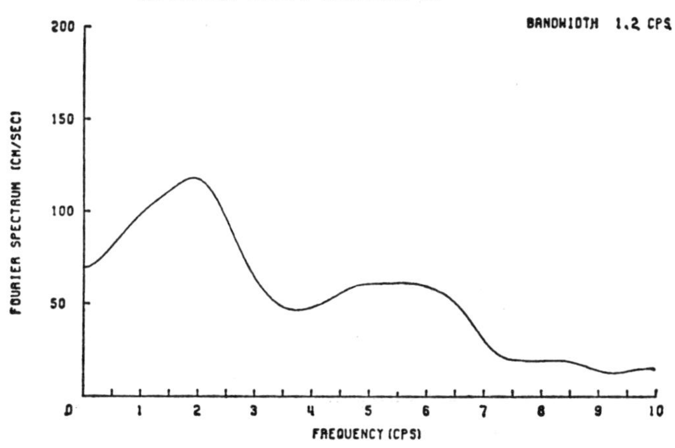

EL CENTRO, CALIF. 1940.5.18 NS
BANDWIDTH 1.2 CPS
FOURIER SPECTRUM (CM/SEC)
FREQUENCY (CPS)

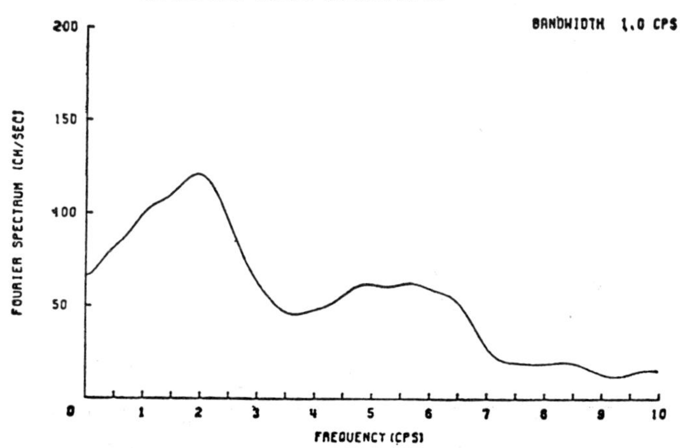

EL CENTRO, CALIF. 1940.5.18 NS
BANDWIDTH 1.0 CPS
FOURIER SPECTRUM (CM/SEC)
FREQUENCY (CPS)

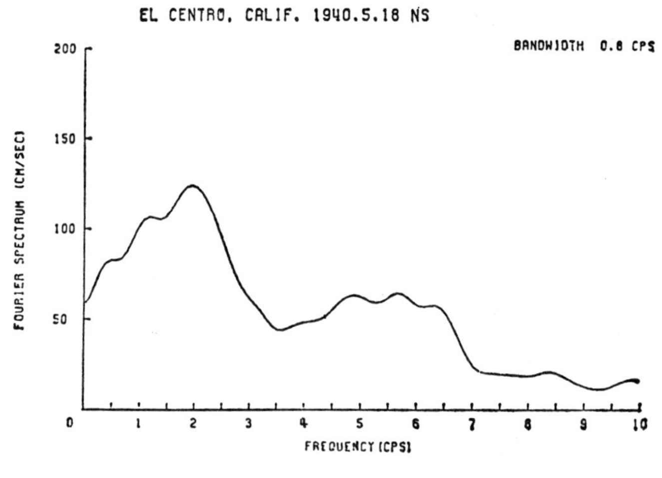

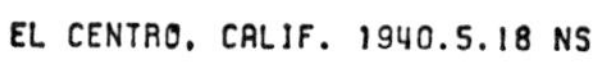

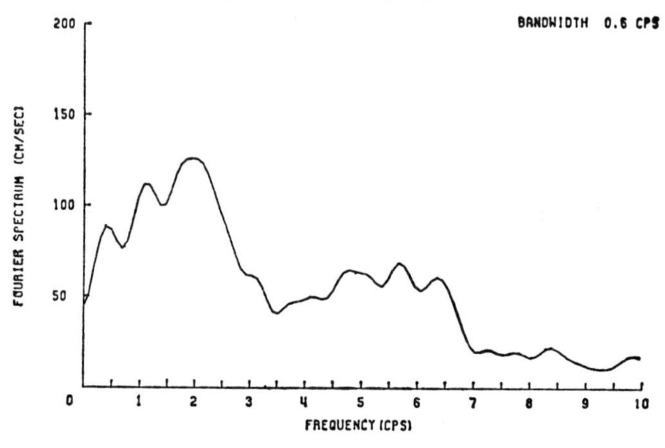

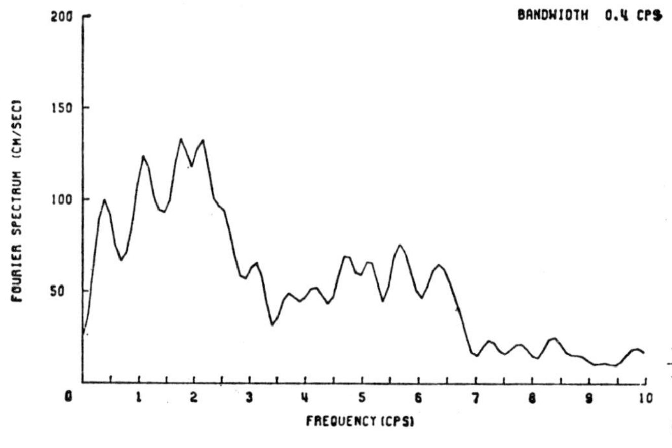

그림 7.11
Window Crossing
(El Centro 지진파)

특히 밴드 폭을 0으로 지정하는 경우에는, 평활화되지 않는 Fourier 스펙트럼과 파워스펙트럼이 구해지도록 되어 있어, 이 프로그램은 자기상관함수를 구하는 것 이외에는 프로그램 **SPAC**와 같은 기능도 갖고 있다.

사용예는 이 프로그램을 이용하여 그림 7.7을 작성한 주프로그램이다. 프로그램 내에서 부르는 **SPAL**은 여기서는 설명하지 않지만, Fourier 스페트럼, 파워 스펙트럼, 자기상관함수를 구하는 커브 플롯터용 서브루틴이다.

LWIN (Lag Window에 의한 평활화 스펙트럼)

목 적

주파수영역에서 지정된 밴드 폭을 갖는 Parzen의 Lag Window에 의해 주어진 등간격 데이타의 평활화된 Fourier 스펙트럼과 파워스펙트럼을 계산한다.

사용법

(1) 접속방법

CALL LWIN (N, X, ND1, DT, F, G, ND2, NFŌLD, DF, BAND)

인 수	형	부프로그램을 부르는 경우의 내용	부프로그램으로부터 읽어들이는 내용
N	I	데이타의 수	좌동
X	R 1차원배열(ND1)	데이타	좌동
ND1	I	주프로그램에서 X의 차원	좌동
DT	R	데이타의 시간간격 (단위 sec)	좌동
F	R 1차원배열(ND2)	무엇이든 좋다	평활화된 Fourier 스펙트럼의 값

G	R 1차원배열(ND2)	무엇이든 좋다	평활화된 파워 스펙트럼의 값
ND2	I	주프로그램에서 F,G의 차원	좌동
NFOLD	I	무엇이든 좋다	스펙트럼값의 총수
DF	R	무엇이든 좋다	스펙트럼의 진동수 간격 (단위cps)
BAND	R	밴드 폭(단위cps)	좌동

(2) 주의사항

i) ND2≧NT/2+1 이 되어야 한다. 여기서 NT는 N보다 크고 최소 2의 누승수, 또는 N이 2의 누승수인 경우는 N이다.

ii) 시간지연영역에서 절단폭이 절곡점을 초과하지 않도록 BAND/DF ≧560/151 (약 3.71)이 되어야 한다.

iii) 인수 BAND=0인 경우는 평활화를 실시하지 않는다.

(3) 필요한 서브루틴 및 함수프로그램

FAST

프로그램 리스트

```
C  * * * * * * * * * * * * * * * * * * * * * * * * * * * * * * *    LWIN   1
C    SUBROUTINE FOR SMOOTHED SPECTRA BY PARZEN'S LAG WINDOW           LWIN   2
C  * * * * * * * * * * * * * * * * * * * * * * * * * * * * * * *    LWIN   3
C                                                                     LWIN   4
C                                          CODED BY Y.OHSAKI          LWIN   5
C                                                                     LWIN   6
C     PURPOSE                                                         LWIN   7
C       TO COMPUTE FOURIER AND POWER SPECTRA OF A SERIES OF EQUI-SPACED LWIN   8
C       DATA SMOOTHED BY APPLICATION OF PARZEN'S LAG WINDOW WITH      LWIN   9
C       SPECIFIED BANDWIDTH IN FREQUENCY DOMAIN                       LWIN  10
C                                                                     LWIN  11
C     USAGE                                                           LWIN  12
C       CALL LWIN(N,X,ND1,DT,F,G,ND2,NFOLD,DF,BAND)                   LWIN  13
C                                                                     LWIN  14
C     DESCRIPTION OF PARAMETERS                                       LWIN  15
C       N       - TOTAL NUMBER OF DATA                                LWIN  16
C       X(ND1)  - EQUI-SPACED DATA                                    LWIN  17
C       ND1     - DIMENSION OF X IN CALLING PROGRAM  ND1.LE.8192      LWIN  18
C       DT      - TIME INCREMENT IN DATA IN SEC                       LWIN  19
C       F(ND2)  - SMOOTHED FOURIER SPECTRUM                           LWIN  20
C       G(ND2)  - SMOOTHED POWER SPECTRUM                             LWIN  21
C       ND2     - DIMENSION OF F,G IN CALLING PROGRAM                 LWIN  22
C       NFOLD   - FOLDING POINT                                       LWIN  23
C       DF      - FREQUENCY INCREMENT IN SPECTRA IN CYCLES/SEC        LWIN  24
C       BAND    - SPECIFIED BANDWIDTH IN CYCLES/SEC                   LWIN  25
C                                                                     LWIN  26
C     REMARKS                                                         LWIN  27
C      (1) ND2.GE.NT/2+1, WHERE NT IS POWER OF 2 EQUAL TO N OR MINIMUM LWIN  28
C          LARGER THAN N                                              LWIN  29
C      (2) BAND/DF MUST BE LARGER THAN 560/151 SO THAT TRUNCATION POINT LWIN  30
C          IS NOT BEYOND FOLDING POINT IN LAG DOMAIN                  LWIN  31
```

```
C        (3) IF PARAMETER BAND=0.0, NO SMOOTHING IS MADE                    LWIN 32
C                                                                            LWIN 33
C       SUBROUTINES AND FUNCTION SUBPROGRAMS REQUIRED                        LWIN 34
C         FAST                                                               LWIN 35
C                                                                            LWIN 36
        SUBROUTINE LWIN(N,X,ND1,DT,F,G,ND2,NFOLD,DF,BAND)                   LWIN 37
C                                                                            LWIN 38
        COMPLEX   A(8192)                                                    LWIN 39
        DIMENSION X(ND1),F(ND2),G(ND2)                                       LWIN 40
C                                                                            LWIN 41
C       INITIALIZATION                                                       LWIN 42
C                                                                            LWIN 43
        DO 110 M=1,N                                                         LWIN 44
        A(M)=CMPLX(X(M),0.0)                                                 LWIN 45
  110 CONTINUE                                                               LWIN 46
        NT=2                                                                 LWIN 47
  120 IF(NT.GE.N) GO TO 130                                                  LWIN 48
        NT=NT*2                                                              LWIN 49
        GO TO 120                                                            LWIN 50
  130 IF(NT.EQ.N) GO TO 150                                                  LWIN 51
        DO 140 M=N+1,NT                                                      LWIN 52
        A(M)=(0.0,0.0)                                                       LWIN 53
  140 CONTINUE                                                               LWIN 54
  150 NFOLD=NT/2+1                                                           LWIN 55
        T=FLOAT(NT)*DT                                                       LWIN 56
        DF=1.0/T                                                             LWIN 57
C                                                                            LWIN 58
C       AUTOCORRELATION                                                      LWIN 59
C                                                                            LWIN 60
        CALL FAST(NT,A,8192,-1)                                              LWIN 61
        IF(BAND.NE.0.0) GO TO 170                                            LWIN 62
        DO 160 K=1,NFOLD                                                     LWIN 63
        F(K)=CABS(A(K))*DT                                                   LWIN 64
  160 CONTINUE                                                               LWIN 65
        GO TO 240                                                            LWIN 66
  170 DO 180 K=1,NT                                                          LWIN 67
        A(K)=A(K)*CONJG(A(K))/FLOAT(NT)**2                                   LWIN 68
  180 CONTINUE                                                               LWIN 69
        CALL FAST(NT,A,8192,+1)                                              LWIN 70
C                                                                            LWIN 71
C       LAG WINDOW                                                           LWIN 72
C                                                                            LWIN 73
        U=3.708609/BAND*DF                                                   LWIN 74
        IF(U.GT.1.0) GO TO 260                                               LWIN 75
        U=FLOAT(NFOLD-1)*U                                                   LWIN 76
        DO 210 J=2,NFOLD                                                     LWIN 77
        TAU=FLOAT(J-1)/U                                                     LWIN 78
        IF(TAU.GT.0.5) GO TO 190                                             LWIN 79
        A(J)=A(J)*(1.0-6.0*TAU**2*(1.0-TAU))                                 LWIN 80
        GO TO 210                                                            LWIN 81
  190 IF(TAU.GT.1.0) GO TO 200                                               LWIN 82
        A(J)=A(J)*2.0*(1.0-TAU)**3                                           LWIN 83
        GO TO 210                                                            LWIN 84
  200 A(J)=(0.0,0.0)                                                         LWIN 85
  210 CONTINUE                                                               LWIN 86
        DO 220 J=2,NFOLD-1                                                   LWIN 87
        A(NT+2-J)=A(J)                                                       LWIN 88
  220 CONTINUE                                                               LWIN 89
C                                                                            LWIN 90
C       SMOOTHED SPECTRA                                                     LWIN 91
C                                                                            LWIN 92
        CALL FAST(NT,A,8192,-1)                                              LWIN 93
        DO 230 K=1,NFOLD                                                     LWIN 94
        F(K)=SQRT(ABS(REAL(A(K)))*FLOAT(NT))*DT                              LWIN 95
  230 CONTINUE                                                               LWIN 96
  240 G(1)=F(1)**2/T                                                         LWIN 97
        DO 250 K=2,NFOLD-1                                                   LWIN 98
        G(K)=2.0*F(K)**2/T                                                   LWIN 99
  250 CONTINUE                                                               LWIN100
```

```
      G(NFOLD)=F(NFOLD)**2/T                                      LWIN101
      RETURN                                                      LWIN102
C                                                                 LWIN103
  260 WRITE(6,601)                                                LWIN104
      STOP                                                        LWIN105
C                                                                 LWIN106
C     FORMAT STATEMENT                                            LWIN107
C                                                                 LWIN108
  601 FORMAT(1H1/10(1H0/)/1H ,50X,23HBANDWIDTH IS TOO NARROW)     LWIN109
C                                                                 LWIN110
      END                                                         LWIN111
```

사용예

```
      DIMENSION NAME(12),FMT(5),DATA(800),F(513),G(513)                1
C                                                                      2
      READ(5,501) NAME,DT,NN,FMT                                       3
      READ(5,FMT) (DATA(M),M=1,NN)                                     4
      CALL LWIN(NN,DATA,800,DT,F,G,513,NFOLD,DF,0.0)                   5
      CALL SPAL(NAME,NFOLD,G,513,DF,010,10,0)                          6
      CALL LWIN(NN,DATA,800,DT,F,G,513,NFOLD,DF,0.8)                   7
      CALL SPAL(NAME,NFOLD,G,513,DF,010,10,2)                          8
      STOP                                                             9
C                                                                     10
  501 FORMAT(12A4//F7.0/I5/5A4)                                       11
      END                                                             12
```

7.8 스펙트럼 평활화 프로그램－2

앞의 프로그램 **LWIN**은 평활화처리를 시간지연 영역에서 실시하는 것에 반해 이 프로그램 **SWLIN** (Smoothing of Spectra by Parzen's Spectral **Win**dow)는 주파수영역에서 스펙트럼 평활화를 실시한다. 그리고 **LWIN**이 시간영역에서 원파형을 사용하여 직접 평활화된 스펙트럼을 산출하는 것에 반해 이 프로그램은 미리 구해진 스펙트럼을 평활화 한다. 따라서 취급하는 스펙트럼의 길이, 즉 스펙트럼 값의 수는 임의이고, 2의 누승과 관련된 제약은 없다.

평활화 방법은 먼저 지정된 밴드 폭에 따라 (7.21)식 또는 그림 7.6(c)에 표시한 Parzen의 스펙트럼 Window를 작성하고 이것에 의해 파워 스펙트럼의 이동평균 (7.14)식을 실행한다. Window의 폭은 그림 7.6(c)에 표시한 횡축의 $f=2/u$에서 절단한다. 실제는 이점 외측에도 작은 사이드롭이 연결되어 있지만 이론상 Window 면적의 99.7%는 이 범위내에서 처리 된다.

인수로서 지정하는 평활화를 위한 밴드 폭에는 몇가지 제약이 있다.

이것은 Window의 폭이 주어진 스펙트럼의 길이에 비해 넓지 않도록, 그리고 프로그래밍시 Window의 형을 101개 이내의 수치로서 표시하도록 하기 때문이다. 그러나 어느 제약도 실용상 어려운 것은 없다. 밴드 폭을 0으로 지정한 경우 평활화를 실시하지 않고 주프로그램으로 돌아오는 것은 **LWIN**의 경우와 같다. 스펙트럼에 Window를 적용하는 경우 스펙트럼의 양단 부근에서는 Window의 폭이 스펙트럼으로 부터 빠져 나온다. 앞에서도 언급하였듯이 이와같은 경우에는 스펙트럼의 절곡관계를 이용하여 빠져나온 부분의 값을, 다시 스펙트럼의 범위내로 절단한다. 스펙트럼의 절곡관계에 대해서는 다시 그림 4.8을 보면 이해할 수 있다.

최초에 Fourier 스펙트럼이 주어진 경우에는 일단 이것을 파워 스펙트럼으로 바꾸어 평활화하고, 마지막으로 평활화된 파워 스펙트럼으로부터 Fourier 스펙트럼을 구한다. 이와같이 평활화를 Fourier 스펙트럼이 아닌 파워 스펙트럼에 대해 실시하는 것은 (7.15)식에 표시한 Window에 면적 불변성에 의해, 원 파형이 갖는 파워에 변화를 주지 않기 때문이다.

사용예는 그림 7.11과 같은 Window 크로싱을 라인 프린터로 인쇄하는 주프로그램이다.

SWIN (스펙트럼 Window에 의한 스펙트럼의 평활화)

목 적

주파수 영역에서 지정된 밴드 폭을 갖는 Parzen의 스펙트럼 Window에 의해 주어진 Fourier 스펙트럼 파워 스펙트럼을 평활화 한다.

사용법

(1) 접속방법

CALL SWIN(N, F, G, ND, IND, DF, BAND)

인 수	형	부프로그램을 부르는 경우의 내용	부프로그램으로부터 읽어들이는 내용
N	I	스펙트럼 값의 총수	좌 동

F	R 1차원배열(ND)	원 Fourier 스펙트럼, IND=010의 경우는 무엇이든 좋다	평활화된 Fourier 스펙트럼
G	R 1차원배열(ND)	원 파워스펙트럼, IND=100의 경우는 무엇이든 좋다	평활화된 파워스펙트럼
ND	I	주프로그램에서 F, G의 차원	좌 동
IND	I	주어진 스펙트럼을 표시하는 Index 100 : Fourier 스펙트럼 010 : 파워스펙트럼	좌 동
DF	R	스펙트럼의 진동수 간격 (단위cps)	좌 동
BAND	R	밴드폭(단위cps)	좌 동

(2) 주의사항

i) N은 스펙트럼의 절곡점 번호와 같아야 한다.

ii) 인수 IND는 더할 수 있다. 따라서 원래의 Fourier 스펙트럼과 파워 스펙트럼이 모두 주어진 경우에는 IND=110(100+010)으로 해도 좋다. 그러나 IND=010에 의해서도 결과는 같다.

iii) BAND/DF는 560/151 보다 크고, 또한 14000/150와 140(N−1)/151 중 작은 것보다 작지 않아야 된다.

iv) 인수 BAND=0.0인 경우 평활화를 실시하지 않는다.

(3) 필요한 서브루틴 및 함수 프로그램은 없다.

프로그램 리스트

```
C  * * * * * * * * * * * * * * * * * * * * * * * * * * * * * * * * * * * *   SWIN   1
C     SUBROUTINE FOR SMOOTHING SPECTRA BY PARZEN'S SPECTRAL WINDOW             SWIN   2
C  * * * * * * * * * * * * * * * * * * * * * * * * * * * * * * * * * * * *   SWIN   3
C                                                                              SWIN   4
C                                                  CODED BY Y.OHSAKI           SWIN   5
C                                                                              SWIN   6
C     PURPOSE                                                                  SWIN   7
C       TO SMOOTH FOURIER AND POWER SPECTRA BY APPLICATION OF PARZEN'S         SWIN   8
C       SPECTRAL WINDOW WITH SPECIFIED BANDWIDTH IN FREQUENCY DOMAIN           SWIN   9
C                                                                              SWIN  10
C     USAGE                                                                    SWIN  11
C       CALL SWIN(N,F,G,ND,IND,DF,BAND)                                        SWIN  12
```

```
C                                                                      SWIN 13
C     DESCRIPTION OF PARAMETERS                                        SWIN 14
C       N      - TOTAL NUMBER OF SPECTRAL VALUES, BEING EQUAL TO FOLDING SWIN 15
C                POINT                                                 SWIN 16
C       F(ND) - ORIGINAL/SMOOTHED FOURIER SPECTRUM AT CALL/RETURN      SWIN 17
C       G(ND) - ORIGINAL/SMOOTHED POWER SPECTRUM AT CALL/RETURN        SWIN 18
C       ND     - DIMENSION OF F,G IN CALLING PROGRAM  ND.LE.4097       SWIN 19
C       IND    - 100 WHEN ORIGINAL FOURIER SPECTRUM IS GIVEN           SWIN 20
C                010 WHEN ORIGINAL POWER SPECTRUM IS GIVEN             SWIN 21
C       DF     - FREQUENCY INCREMENT IN SPECTRUM IN CYCLES/SEC         SWIN 22
C       BAND   - SPECIFIED BANDWIDTH IN CYCLES/SEC                     SWIN 23
C                                                                      SWIN 24
C     REMARKS                                                          SWIN 25
C      (1) PARAMETER IND IS ADDIBLE. WHEN BOTH FOURIER AND POWER       SWIN 26
C          SPECTRA ARE GIVEN, IND MAY BE WRITTEN 110(100+010). HOWEVER, SWIN 27
C          IND=010 RETURNS SAME RESULT                                 SWIN 28
C      (2) BAND/DF MUST BE LARGER THAN 560/151 AND LESS THAN 14000/151 SWIN 29
C          OR 140(N-1)/151 WHICHEVER SMALLER                           SWIN 30
C      (3) IF PARAMETER BAND=0.0, NO SMOOTHING IS MADE                 SWIN 31
C                                                                      SWIN 32
C     SUBROUTINES AND FUNCTION SUBPROGRAMS REQUIRED                    SWIN 33
C       NONE                                                           SWIN 34
C                                                                      SWIN 35
      SUBROUTINE SWIN(N,F,G,ND,IND,DF,BAND)                            SWIN 36
C                                                                      SWIN 37
      DIMENSION F(ND),G(ND),W(101),G1(4497),G2(4497)                   SWIN 38
C                                                                      SWIN 39
C     INITIALIZATION                                                   SWIN 40
C                                                                      SWIN 41
      T=1.0/DF                                                         SWIN 42
      IF(BAND.EQ.0.0) GO TO 120                                        SWIN 43
      UDF=1.854305/BAND*DF                                             SWIN 44
      IF(UDF.GT.0.5) GO TO 230                                         SWIN 45
      LMAX=IFIX(2.0/UDF)+1                                             SWIN 46
      IF(LMAX.GT.101) GO TO 240                                        SWIN 47
C                                                                      SWIN 48
C     SPECTRAL WINDOW                                                  SWIN 49
C                                                                      SWIN 50
      W(1)=0.75*UDF                                                    SWIN 51
      DO 110 L=2,LMAX                                                  SWIN 52
      DIF=1.570796*FLOAT(L-1)*UDF                                      SWIN 53
      W(L)=W(1)*(SIN(DIF)/DIF)**4                                      SWIN 54
  110 CONTINUE                                                         SWIN 55
C                                                                      SWIN 56
C     CONVERSION FROM FOURIER TO POWER SPECTRUM                        SWIN 57
C                                                                      SWIN 58
  120 IF(IND.NE.100) GO TO 140                                         SWIN 59
      G(1)=F(1)**2/T                                                   SWIN 60
      DO 130 K=2,N-1                                                   SWIN 61
      G(K)=2.0*F(K)**2/T                                               SWIN 62
  130 CONTINUE                                                         SWIN 63
      G(N)=F(N)**2/T                                                   SWIN 64
C                                                                      SWIN 65
C     SMOOTHING OF POWER SPECTRUM                                      SWIN 66
C                                                                      SWIN 67
  140 IF(BAND.EQ.0.0) GO TO 210                                        SWIN 68
      LL=LMAX*2-1                                                      SWIN 69
      LN=LL-1+N                                                        SWIN 70
      LT=(LL-1)*2+N                                                    SWIN 71
      LE=LT-LMAX+1                                                     SWIN 72
      DO 150 K=1,LT                                                    SWIN 73
      G1(K)=0.0                                                        SWIN 74
  150 CONTINUE                                                         SWIN 75
      DO 160 K=1,N                                                     SWIN 76
      G1(LL-1+K)=G(K)                                                  SWIN 77
  160 CONTINUE                                                         SWIN 78
      DO 180 K=LMAX,LE                                                 SWIN 79
      S=W(1)*G1(K)                                                     SWIN 80
      DO 170 L=2,LMAX                                                  SWIN 81
      S=S+W(L)*(G1(K-L+1)+G1(K+L-1))                                   SWIN 82
```

```
  170 CONTINUE
      G2(K)=S                                                    SWIN 83
  180 CONTINUE                                                   SWIN 84
      DO 190 L=2,LMAX                                            SWIN 85
      G2(LL+L-1)=G2(LL+L-1)+G2(LL-L+1)                           SWIN 86
      G2(LN-L+1)=G2(LN-L+1)+G2(LN+L-1)                           SWIN 87
  190 CONTINUE                                                   SWIN 88
      DO 200 K=1,N                                               SWIN 89
      G(K)=G2(LL-1+K)                                            SWIN 90
  200 CONTINUE                                                   SWIN 91
C                                                                SWIN 92
C     SMOOTHED FOURIER SPECTRUM                                  SWIN 93
C                                                                SWIN 94
  210 F(1)=SQRT(G(1)*T)                                          SWIN 95
      DO 220 K=2,N-1                                             SWIN 96
      F(K)=SQRT(G(K)*T/2.0)                                      SWIN 97
  220 CONTINUE                                                   SWIN 98
      F(N)=SQRT(G(N)*T)                                          SWIN 99
      RETURN                                                     SWIN100
C                                                                SWIN101
  230 WRITE(6,601)                                               SWIN102
      STOP                                                       SWIN103
  240 WRITE(6,602)                                               SWIN104
      STOP                                                       SWIN105
C                                                                SWIN106
C     FORMAT STATEMENTS                                          SWIN107
C                                                                SWIN108
  601 FORMAT(1H1/10(1H0/)/1H ,50X,23HBANDWIDTH IS TOO NARROW)    SWIN109
  602 FORMAT(1H1/10(1H0/)/1H ,50X,21HBANDWIDTH IS TOO WIDE)      SWIN110
C                                                                SWIN111
      END                                                        SWIN112
                                                                 SWIN113
```

사용례

```
      DIMENSION NAME(12),FMT(5),DATA(800),G(513),GG(513)          1
C                                                                 2
      READ(5,501) NAME,DT,NN,FMT                                  3
      READ(5,FMT) (DATA(M),M=1,NN)                                4
      CALL SPAC(NN,DATA,800,DT,010,G,G,G,513,NFOLD,DF)            5
      IAXIS=0                                                     6
      DO 120 IBAND=1,6                                            7
      BAND=FLOAT(IBAND)*0.2                                       8
      IF(IBAND.EQ.1) BAND=0.0                                     9
      DO 110 K=1,NFOLD                                           10
      GG(K)=G(K)                                                 11
  110 CONTINUE                                                   12
      CALL SWIN(NFOLD,GG,GG,513,010,DF,BAND)                     13
      CALL SPAR(NAME,NFOLD,GG,513,DF,100,IAXIS)                  14
      IAXIS=1                                                    15
  120 CONTINUE                                                   16
      STOP                                                       17
C                                                                18
  501 FORMAT(12A4//F7.0/I5/5A4)                                  19
      END                                                        20
```

8. 응답 스펙트럼

8.1 1자유도계의 진동

이제부터 응답 스펙트럼에 대해 언급하고자 한다. 그러나 이를 위해서는 아직 상당한 준비가 필요하다. 먼저 가장 간단한 1자유도계의 진동이론에 대해 살펴보자. 1자유도계의 이론은 어떤 진동의 교과서에도 나와 있다. 독자들 대부분은, 이 이론에 대해 익숙할 것이므로 다시 설명할 필요가 없을지도 모른다. 그러나 응답스펙트럼 그 자체가 사실은 1자유도계의 진동을 기초로 하여 자유도 성립하는 것이고, 또 이후의 설명에서도 응답 스펙트럼의 개념에 눈뜰때까지 1자유도계에 대한 해석결과를 차례로 인용하면서 발전해가는 과정을 겪을 것이므로 이를 위해 필요한 최소한의 것만을 몇가지 언급해 두고자 한다.

1질점계의 진동모델로서 그림 8.1(a)와 같은 것을 생각해 보자. 즉 **질량** m인 하나의 질점이 지반에 지지되어 있고, 지지부에는 **스프링**과 **데쉬 포트**(dash-pot)가 나열되어 있다. m은 구조물의 중량을 나타내고 스프링은 건물이 흔들리는 경우 원상태로 되돌아 가려는 탄성적인 힘, 데쉬프트는 건물의 진동이 점점 작아지는 감쇠의 기구를 대표하는 것이다.

질점이 지면에 대해 x(cm)만큼 움직이면, 즉 상대변위를 x라하면 스프링이 원 상태로 되돌아 오려고 하는 힘 즉 **복원력**은 x에 비례하여 kx가 된다. 이 비례상수 k를 스프링 상수라 한다. 데쉬포트란 점착성이 있는 기름을 넣은 실린더 속에 피스톤이 들어 있는 기구로서, 피스톤이 임의 속도로 움직이면 속도에 비례하는 힘 즉 점성저항이 생긴다. 질점이 x만큼 변위되면 피스톤의 변위도 x, 따라서 피스톤의 속도는 dx/dt, 간단히 $\dot{x}$가 된다. 점성저항은 속도에 비례하기 때문에 이것을 $c\dot{x}$라 하고, 비례

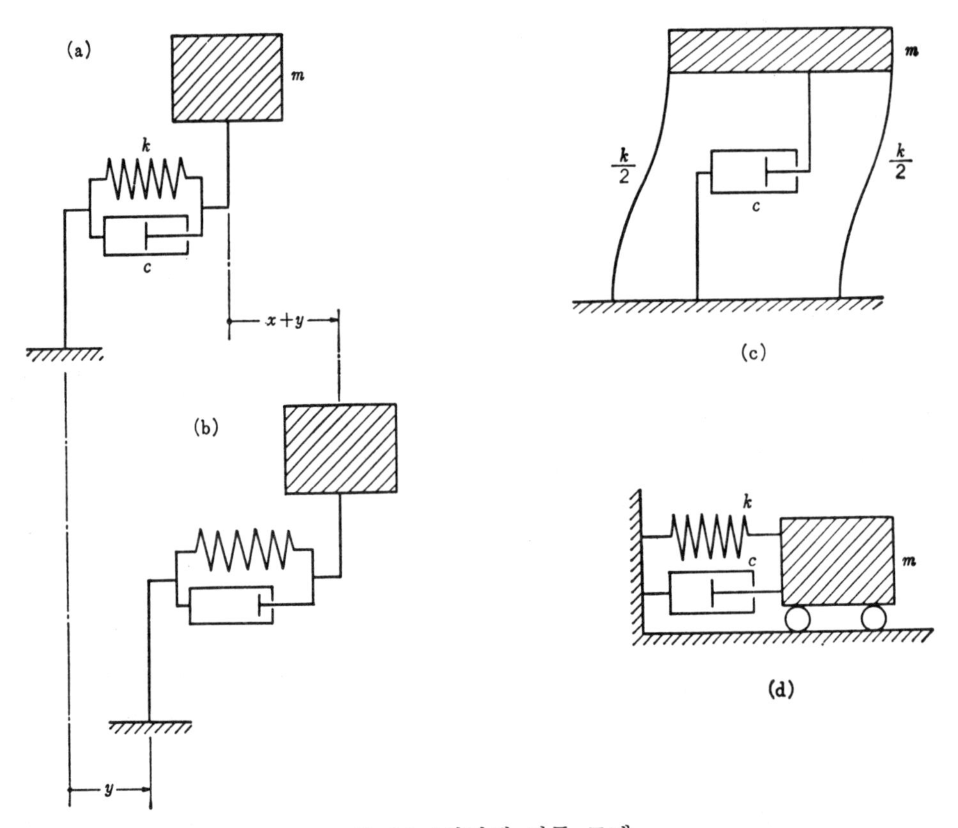

그림 8.1 1질점계 진동 모델

상수 c를 감쇠상수라 한다. 이들을 정리하면

m : 질량 (단위 t·sec^2/cm)

k : 스프링상수 (단위 t/cm)

c : 감쇠상수 (단위 t·sec/cm)

가 된다. 질량은 중량(단위 t)을 중력가속도 (단위 cm/sec^2)으로 나눈 것이므로 위와 같은 단위가 된다.

1자유도 모델은, 실제로는 매우 복잡한 건물의 구조를 역학적 요소를 조합하여 간단히 표현하면 대체로 이러한 형이 된다. 더우기 비교적 간단히 실제 건물의 진동모양을 어느 정도 잘 설명할 수 있어 해석시 자주 등장한다.

다시 하나의 제한을 두어, 그림 8.1의 질점 m은 상하로는 물론 비틀림이나 회전이 없이, 지면내의 수평방향으로만 움직이는 것으로 한다. 따라서 자유가 매우 제한되어 단 하나의 자유밖에 없다. 소위 1자유도계이다. 질점의 지지부에 휨변형이 생기면 질점은 회전하기 때문에, 지금은 지지부가 순수한 전단변형만을 한다고 생각한다. 이러한 의미로서 그림 8.1(a)와 같이 표현하는 것은 적당하지 않고 같은 그림(c) 또는 (d)와 같이 표현해야 될 것이다. (c)와 같은 표현법이 교과서에 많이 등장한다. 그림(c)의 경우에도 횡방향 움직임에 따라 미소하지만 질점이 상하로 움직인다. 따라서 1자유도계를 엄밀히 나타내기 위해서는 (d)와 같은 표현법이 가장 좋지만, 자동차 위에 올라타 있는 듯하여 어쩐지 건물 모델로서는 실감나지 않는다.

지금은 우선 그림 8.1(a)의 표현법에 따라, 그림(b)와 같이 먼저 지면이 y만큼 변위하고, 질점이 다시 지면에 대해 x만큼 움직인다고 하면

$x+y$: 절대변위

x : 상대변위

가 된다. 절대변위(absolute displacement)·상대변위(relative dispacement)를 각각 1회 시간미분하면 절대속도(absolute velocity)·상대속도(relative velocity)가 되고, 이것을 다시 1회 미분하면, 각각 질점의 절대가속도(absolute acceleration)·상대가속도(relative acceleration)가 얻어진다. 지면의 속도, 가속도는 각각 $\dot{y}, \ddot{y}$가 된다. 더우기 변위, 속도, 가속도 모두 그림의 우측으로 향하는 것을 (+), 좌측으로 향하는 것을 (−)로 한다고 약속한다. 힘의 경우도 우향을 (+), 좌향으로 작용하는 것을 (−)로 한다.

이제 이 질점계의 운동문제를 생각해 보자. 운동과 힘의 개념을 처음으로 확립한 사람이 유명한 뉴우톤이다. 잘 알려진 바와같이 뉴우톤의 운동의 3법칙이 있다.

제1법칙 : 정지 또는 등속직선운동을 하는 물체는, 힘이 작용하지 않는 한 그 상태를 유지한다.

제2법칙 : 속도의 변화 즉 가속도는, 작용하는 힘에 비례하고, 그 힘의 방향으로 작용한다.

제3법칙 : 작용은 항상 반작용과 반대방향이고 크기는 같다.

가속도를 α, 작용력을 F라 두고 제2법칙을 식으로 나타내면

$$\alpha \propto F$$

또 비례상수를 $1/m$이라 하면

$$\alpha = \left(\frac{1}{m}\right)F \tag{8.1}$$

또는

$$F = m\alpha \tag{8.2}$$

이 된다. (8.1)식에서 비례상수의 역수 m이 **질량**(mass)이다. 질량이란, 무엇인가 라고 물으면 좀처럼 대답하기 어렵지만, 뉴우톤의 제2법칙을 나타내는 (8.1)식이 실은 질량을 정의하는 것이다. 더욱 (8.2)식을 **운동방정식**이라고 부른다.

(8.2)식의 운동방정식을 달리 표시하면

$$(-m\alpha) + F = 0 \tag{8.3}$$

이 되고 형식상$(-m\alpha)$와 F라는 두개의 힘이 평형되어 있다고 볼 수 있다. 이 경우$(-m\alpha)$를 **관성력** 또는 관성저항이라고 한다.

이와같이 물체가 가속도를 가지고 운동하는 경우에도, 가상적인 관성력을 포함하여 힘의 평형을 생각하면, 운동이라고 하는 동적인 현상을 정적인 평형문제로 취급할 수 있다. 이것을 D'Alembert의 **원리**라고 한다. (8.2)식을 (8.3)식으로 바꾸는 것은 수학적으로는 단순히 **이항**에 지나지 않지만, 물리적으로는 — 움직이는 것을 정지한 것으로 생각하는 — 깊은 의미를 갖는다는 것을 음미할 필요가 있다.

그런데 그림 8.1(b)의 경우, 질점 m의 가속도는 $\ddot{x}+\ddot{y}$이고, 따라서 관성력은 $-m(\ddot{x}+\ddot{y})$, 이에대해 복원력과 데쉬포트의 점성저항은 좌측으로 작용하므로 운동방정식은

$$-m(\ddot{x}+\ddot{y}) - c\dot{x} - kx = 0$$

또는

$$m(\ddot{x}+\ddot{y})+c\dot{x}+kx=0 \tag{8.4}$$

다시 고쳐 쓰면

$$m\ddot{x}+c\dot{x}+kx=-m\ddot{y} \tag{8.5}$$

가 된다.

8.2 비감쇠 자유진동

앞의 운동방정식은 수학적으로는 질점의 상대변위 x에 관한 2계선형 미분방정식이다. 이제 이 방정식의 해를 구하기 전에 먼저 가장 간단한 경우로서 지면은 고정되어 움직이지 않는, 즉

$$\ddot{y}=0$$

으로 구조물만이 진동하고, 더우기 감쇠도 없는

$$c=0$$

즉 비감쇠자유진동(undamped free vibration)의 경우를 생각해보자. 이와 같은 경우 진동을 지배하는 미분방정식은 (8.5)식으로부터

$$m\ddot{x}+kx=0$$

로 되고, m으로 나누면

$$\ddot{x}+\frac{k}{m}x=0$$

더우기

$$\frac{k}{m}\equiv\omega^2 \tag{8.6}$$

으로 두면

$$\ddot{x}+\omega^2x=0 \tag{8.7}$$

이 된다. 이 방정식의 해는

$$x=A\cos\omega t+B\sin\omega t \tag{8.8}$$

인 것은 원식에 대입하면 곧 알 수 있다. 여기서 A, B는 초기조건 즉 운동이 시작하는 순간 $t=0$에서 질점이 어떠한 상태에 있는가에 따라 결정되는 적분상수이다. 그러나 A, B가 어떤 값을 갖든, (8.8)식은 $\cos wt$, sin wt의 항으로 되어 있으므로, ω라는 원 진동수를 가지고 진동하는 것은 분명하다. 더우기 ω는 (8.6)식으로 부터

$$\omega=\sqrt{\frac{k}{m}} \quad \text{(rad/sec)}$$

이므로 1질점계의 질량과 스프링 상수만에 의해 결정되는 계의 고유한 값이다. 따라서 ω를 계의 **고유원진동수**, 그리고

$$f=\frac{\omega}{2\pi} \quad \text{(cps)}$$

를 **고유진동수**

$$T=\frac{1}{f} \quad \text{(sec)}$$

를 **고유주기**라고 한다. 여기서 생각하는 것은 감쇠가 없는 경우로서, 나중에 언급하는 감쇠가 있는 경우에는 진동수와 주기가 약간 다르므로 엄밀히 구별할 필요가 있는 경우에는 이들을 각각 **비감쇠 고유원진동수**, **비감쇠 고유진동수**, **비감쇠 고유주기**라고 불러야 한다.

이제 (8.8)식을 시간 t로서 1회 미분하여 속도의 일반식으로 나타내면

$$\dot{x}=-A\omega \sin \omega t+B\omega \cos \omega t \tag{8.9}$$

가 된다.

초기조건을

$$x(0)=x_0, \quad \dot{x}(0)=\dot{x}_0$$

이라하면, 즉 질점이 최초 x_0 만큼 떨어진 위치에서 초속도 $\dot{x}_0$를 가지고 움직이면, 그 후에는 자유진동이 시작된다고 가정한다. 이 조건에 따라 $t=0$ 일때 (8.8)식은

$$x_0=A$$

(8.9)식은

$$\dot{x}_0=B\omega$$

즉 적분상수 A, B는

$$\left.\begin{aligned} A&=x_0 \\ B&=\frac{\dot{x}_0}{\omega} \end{aligned}\right\} \tag{8.10}$$

이 된다. 이것을 (8.9)식에 대입하여 임의시간 t에서의 속도를 구하는 식을 유도하면

$$\dot{x}=-x_0\omega \sin \omega t+\dot{x}_0 \cos \omega t$$

또는 Fourier 스펙트럼을 구하기 위한 (4.41)식에서와 같은 요령으로

$$\left.\begin{aligned} \dot{x}&=\sqrt{(x_0\omega)^2+\dot{x}_0^2} \cos (\omega t+\phi) \\ \phi&=\tan^{-1}\left(\frac{x_0\omega}{\dot{x}_0}\right) \end{aligned}\right\} \tag{8.11}$$

이 된다.

8.3 감쇠 자유진동

이번에는 1자유도의 1질점계에 감쇠가 있는 경우를 생각해 보자. 지면은 고정되어 움직이지 않는다고 생각한다. 이 경우 감쇠가 있어서 $c\neq0$이므로 운동방정식 (8.5)는

$$m\ddot{x}+c\dot{x}+kx=0 \tag{8.12}$$

이 된다. 또는 양변을 m으로 나누고

$$\frac{c}{m}\equiv 2h\omega, \quad \frac{k}{m}\equiv\omega^2 \tag{8.13}$$

으로 두면

$$\ddot{x}+2h\omega\dot{x}+\omega^2 x=0 \tag{8.14}$$

이 된다. $k/m\equiv w^2$은 앞의 비감쇠의 경우와 같으므로 w는 비감쇠 고유원진동수이다. (8.14)식도 2계선형상비분 방정식이지만 $\dot{x}$의 항이 있어 (8.7)식의 경우와 같이 간단히 풀리지는 않는다. 그러나 이러한 미분방정식을 푸는 데에는 정석과 같은 것이 있다. 즉, 먼저 (8.14)식의 해가

$$x=Ce^{\lambda t} \tag{8.15}$$

와 같은 형이라고 가정한다. C와 λ는 상수이고 지금 이 값은 모르지만 (8.14)식의 해가 상수와 시간 t의 지수함수의 곱으로 표시된다고 생각하

는 것이다. 그래서 이 식을 (8.14)식에 대입하면

$$\lambda^2+2h\omega\lambda+\omega^2=0 \tag{8.16}$$

이 된다. 이것이 상수 λ를 구하기 위한 식이고, 동시에 미분방정식의 해의 성질까지 결정하는 의미가 있다. 이 식을 원 미분방정식 (8.14)의 특성방정식이라 한다.

이 특성방정식은 단순히 λ에 관한 2차대수방정식이기 때문에 근은 간단히

$$\lambda_{1,2}=-h\omega\pm\omega\sqrt{h^2-1} \tag{8.17}$$

이 되고 또는 (8.12)식의 상수로 나타내면

$$\lambda_{1,2}=-\frac{c}{2m}\pm\sqrt{\left(\frac{c}{2m}\right)^2-\frac{k}{m}} \tag{8.18}$$

이 된다. 이와같이 일반적으로 λ에 대한 2개의 값이 있기때문에 (8.14)식의 해는 (8.15)식의 λ에 이러한 값을 대입한 것의 합, 즉

$$x=C_1e^{\lambda_1 t}+C_2e^{\lambda_2 t} \tag{8.19}$$

가 된다. 여기서 C_1, C_2는 적분상수이고, 운동의 초기조건에 의해 결정된다. 하여튼, (8.19)식이 미분방정식 (8.14)식의 해가 된다는 것은, 이것을 직접 (8.14)식에 대입하고, (8.17)식을 참조하면 쉽게 알 수 있다. 그런데 (8.19)식에 의해 나타나는 운동의 양상은 (8.18)식의 근 내부의 값에 따라 현저히 다르다. 먼저

$$\left(\frac{c}{2m}\right)^2>\frac{k}{m}$$

인 경우를 생각해 보자. c가 k에 비해 상당히 큰, 즉 스프링보다 감쇠기구가 크게 작동하는 경우이다. 이 경우 (8.18)식의 근 내부의 값은 (+)이므로 λ는 2개의 실수가 된다. 그런데 (−) 실수이므로, (8.19)식은

$$x=C_1e^{-|\lambda_1|t}+C_2e^{-|\lambda_2|t}$$

가 되고, 변위 x는 시간에 따라 감쇠된다. 더우기 데쉬포트 속에는 물엿과 같은 끈적거리는 점성체가 있어서, 질점이 일단 운동을 시작하여도

다시 원 상태로 되돌아가는 상태가 되므로 진동과 같은 현상은 생기지 않는다. 이와같이 스프링에 비해 감쇠가 강한 경우를 **과감쇠**라고 하고 이때 질점의 운동은 **비주기적**이 된다.

이에 비해

$$\left(\frac{c}{2m}\right)^2 < \frac{k}{m} \tag{8.20}$$

이 되면 나중에 설명하는 바와같이 질점은 **주기적**인 진동을 한다. 여기서 (8.18)식의 근 내부가 정확히 0이 되는 경우가 진동현상을 나타내는 경계가 된다. 이와같이 경계가 되는 감쇠의 정도를 **임계감쇠**(critical damping)라고 부른다.

지금 임계감쇠를 주는 감쇠상수를 c_{crit}라고 하면, 이 경우 (8.18)식의 근 내부는 0이 되기 때문에

$$\left(\frac{c_{crit}}{2m}\right)^2 = \frac{k}{m}$$

따라서

$$c_{crit} = 2\sqrt{km} \tag{8.21}$$

이 되고, 더우기 (8.13)식에서

$$\frac{c}{m} = 2h\omega$$

이기 때문에

$$h = \frac{c}{2m\omega}$$

그리고 (8.13)의 두번째 식으로부터 $\omega = \sqrt{1-h^2}$ 이므로

$$h = \frac{c}{2m\sqrt{k/m}} = \frac{c}{2\sqrt{km}}$$

따라서 (8.21)식에 의해

$$h = \frac{c}{c_{crit}}$$

가 됨을 알 수 있다. 즉 상수 h는 실제로 질점계가 갖는 감쇠와 임계감쇠의 비를 나타낸다. 따라서 h를 **임계감쇠비**(fraction of critical damping)라 부른다. (8.13)식에서는 식을 쓰기 위한 편리한 상수로서 큰 의미없이 h라고 쓰고 있는 것 같으나, 실제로 h는 이와같은 중요한 의미를 갖는다. 이와같은 물리적인 의미에서 보면 임계감쇠비라고 하는 명칭은 아주 적절하지만 h는 또한 **감쇠상수**(damping factor)라고도 부른다. 실제로는 오히려 후자가 많이 사용된다.

구조물의 감쇠상수 h는, 철골구조에서 0.02 즉 2% 정도, 철근콘크리트구조에서 5%, 철골철근 콘크리트구조의 경우의 중간정도의 3% 정도라고 알려져 있다. 어떻든

$$h<1$$

또는 오히려

$$h\ll 1 \qquad (8.22)$$

이다. 따라서 (8.17)식의 근내부는 항상 (−)가 되고, λ는

$$\lambda_{1,2}=-h\omega\pm i\omega\sqrt{1-h^2}$$

인 공액복소수가 된다. 공액복소수에 대해서는 이미 유한 복소 Fourier 급수에 대해 설명했다. 이것을 (8.19)식에 대입하면

$$x=C_1 e^{(-h\omega+i\omega\sqrt{1-h^2})t}+C_2 e^{(-h\omega-i\omega\sqrt{1-h^2})t}=e^{-h\omega t}(C_1 e^{i\omega\sqrt{1-h^2}t}+C_2 e^{-i\omega\sqrt{1-h^2}t})$$

그리고 앞에서 언급한 Eular공식 (4.54)를 사용하면

$$x=e^{-h\omega t}[(C_1+C_2)\cos\omega\sqrt{1-h^2}\,t+i(C_1-C_2)\sin\omega\sqrt{1-h^2}\,t]$$

가 된다. 이것은 분명히 진동현상을 나타내는 해가 된다. 단 x는 질점의 변위로서 물리적으로 실수가 되지 않으면 안된다. 따라서 적분상수 C_1과 C_2는 임의의 값이지만, (C_1+C_2)와 $i(C_1-C_2)$는 모두 실수가 되어야 하고, C_1과 C_2는 서로 공액이 되어야 함을 알 수 있다.

이것을 달리 표시하면

$$C_1+C_2=A$$

$$i(C_1-C_2)=B$$

가 되고 결국 운동방정식 (8.14)의 해는

$$x=e^{-h\omega t}(A\cos\omega\sqrt{1-h^2}\,t+B\sin\omega\sqrt{1-h^2}\,t) \qquad (8.23)$$

이 된다. 또는 앞에서 여러번 설명한 방법에 따라

$$\left.\begin{aligned} &x=Xe^{-h\omega t}\cdot\cos(\omega\sqrt{1-h^2}\,t+\phi)\\ &\quad X=\sqrt{A^2+B^2}\\ &\quad \phi=\tan^{-1}\left(-\frac{B}{A}\right)\end{aligned}\right\}$$

가 된다. 이 식에서 진동의 폭은 Xe^{-hwt}, 원 진동수는 $w\sqrt{rh^2}$이다. 감쇠가 작용하면 진폭은 시간에 따라 지수곡선적으로 감쇠됨을 알 수 있다. 이 경우의 원진동수

$$\omega_d=\omega\sqrt{1-h^2} \tag{8.24}$$

을 감쇠고유원진동수라 하고 질점계의 질량 m, 스프링 상수 k, 감쇠상수 c만에 의해 결정되는 값이므로 계의 고유한 값이다. 감쇠를 댐핑(damping)이라 하므로 감쇠가 없는 경우와 구별하기 위해 첨자 d를 붙인다. 그리고

$$T_d=\frac{2\pi}{\omega_d}=\frac{2\pi}{\omega\sqrt{1-h^2}}$$

또는

$$T_d=\frac{T}{\sqrt{1-h^2}}$$

를 감쇠고유주기라 한다. 이 식에서 w와 T는 앞에서 언급한 바와같이 각각 비감쇠 고유원진동수 및 비감쇠 고유주기이다. 따라서 감쇠가 있으면 고유진동수는 감소하고 고유주기는 늘어난다는 것을 알 수 있다. 그러나 (8.22)식에서 언급한 바와같이 통상의 구조에서는 $h \ll 1$이므로, 그 차이는 아주 작기 때문에 감쇠에 의한 고유진동수, 고유주기의 변화는 실용적으로 무시해도 별 문제는 없다.

그리고 (8.23)식을

$$x=e^{-h\omega t}(A\cos\omega_d t+B\sin\omega_d t) \tag{8.25}$$

으로 두면 t로 1회 미분한 속도

$$\dot{x}=-h\omega e^{-h\omega t}(A\cos\omega_d t+B\sin\omega_d t)-\omega_d e^{-h\omega t}(A\sin\omega_d t-B\cos\omega_d t)$$

를 유도할 수 있으므로, 초기조건으로

$$x(0)=0 \qquad \dot{x}(0)=\dot{x}_0$$

를 생각한다. 이것은 $t=0$에서 질점이 정지한 위치에서 초속도 $\dot{x}_0$를 갖고 급히 움직이는 경우, 그 이후의 진동을 구하는 것이다.

먼저 변위에 관한 (8.25)식에서 $t=0$에서 $x=0$으로 두면

$$A=0$$

이 되고 따라서 속도식은 간단히

$$\dot{x}=e^{-h\omega t}(-h\omega B\sin\omega_d t+\omega_d B\cos\omega_d t)$$

가 되고 $t=0$에서 $\dot{x}=\dot{x}_0$라 두면

$$B=\frac{\dot{x}_0}{\omega_d}$$

이 된다. 이로서 적분상수는 결정되었다. 따라서 (8.25)식으로부터 구하려고 하는 변위식

$$x=\frac{\dot{x}_0}{\omega_d}e^{-h\omega t}\sin\omega_d t \tag{8.26}$$

이 얻어진다. 그리고 시간 t로서 1회 미분하여 속도의 식을 유도하면

$$\dot{x}=\frac{\dot{x}_0}{\omega_d}e^{-h\omega t}(-h\omega\sin\omega_d t+\omega_d\cos\omega_d t) \tag{8.27}$$

(8.26)식으로 표시되는 1자유도계의 감쇠진동의 모양을 감쇠상수 $h=$ 2%, 5%, 10%의 경우에 대해 그려보면 그림 8.2와 같이 된다. 감쇠가 크면 진동은 빨리 감소하고 작으면 오랜동안 진동이 지속된다는 것을 알 수 있을 것이다.

8.4 충격력에 의한 진동

정지하고 있는 1자유도 감쇠계의 질점에, 아주 짧은 시간 Δt동안 힘 F가 가해진 경우를 생각해 보자. 힘과 이것이 작용한 시간과의 곱을 역적(impulse)라 한다. 그림 8.3은 빗금친 하나의 역적

$$I=F\Delta t$$

이 작용한 경우이다. 여기서 역적이 작용하고 끝난 순간을 $t=0$으로 한

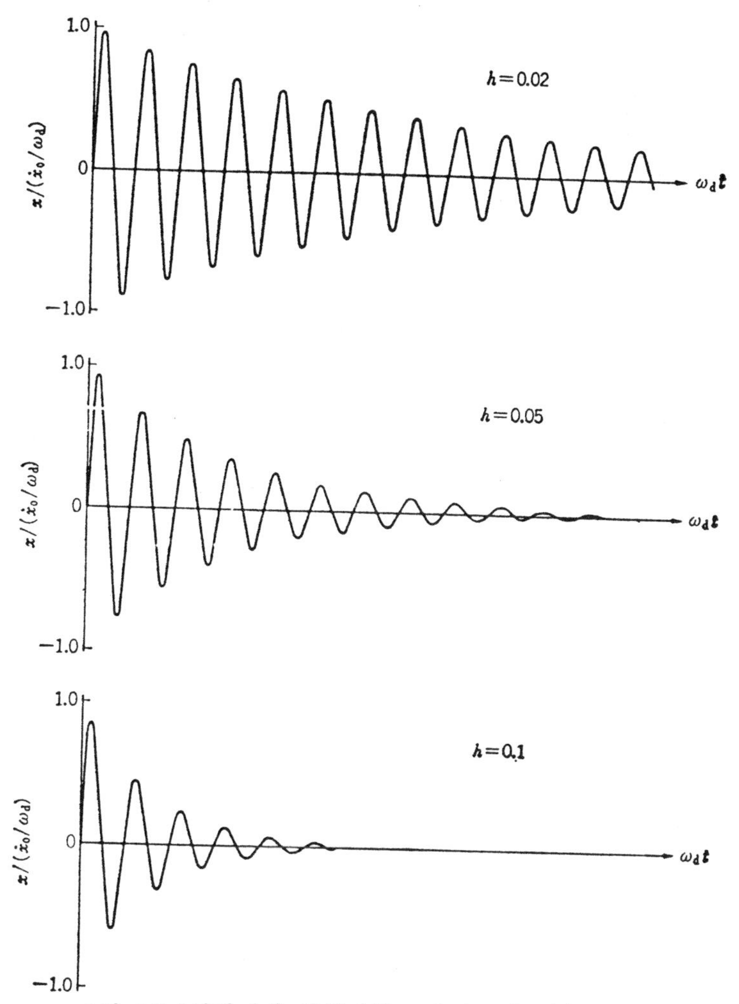

그림 8.2 1질점계의 감쇠진동 : 초기조건 $x(0)=0,\ \dot{x}(0)=\dot{x}_0$

다. 운동역학에서 배운바에 의하면, 질량과 속도의 곱 즉 운동량의 변화는 작용한 역적과 같다. 따라서 작용한 역적이 없으면 운동량은 그대로 보존된다. 실제로 앞에서 언급한 뉴우톤의 운동의 법칙중, 제2법칙은 이것도 의미하고 있으므로, 운동량보존의 법칙과 뉴우톤의 제2법칙은 같은 것이다.

운동량의 변화가 역적과 같다는 것은 이 경우

$$m\dot{x}=F\Delta t \tag{8.28}$$

이 된다. 따라서 질점은 $t=0$에서

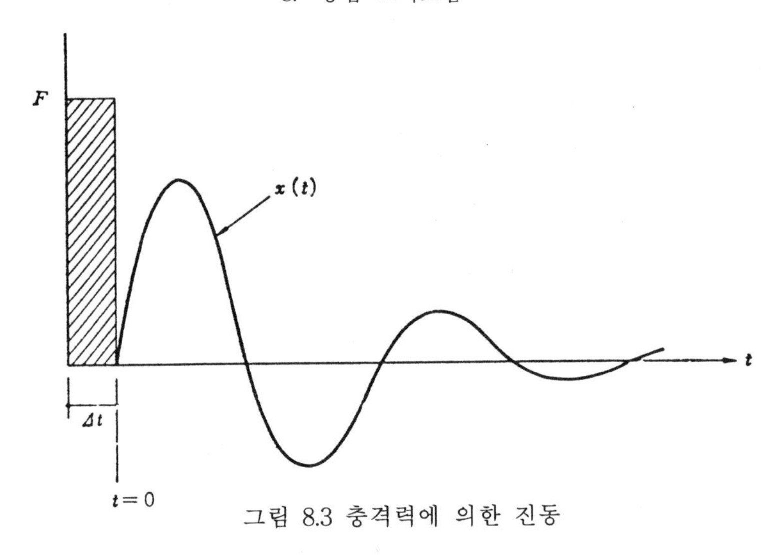

그림 8.3 충격력에 의한 진동

$$\dot{x}_0=\frac{F\Delta t}{m}=\frac{I}{m}$$

인 초속도를 갖는다.

그리고, Δt가 미소량이므로 (8.28)식을 한 번 적분하면 ゛た形で表わすと

$$mx=\frac{1}{2}F(\Delta t)^2$$

이된다. Δt는 원래 미소한 양이므로, 이 식은 Δt에 관한 2승이기 때문에 더욱 미소한 양이 된다. 따라서 지금의 경우 $t=0$에서 초기변위는 $x_0=0$로 생각해도 좋다.

따라서 질점계가 그림 8.3과 같은 충격력을 받는 경우 $t=0$ 이후는 초기조건이

$$\left.\begin{aligned} x(0)&=0 \\ \dot{x}(0)&=\frac{I}{m} \end{aligned}\right\} \tag{8.29}$$

인 자유진동을 한다. 이와같은 자유진동의 해는 이미 앞에서 구했으며, (8.26)식, 즉

$$x=\frac{\dot{x}_0}{\omega_d}e^{-h\omega t}\sin\omega_d t$$

이 된다. 여기에 (8.29)식의 초속도를 대입하면

$$x(t)=\frac{I}{m\omega_d}e^{-h\omega t}\sin\omega_d t \tag{8.30}$$

이 된다.

이 해는 충격력을 받는 경우 질점계가 이것에 어떻게 반응하는가하는 반응방법 즉 응답(response)을 구하는 것이다. (8.30)식으로 표시되는 변위를 단일 충격력에 의한 **응답변위** 또는 **변위응답**이라 한다. 같은 요령으로 **속도응답**은 (8.27)식으로 부터

$$\dot{x}(t)=\frac{I}{m\omega_d}e^{-h\omega t}(-h\omega\sin\omega_d t+\omega_d\cos\omega_d t) \tag{8.31}$$

이 되고 (8.30)식에서 단위역적에 대한 응답을 $\zeta(t)$라 표시하면

$$\zeta(t)=\frac{1}{m\omega_d}e^{-h\omega t}\sin\omega_d t \tag{8.32}$$

가 된다. $\zeta(t)$를 이 질점계의 **역적응답함수**(impulse response function)라 한다.

8.5 중첩적분

앞에서는 질점계에 하나의 역적이 작용하는 경우에 대해 언급하였다. 여기서 유도한 결과는 그림 8.4의 곡선과 같이 시간적으로 변하는 임의의 힘이 질점계에 작용하는 경우에도 적용할 수 있다.

이를위해 먼저 그림과 같이 힘을 표시하는 곡선아래 부분을 미소 시간폭 $d\tau$ 마다 잘라서, 임의 힘의 함수 $F(t)$를 무한히 작은 시간동안 작용하는 역적이 연속된 것으로 생각한다. 이와같은 연결을, 기차의 각칸들이 연속해서 통과하는 것에 비유하여, 역적의 트레인(train)이라고도 한다. 그리고 이와같이 역적의 하나하나가 (8.30)식에 표시한 관계에 의해 이후의 진동을 지배하고, 이들의 합이 임의시간 t에서 진동을 나타내는 것으로 생각한다.

(8.30)식에 의하면, 예를들어 그림 8.4에서 빗금친 임의의 하나의 역적에 의한 변위는

$$I=F(\tau)d\tau$$

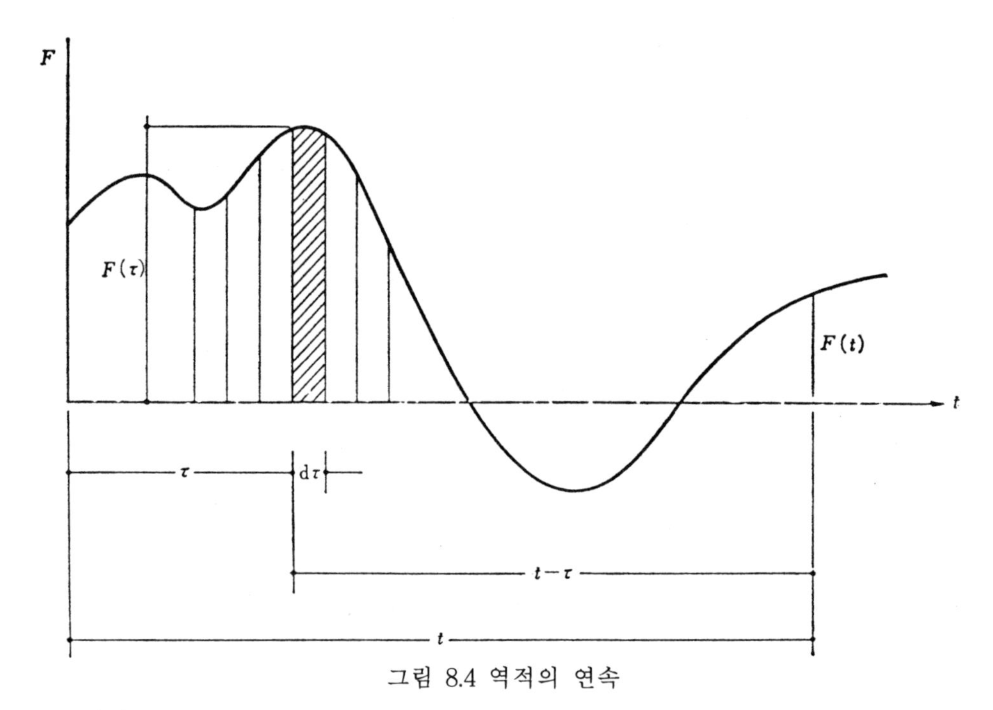

그림 8.4 역적의 연속

를 대입하면

$$dx(t)=\frac{F(\tau)d\tau}{m\omega_d}e^{-h\omega(t-\tau)}\sin\omega_d(t-\tau)$$

가 된다. 여기서 t는 응답을 구하는 시간, τ 는 역적이 작용한 시간, 따라서 $t-\tau$ 는 역적이 가해진 이후의 경과시간이다.

시간 t에서 실제의 응답은, 시간 $\tau=0$에서 $\tau=t$ 까지의 모든 역적에 의한 응답의 합이 된다. 따라서 임의시간 t에서의 변위응답은 윗식을 τ 에 대해 0에서 t까지 적분하면

$$x(t)=\int_0^t\frac{F(\tau)}{m\omega_d}e^{-h\omega(t-\tau)}\sin\omega_d(t-\tau)d\tau \tag{8.33}$$

이 된다. 앞에서 언급한 바와같이 물리적으로 τ 는 역적이 작용한 시간이었지만, 수학적으로는 (8.33)식의 적분에서의 매개변수이고 적분하면 소거된다.

(8.33)식을 **중첩적분** 또는 Duhamel의 적분이라고 하고, 시간적으로 변하는 힘에 의해 일어나는 현상, 즉 소위 **과도현상**을 자유진동의 중첩으

로서 표시하는 중요한 의미를 갖는다.

(8.33)식의 경우와 같이 (8.31)식으로부터 속도응답은

$$\dot{x}(t)=\int_0^t \frac{F(\tau)}{m\omega_d} e^{-h\omega(t-\tau)}\left[-h\omega \sin \omega_d(t-\tau)+\omega_d \cos \omega_d(t-\tau)\right]d\tau \quad (8.34)$$

가 된다는 것은 설명할 필요도 없다.

(8.33)식을 (8.32)식의 역적응답함수를 이용하여 표시하면

$$x(t)=\int_0^t F(\tau)\zeta(t-\tau)d\tau \quad (8.35)$$

이 되어 함수 $F(t)$와 $\zeta(t)$의 합적이 된다. 합적에 대해서는 이미 스펙트럼의 평활화에서 설명했다. 식 중의 $\zeta(t)$를 좀더 정확히 정의하여 나타내면

$$\left.\begin{aligned} \zeta(t)&=\frac{1}{m\omega_d}e^{-h\omega t}\sin \omega_d t \qquad && t\geqq 0 \\ \zeta(t)&=0 && t<0 \end{aligned}\right\}$$

가 된다. $t<0$에서 $\zeta(t)=0$이라고 하는 것은 원인이 생기기 전에 결과가 일어나지 않는다고 하여 일종의 인과법칙을 나타낸다고 한다. 일반적으로 $t<0$에서 0이 되는 시간함수를 **인과성 시간함수**라고 부른다는 것을 첨언해 둔다.

8.6 지진동에 의한 응답

발밑의 지면이 가속도 $\ddot{y}(t)$를 가지고 움직일때는 1질점 점성감쇠계의 운동방정식은 앞의 (8.4)식, 즉

$$m(\ddot{x}+\ddot{y})+c\dot{x}+kx=0 \quad (8.36)$$

또는

$$m\ddot{x}+c\dot{x}+kx=-m\ddot{y} \quad (8.37)$$

이 된다. $\ddot{y}(t)$를 지반진동의 가속도라고 하면, 이것은 지반진동을 받는 질점계의 운동방정식이 되고 (8.37)식의 우변의 $-m\ddot{y}$는 지반진동에 의한 관성력이 된다. 앞에서 D'Alembert의 원리에 대해서 설명했지만 (8.36)식에서 (8.37)식으로의 변환에 대해서는 특히 유의해야 한다.

(8.36)식이 움직이는 상태를 표시하는 것에 대해 (8.37)은 지면이 공간적으로 고정되어 움직이지 않으며 그대신 관성력을 고려하여 이것이 복원력이나 저항력과 평형을 이루는 정적인 상태로 개념이 변화되어 있다.

앞의 기호를 사용하면 (8.36)식은

$$\ddot{x}+\ddot{y}=-2h\omega\dot{x}-\omega^2 x \tag{8.38}$$

로도 쓸 수 있다.

관성력은 시시각각 변화하면서 질점에 작용하는 힘이다. 지금

$$-m\ddot{y}=F(t)$$

라 하면 (8.37)식은

$$m\ddot{x}+c\dot{x}+kx=F(t)$$

가 되고 이 방정식의 해, 즉 임의의 힘 $F(t)$가 질점에 작용할때 임의시간에서 질점의 상대변위 $x(t)$는 이미 앞의 중첩적분에서 구하였다. (8.33)식 즉

$$x(t)=\int_0^t \frac{F(\tau)}{m\omega_d} e^{-h\omega(t-\tau)} \sin\omega_d(t-\tau)d\tau$$

가 그것이다. 지금은 $F(\tau)$를 $-m\ddot{y}(\tau)$로 치환하면 되므로

$$x(t)=-\frac{1}{\omega_d}\int_0^t \ddot{y}(\tau)e^{-h\omega(t-\tau)}\sin\omega_d(t-\tau)d\tau \tag{8.39}$$

가 된다. 이것이 1질점 점성감쇠계의 지반진동에 대한 변위응답이다. $x(t)$는 지면에 대한 상대변위이고, 좀더 상세히 말하면 상대변위응답이라고 불러야 한다.

같은 요령으로 지반진동에 대한 속도응답, 즉 상대속도응답은 (8.34)식에 의해

$$\dot{x}(t)=-\frac{1}{\omega_d}\int_0^t \ddot{y}(\tau)e^{-h\omega(t-\tau)}\Big[-h\omega\sin\omega_d(t-\tau)+\omega_d\cos\omega_d(t-\tau)\Big]d\tau \tag{8.40}$$

이 된다.

지반진동에 대한 가속도응답은, x와 $\dot{x}$를 이미 구했으므로 이것을 (8.38)식에 대입하면

$$\ddot{x}(t)+\ddot{y}(t)=\frac{\omega^2(1-2h^2)}{\omega_d}\int_0^t \ddot{y}(\tau)e^{-h\omega(t-\tau)}\sin\omega_d(t-\tau)d\tau$$

$$+2h\omega\int_0^t \ddot{y}(\tau)e^{-h\omega(t-\tau)}\cos\omega_d(t-\tau)\,d\tau \qquad (8.41)$$

에 의해 구할 수 있다. 이것은 질점에 작용하는 절대가속도, 좀더 자세히 말하면 절대가속도 응답이다. (8.41)식은 (8.40)식을 직접 미분하여도 구할 수 있으므로 유도해 보기 바란다. 그러나 이 미분을 그다지 간단하지 않으며 미분이란 도대체 무엇인가 라고하는 원점으로 되돌아 가서 생하지 않으면 안되므로 좋은 연습이 될 것이다. 열심인 독자를 위해 힌트를 주면, 일반적으로

$$\frac{d}{dt}\int_0^t f(\tau,t)\,d\tau=\int_0^t \frac{\partial f(\tau,t)}{\partial t}\,d\tau+f(\tau,t)_{\tau=t}$$

이다.

앞에서 구한 (8.39), (8.40) 및 (8.41)식을, (8.24)식을 참조하여 약간 변형하면

$$\left.\begin{aligned}
x(t)&=-\frac{1}{\omega_d}\int_0^t \ddot{y}(\tau)e^{-h\omega(t-\tau)}\sin\omega_d(t-\tau)\,d\tau\\
\dot{x}(t)&=-\int_0^t \ddot{y}(\tau)e^{-h\omega(t-\tau)}\left[\cos\omega_d(t-\tau)-\frac{h}{\sqrt{1-h^2}}\sin\omega_d(t-\tau)\right]d\tau\\
\ddot{x}(t)+\ddot{y}(t)&=\omega_d\int_0^t \ddot{y}(\tau)e^{-h\omega(t-\tau)}\left[\left(1-\frac{h^2}{1-h^2}\right)\sin\omega_d(t-\tau)\right.\\
&\qquad\left.+\frac{2h}{\sqrt{1-h^2}}\cos\omega_d(t-\tau)\right]d\tau
\end{aligned}\right\} \qquad (8.42)$$

이 된다.

이 식에는 w, w_d, h, $\ddot{y}$, t, τ 라는 6개의 변수 또는 함수가 포함되어 있다. 앞에서도 언급한 바와같이 이 중에서 τ는 매개변수이고 적분하면 소거되므로 결과에는 직접 관계가 없다. 그리고 w_d는 w와 h에 의해 구해진다. 따라서 결국 1질점계의 응답은 나머지 4개 즉 w, h, $\ddot{y}$, t에 의해 지배된다. 1질점계가 구조물을 나타내는 것이라면, 이 응답은 구조물의 특성 즉 고유원진동수 w(또는 고유주기 T라고 하여도 좋다)와 감쇠상수

h, 입력지반진동 즉 지반운동의 가속도 이력 $\ddot{y}(t)$에 의해 결정되고, 이들은 시간 t에 따라 시시각각 변화한다.

8.7 응답의 수치계산

$\ddot{y}$라는 지반운동가속도를 받는 1질점계의 변위응답, 속도응답, 가속도응답은 (8.42)식과 같이 구해진다. 그런데 변위응답을, 역적응답함수를 사용하여 (8.35)식과 같은 표현법을 사용하면 (8.42)식은

$$\left.\begin{aligned} x(t) &= \int_0^t \ddot{y}(\tau)\zeta(t-\tau)\mathrm{d}\tau \\ \dot{x}(t) &= \int_0^t \ddot{y}(\tau)\dot{\zeta}(t-\tau)\mathrm{d}\tau \\ \ddot{x}(t)+\ddot{y}(t) &= \int_0^t \ddot{y}(\tau)\ddot{\zeta}(t-\tau)\mathrm{d}\tau \end{aligned}\right\} \tag{8.43}$$

과 같이 표시된다.

여기서

$$\left.\begin{aligned} \zeta(t) &= -\frac{1}{\omega_\mathrm{d}}\mathrm{e}^{-h\omega t}\sin\omega_\mathrm{d}t \\ \dot{\zeta}(t) &= -\mathrm{e}^{-h\omega t}\left[\cos\omega_\mathrm{d}t-\frac{h}{\sqrt{1-h^2}}\sin\omega_\mathrm{d}t\right] \\ \ddot{\zeta}(t) &= \omega_\mathrm{d}\mathrm{e}^{-h\omega t}\left[\left(1-\frac{h^2}{1-h^2}\right)\sin\omega_\mathrm{d}t+\frac{2h}{\sqrt{1-h^2}}\cos\omega_\mathrm{d}t\right] \end{aligned}\right\} \tag{8.44}$$

이고, 이들을 각각 입력가속도가 주어진 경우의 변위 · 속도 · 가속도에 관한 1질점계의 **역적응답함수**라고 한다.

물론, 이들은 모두 인과성 시간함수이므로

$$\zeta(t)=0,\ \dot{\zeta}(t)=0,\ \ddot{\zeta}(t)=0 \quad t<0 \tag{8.45}$$

이다.

당연히, (8.43)식에 표시한 $x(t)$, $\dot{x}(t)$, $\ddot{x}(t)+\ddot{y}(t)$는 항상 (8.36)식 또는 (8.38)식, 즉 원래의 운동방정식을 만족하고, 또한 (8.44)식의 역적응답함수도

$$\ddot{\zeta}(t)+2h\omega\dot{\zeta}(t)+\omega^2\zeta(t)=0 \tag{8.46}$$

을 만족하는 것에 주의해야 한다. 달리 말하면 1질점계의 응답계산을 하

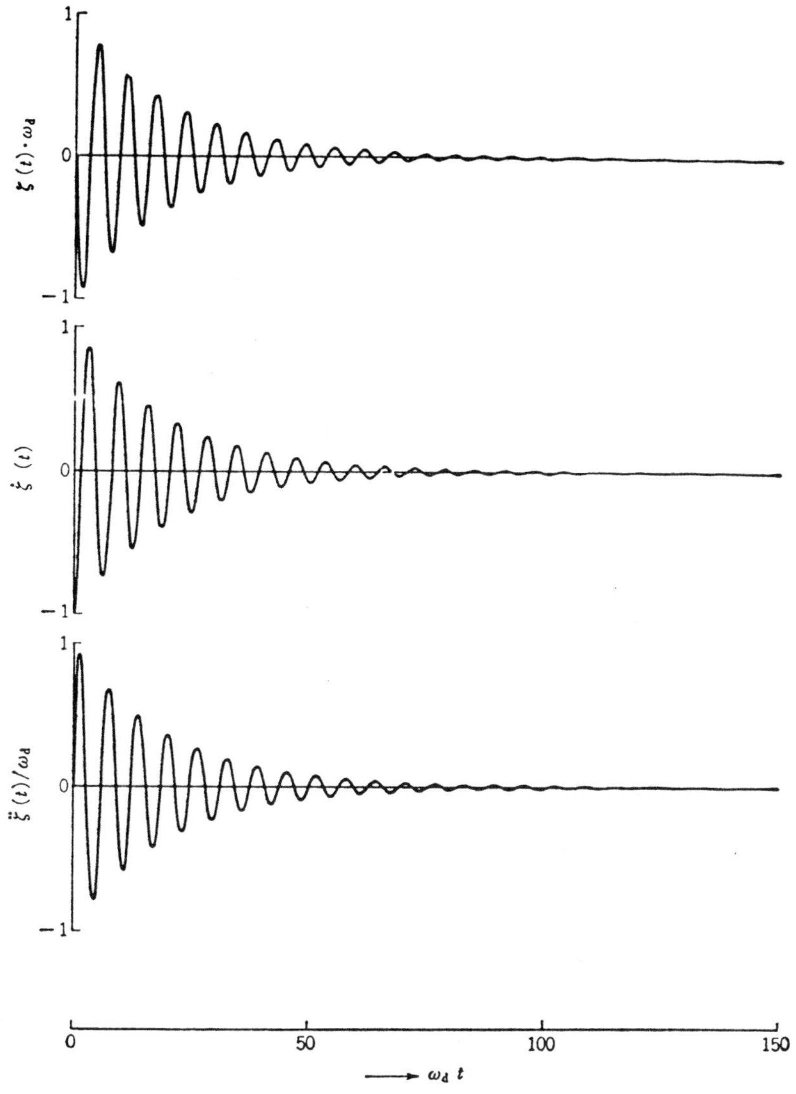

그림 8.5 역적응답함수(h=0.05)

는 경우 가속도 응답 $\ddot{x}+\ddot{y}$는 특히 (8.43)식의 제3식을 사용하지 않더라도, x와 $\dot{x}$ 계산하면 (8.38)식으로 부터 구할 수 있다.

역적응답함수의 형을 그림 8.5에 표시하였다. 이 그림은 감쇠상수를 $h=0.05$로 한 것이다. h가 작으면 파형은 길어지고, h가 크면 빨리 종결된다는 것은 앞의 그림 8.2의 경우와 같다.

역적응답함수의 초기치는, (8.44)식에서 $t=0$으로 두면

$$\left.\begin{aligned}\zeta(0)&=0\\ \dot{\zeta}(0)&=-1\\ \ddot{\zeta}(0)&=2h\omega\end{aligned}\right\}\tag{8.47}$$

이 되고 $t=0$인 순간에도 (8.46)식을 만족한다.

지반진동가속도 $\ddot{y}(t)$의 시간이력이 주어진 경우 1자유도계의 응답이력을 계산하는 방법에는 다음 3가지가 있다.

(1) 합적계산법

(8.43)식을 살펴보면, 응답 $x(t)$, $\dot{x}(t)$등은 모두 지반진동가속도 $\ddot{y}(t)$와 역적응답함수 $\zeta(t)$, $\dot{\zeta}(t)$등과의 합적의 형으로 되어 있다. 앞의 (7.4)식에서 사용한 기호를 사용하면

$$\left.\begin{aligned}x(t)&=\ddot{y}(t)*\zeta(t)\\ \dot{x}(t)&=\ddot{y}(t)*\dot{\zeta}(t)\end{aligned}\right\}\tag{8.48}$$

이 된다. 지금 지반진동가속도가 시간간격 Δt의 N개의 이산치로 주어지고, 또한 역적응답함수도 (8.44)식에 의해 시간간격 Δt 마다의 수열로서 계산된다고 하면, 변위응답・속도응답의 시간이력은

$$\left.\begin{aligned}x(m\Delta t)&=\sum_{j=0}^{m}\ddot{y}(j\Delta t)\zeta[(m-j)\Delta t]\Delta t\\ \dot{x}(m\Delta t)&=\sum_{j=0}^{m}\ddot{y}(j\Delta t)\dot{\zeta}[(m-j)\Delta t]\Delta t\end{aligned}\right\}$$

또는 $x(m\Delta t)$, $\ddot{y}(j\Delta t)$등을 각각 간단히 $x(m)$, $\ddot{y}(j)$라 두면

$$\left.\begin{aligned}x(m)&=\sum_{j=0}^{m}\ddot{y}(j)\zeta(m-j)\Delta t\\ \dot{x}(m)&=\sum_{j=0}^{m}\ddot{y}(j)\dot{\zeta}(m-j)\Delta t\end{aligned}\right\}\quad m=0,1,2,\cdots\cdots,N-1\tag{8.49}$$

로 구해진다.

실제 계산은, 앞에서 언급한 자기상관함수 계산용 프로그램 **AUTO**에서 표시한 합적계산의 요령에 의한다. 그러나 이 경우는, 역적응답함수는 인과성 함수로서 함수의 값을 순회적으로 이용해야 된다는 점에 주의해야 한다. 합적계산에 의한 응답의 계산법은 아주 많은 곱셈을 수행해야

하므로 나중에 언급하는 바와같이 상당한 시간이 소요된다.

(2) Fourier 변환법

(8.48)식에서 $x(t)$, $\dot{x}(t)$, $\ddot{y}(t)$, $\zeta(t)$, $\dot{\zeta}(t)$의 Fourier 변환을 각각 $X(\Omega)$, $\dot{X}(\Omega)$, $\ddot{Y}(\Omega)$, $Z(\Omega)$, $\dot{Z}(\Omega)$ 즉

$$\left.\begin{aligned} &x(t)\longleftrightarrow X(\Omega) \qquad \dot{x}(t)\longleftrightarrow \dot{X}(\Omega) \\ &\ddot{y}(t)\longleftrightarrow \ddot{Y}(\Omega) \\ &\zeta(t)\longleftrightarrow Z(\Omega) \qquad \dot{\zeta}(t)\longleftrightarrow \dot{Z}(\Omega) \end{aligned}\right\}$$

라 하자. 이미 스펙트럼의 평활화에서, 두함수의 합적의 Fourier 변환은 각각의 함수의 Fourier 변환의 곱, 즉 (7.6)식의 관계가 성립함을 배웠다. 따라서 (8.48)식은

$$\left.\begin{aligned} X(\Omega) &= \ddot{Y}(\Omega)\cdot Z(\Omega) \\ \dot{X}(\Omega) &= \ddot{Y}(\Omega)\cdot \dot{Z}(\Omega) \end{aligned}\right\} \tag{8.50}$$

이 되고, (8.44)식에 표시한 역적응답함수의 Fourier 변환은

$$\left.\begin{aligned} Z(\Omega) &= -\frac{1}{\omega^2-\Omega^2+\mathrm{i}\cdot 2h\omega\Omega} \\ \dot{Z}(\Omega) &= -\frac{\mathrm{i}\Omega}{\omega^2-\Omega^2+\mathrm{i}\cdot 2h\omega\Omega} \end{aligned}\right\} \tag{8.51}$$

과 같은 복소함수가 된다.

지반진동가속도 $\ddot{y}(t)$의 Fourier 변환 $\ddot{Y}(\Omega)$를 계산하고, 이것에 (8.51)식의 $Z(\Omega)$, $\dot{Z}(\Omega)$를 곱하면 (8.50)식에 의해 $X(\Omega)$, $\dot{X}(\Omega)$가 구해지고, 이것을 Fourier 역변환하면 구하려는 변위응답 $x(t)$와 속도응답 $\dot{x}(t)$가 얻어진다. 그러나 이 방법은 고속 Fourier 변환법을 사용하여도 계산시간은 상당히 많이 걸린다. 더욱 주의하지 않으면 안되는 것은 유한길이의 수열을 Fourier 변환할때 생기는 링크 효과이다. 링크효과에 대해서는 4.9절의 Fourier 적분에서 이미 설명하였다. 충분한 수의 후속 제로(4.10절 참조)을 첨가하여 링크효과를 없애지 않으면 Fourier 변환법에 의한 응답계산은 잘못된 결과를 준다.

지금 지반 진동가속도의 데이타수가, 시간간격 Δt로 N_1개 주어지고, 역적응답함수가 충분히 0에 가까운 값으로 수렴하기 위해서는 같은 시간

간격으로 N_2개의 값을 필요로 한다면 링크효과를 없애기 위한 최소필요한 수열의 길이 N은

$$N \geqq N_1 + N_2$$

를 만족하는 최소의 2의 누승수이다. 예를들어 $N_1=800$, $N_2=320$ 이라면

$$N_1 + N_2 = 1120$$

따라서

$$N = 2048$$

이고, 가속도 데이타에는

$$N - N_1 = 2048 - 800$$
$$= 1248$$

개의 후속의 제로를 추가하지 않으면 안된다.

(3) 직접적분법

1자유도계의 운동을 지배하는 미분방정식 (8.37), 또는 이것을 변경한

$$\ddot{x} + 2h\omega\dot{x} + \omega^2 x = -\ddot{y} \tag{8.52}$$

를, 주어진 지반 진동가속도 $\ddot{y}(t)$에 대해 직접 수치적분법에 의해 풀고 응답의 수치해를 구하는 것이 직접적분법이다. 직접적분법에도 여러가지 방법이 있지만, 여기서는 가장 간단한 선형가속도법에 대해 설명한다. 지금

시간 t 에서 지반진동가속도를 $\ddot{y}$

시간 $t+\Delta t$ 에서 지반진동가속도를 $\ddot{y}_{t+0\Delta t}$

라 하자. 같은 요령으로 시간 $t+\Delta t$에서 속도 및 변위를 각각 $\dot{y}_{t+\Delta t}$, $y_{t+\Delta t}$라 한디. 함수를 Taylor 전개하고, $f^{(k)}(t)$를 함수 $f(t)$의 k차 도함수라 하면

$$f(t+\Delta t) = \sum_{k=0}^{\infty} \frac{(\Delta t)^k}{k!} f^{(k)}(t)$$

이므로, $\dot{y}_{t+\Delta t}$ 및 $y_{t+\Delta t}$를 Taylor 전개하면

$$\left.\begin{aligned} \dot{y}_{t+\Delta t} &= \dot{y}_t + (\Delta t)\ddot{y}_t + \frac{1}{2}(\Delta t)^2 \dddot{y}_t + \cdots\cdots \\ y_{t+\Delta t} &= y_t + (\Delta t)\dot{y}_t + \frac{1}{2}(\Delta t)^2 \ddot{y}_t + \frac{1}{6}(\Delta t)^3 \dddot{y}_t + \cdots\cdots \end{aligned}\right\} \tag{8.53}$$

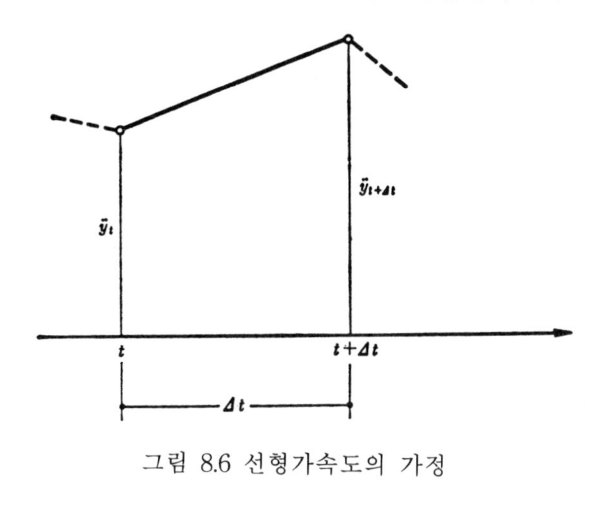

그림 8.6 선형가속도의 가정

이 된다.

여기서 그림 8.6에 표시한 바와같이 시간 Δt 동안 가속도가 직선적으로 변한다면

$$\dddot{y}_t = \frac{\ddot{y}_{t+\Delta t} - \ddot{y}_t}{\Delta t}$$

가 되고 4차 이상의 도함수는 모두 0이 된다. 그래서 (8.53)식은 다음과 같이 된다.

$$\dot{y}_{t+\Delta t} = \dot{y}_t + (\Delta t)\ddot{y}_t + \frac{1}{2}(\Delta t)(\ddot{y}_{t+\Delta t} - \ddot{y}_t)$$

$$y_{t+\Delta t} = y_t + (\Delta t)\dot{y}_t + \frac{1}{2}(\Delta t)^2\ddot{y}_t + \frac{1}{6}(\Delta t)^2(\ddot{y}_{t+\Delta t} - \ddot{y}_t)$$

또는

$$\left.\begin{aligned} \dot{y}_{t+\Delta t} &= \dot{y}_t + \frac{(\Delta t)}{2}\ddot{y}_t + \frac{(\Delta t)}{2}\ddot{y}_{t+\Delta t} \\ y_{t+\Delta t} &= y_t + (\Delta t)\dot{y}_t + \frac{(\Delta t)^2}{3}\ddot{y}_t + \frac{(\Delta t)^2}{6}\ddot{y}_{t+\Delta t} \end{aligned}\right\} \tag{8.54}$$

즉, 시간 t에서의 상태를 알고 있으면 시간 $t+\Delta t$에서의 상태가 순차적으로 구해진다. 이것에 의해 지반진동의 가속도 이력이 주어진 경우 지반진동의 속도 및 변위의 시간이력을 구할 수 있다.

(8.54)식의 순차해법을 실시하는 경우 지반진동속도 및 변위의 초기치는

$$\left.\begin{aligned} \dot{y}_{t=0} &= \ddot{y}_{t=0}\Delta t \\ y_{t=0} &= \frac{1}{2}\ddot{y}_{t=0}(\Delta t)^2 \fallingdotseq 0 \end{aligned}\right\} \tag{8.55}$$

이다.

다음에 지반진동 가속도 기록이 주어진 경우 (8.55)식을 초기치로하여 (8.54)식에 의해 순차적분을 실시하여 지반 진동의 속도 및 변위를 구하는 서브루틴 **INAC**(**In**tegration of **Ac**celerogram)을 나타내었다. 사용예

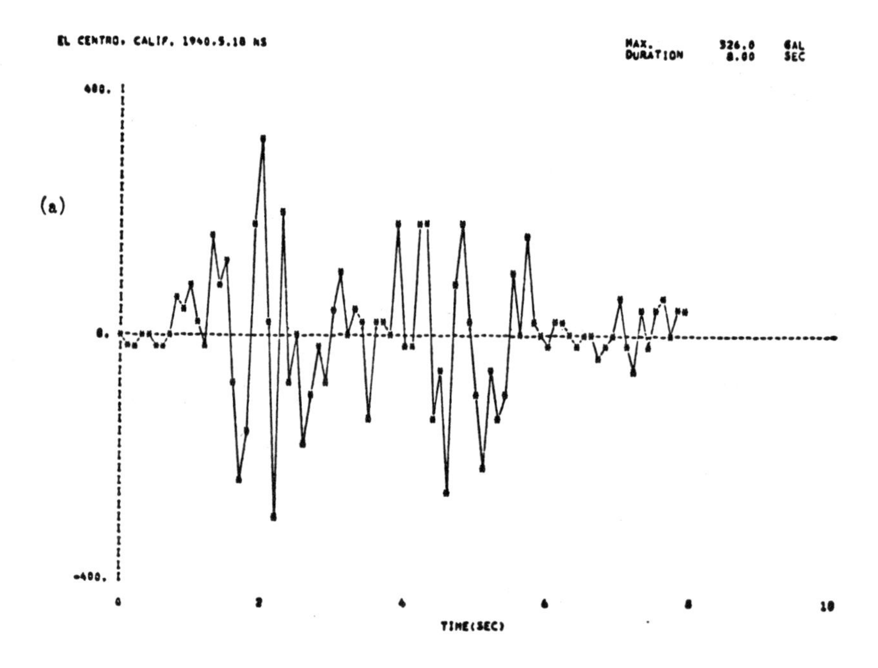

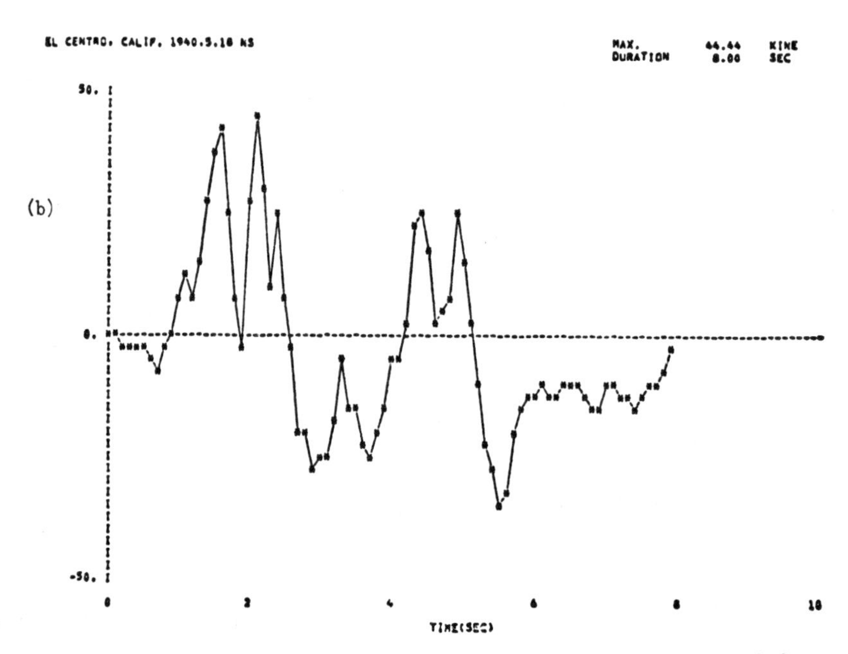

그림 8.7(1) El Centro지진파의 적분(a) 가속도, (b) 속도, (c) 변위

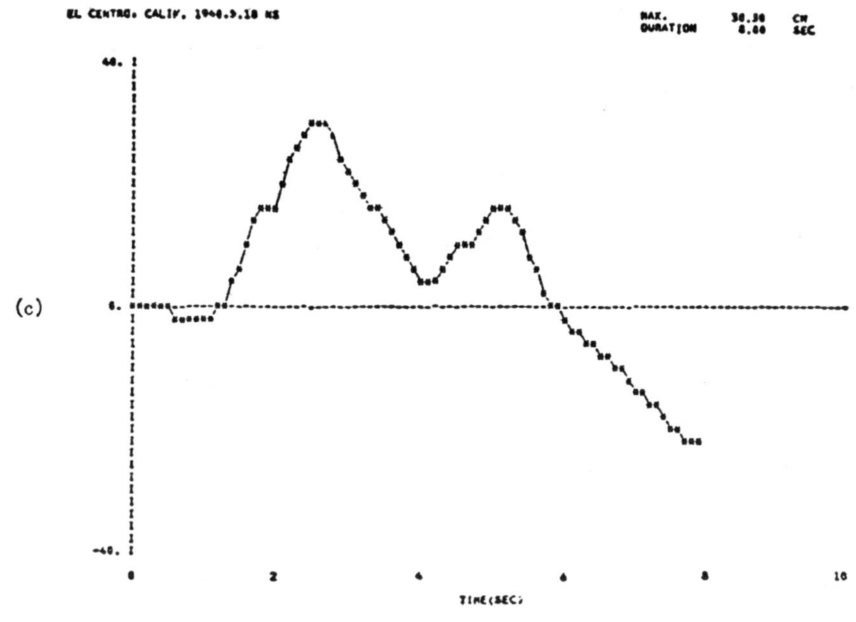

그림 8.7(2) El Centro지진파의 적분 (c) 변위

는 El Centro 지진파의 속도・변위를 구하고 그 결과를 라인프린트로 출력한 그림 8.7이다. 파의 개략적인 형을 라인프린트로 인쇄하기 위한 서브루틴 **WAPR** (**Wa**ve **Pr**int)는, 앞의 SPAR과 같이 Curve Plotter를 사용하지 않고, 해석결과를 즉시 보고 싶을때 사용하기 위한 것이다. 이러한 파형인쇄 서브루틴은 가속도・속도・변위 뿐 아니라 응력과 변형의 시간변화등 개력적인 시간이력이면 무엇이든 그릴 수 있다. 단 사용예를 보면 알 수 있듯이 각각의 경우 대상으로 하는 시간이력의 단위를 UNIT (2)라는 2개의 단어로 구성되는 배열에 문자형 데이타를 넣고, 이 서브루틴으로 넘겨 주어야 한다는 것이다.

INAC (가속도 기록의 적분)

목 적

가속도기록을 선형가속도법에 의해 적분하여 속도와 변위를 구한다.

사용법

(1) 접속방법

CALL INAC (DT, NN, DDY, DY, Y, ND, DYMAX, YMAX)

인 수	형	부프로그램을 부르는 경우의 내용	부프로그램으로부터 읽어 들이는 내용
DT	R	가속도 이력의 시간간격 (단위sec)	좌 동
NN	I	가속도 이력 데이타의 총수	좌 동
DDY	R 1차원배열(ND)	가속도 이력(단위gal)	좌 동
DY	R 1차원배열(ND)	무엇이든 좋다	속도이력(단위 kine)
Y	R 1차원배열(ND)	무엇이든 좋다	변위이력(단위 cm)
ND	I	주프로그램에서 DDY, DY, Y의 차원	좌 동
DYMAX	R	무엇이든 좋다	최대속도(단위 kine)
YMAX	R	무엇이든 좋다	최대변위(단위 cm)

(2) 필요한 서브루틴 및 함수프로그램

없다.

프로그램 리스트

```
C  * * * * * * * * * * * * * * * * * * * * * * * * * * * * *          INAC   1
C     SUBROUTINE FOR INTEGRATION OF SEISMIC ACCELEROGRAM                INAC   2
C  * * * * * * * * * * * * * * * * * * * * * * * * * * * * *          INAC   3
C                                                                       INAC   4
C                                        CODED BY Y.OHSAKI              INAC   5
C                                                                       INAC   6
C     PURPOSE                                                           INAC   7
C       TO INTEGRATE SEISMIC ACCELEROGRAM BY LINEAR ACCELERATION METHOD INAC   8
C       TO OBTAIN VELOCITY AND DISPLACEMENT                             INAC   9
C                                                                       INAC  10
C     USAGE                                                             INAC  11
C       CALL INAC(DT,NN,DDY,DY,Y,ND,DYMAX,YMAX)                         INAC  12
C                                                                       INAC  13
C     DESCRIPTION OF PARAMETERS                                         INAC  14
C       DT        - TIME INCREMENT IN ACCELEROGRAM IN SEC               INAC  15
C       NN        - TOTAL NUMBER OF DATA IN ACCELEROGRAM                INAC  16
C       DDY(ND)   - ACCLERATION IN GALS                                 INAC  17
C       DY(ND)    - VELOCITY IN KINES                                   INAC  18
C       Y(ND)     - DISPLACEMENT IN CENTIMETERS                         INAC  19
C       ND        - DIMENSION OF DDY,DY,Y IN CALLING PROGRAM            INAC  20
C       DYMAX     - MAX. VELOCITY IN KINES                              INAC  21
C       YMAX      - MAX. DISPLACEMENT IN CENTIMETERS                    INAC  22
C                                                                       INAC  23
C     SUBROUTINES AND FUNCTION SUBPROGRAMS REQUIRED                     INAC  24
C       NONE                                                            INAC  25
C                                                                       INAC  26
      SUBROUTINE INAC(DT,NN,DDY,DY,Y,ND,DYMAX,YMAX)                     INAC  27
C                                                                       INAC  28
      DIMENSION DDY(ND),DY(ND),Y(ND)                                    INAC  29
C
```

```
      DY(1)=DDY(1)*DT                                                   INAC 30
      Y(1)=0.0                                                          INAC 31
      DYMAX=ABS(DY(1))                                                  INAC 32
      YMAX=0.0                                                          INAC 33
      DO 110 M=2,NN                                                     INAC 34
      DY(M)=DY(M-1)+(DDY(M-1)+DDY(M))/2.0*DT                            INAC 35
      Y(M)=Y(M-1)+DY(M-1)*DT+(DDY(M-1)/3.0+DDY(M)/6.0)*DT**2            INAC 36
      DYMAX=AMAX1(DYMAX,ABS(DY(M)))                                     INAC 37
      YMAX=AMAX1(YMAX,ABS(Y(M)))                                        INAC 38
  110 CONTINUE                                                          INAC 39
      RETURN                                                            INAC 40
      END                                                               INAC 41
                                                                        INAC 42
```

사용예

```
      DIMENSION NAME(12),FMT(5),DDY(800),DY(800),Y(800),UNIT(2)           1
C                                                                          2
      READ(5,501) NAME,DDYMAX,DT,NN,FMT                                    3
      READ(5,FMT) (DDY(M),M=1,NN)                                          4
      CALL INAC(DT,NN,DDY,DY,Y,800,DYMAX,YMAX)                             5
      UNIT(1)=4HGAL                                                        6
      UNIT(2)=4H                                                           7
      CALL WAPR(NAME,DDYMAX,DT,NN,DDY,800,UNIT,0)                          8
      UNIT(1)=4HKINE                                                       9
      CALL WAPR(NAME,DYMAX,DT,NN,DY,800,UNIT,0)                           10
      UNIT(1)=4HCM                                                        11
      CALL WAPR(NAME,YMAX,DT,NN,Y,800,UNIT,0)                             12
      STOP                                                                13
C                                                                         14
  501 FORMAT(12A4/F12.0/F7.0/I5/5A4)                                      15
      END                                                                 16
```

WAPR (파형의 인쇄)

목 적

파형의 개력적인 형을 라인프린트로 인쇄한다.

사용법

(1) 접속방법

CALL WAPR (NAME, AMAX, DT, NN, A, ND, UNIT, IAXIS)

인 수	형	부프로그램을 부르는 경우의 내용	부프로그램으로부터 읽어들이는 내용
NAME	I 1차원배열(12)	데이타의 명칭을 표시하는 문자열	좌 동
AMAX	R	데이타파의 최대진폭	좌 동
DT	R	데이타의 시간간격 (단위 sec)	좌 동
NN	I	데이타의 총수	좌 동
A	R 1차원배열(ND)	데이터파의 진폭	좌 동

ND	I	주프로그램에서 A의 차원	좌 동
UNIT	R 1차원배열(2)	데이타의 단위를 표시하는 문자열	좌 동
IAXIS	I	0 : 종축이 새로이 정해진다 1 : 앞에서 이 프로그램을 읽은경우의 종축이 보존된다	좌 동

(2) 주의사항

파의 지속시간은 100sec 이내로 해야 한다.

(3) 필요한 서브루틴 및 함수프로그램은 없다.

프로그램 리스트

```
C  * * * * * * * * * * * * * * * * * *                                     WAPR   1
C     SUBROUTINE FOR WAVE PRINT                                            WAPR   2
C  * * * * * * * * * * * * * * * * * *                                     WAPR   3
C                                                                          WAPR   4
C             CODED BY Y.OHSAKI                                            WAPR   5
C                                                                          WAPR   6
C     PURPOSE                                                              WAPR   7
C       TO REPRESENT ON LINE-PRINTER THE SHAPE OF A GIVEN WAVE             WAPR   8
C                                                                          WAPR   9
C     USAGE                                                                WAPR  10
C       CALL WAPR(NAME,AMAX,DT,NN,A,ND,UNIT,IAXIS)                         WAPR  11
C                                                                          WAPR  12
C     DESCRIPTION OF PARAMETERS                                            WAPR  13
C       NAME(12) - NAME OF THE WAVE(12A4)                                  WAPR  14
C       AMAX     - MAX. AMPLITUDE OF THE WAVE                              WAPR  15
C       DT       - TIME INCREMENT IN SEC                                   WAPR  16
C       NN       - TOTAL NUMBER OF AMPLITUDE DATA                          WAPR  17
C                  DT*FLOAT(NN-1).LE.100.0                                 WAPR  18
C       A(ND)    - AMPLITUDE OF THE WAVE                                   WAPR  19
C       ND       - DIMENSION OF A IN CALLING PROGRAM                       WAPR  20
C       UNIT(2)  - UNIT REPRESENTING THE WAVE(2A4)                         WAPR  21
C       IAXIS    - IF IAXIS.EQ.0, VERTICAL SCALE IS NEWLY DEFINED          WAPR  22
C                  IF IAXIS.EQ.1, VERTICAL SCALE IN PREVIOUS CALL IS       WAPR  23
C                                 RETAINED                                 WAPR  24
C                                                                          WAPR  25
C     SUBROUTINES AND FUNCTION SUBPROGRAMS REQUIRED                        WAPR  26
C       NONE                                                               WAPR  27
C                                                                          WAPR  28
      SUBROUTINE WAPR(NAME,AMAX,DT,NN,A,ND,UNIT,IAXIS)                     WAPR  29
C                                                                          WAPR  30
      DIMENSION NAME(12),A(ND),UNIT(2)                                     WAPR  31
      DIMENSION AA(101),L(101),SMAX(7),FMV(3),FMV3(8),TMAX(7),             WAPR  32
     1          LSTEP(7),INCR(7),LL(5),FMH(7),FMH5(7)                      WAPR  33
      DATA      SMAX/2.,3.,4.,5.,6.,8.,10./,S0/0./                         WAPR  34
      DATA      TMAX/10.,20.,30.,40.,50.,80.,100./                         WAPR  35
      DATA      LSTEP/5,4,3,4,5,4,5/,INCR/2,5,10,10,10,20,20/              WAPR  36
      DATA      FMV/4H(1H+,4H,F15,4H    /,FMV3/4H.1) ,4H.2) ,4H.3) ,       WAPR  37
     1          4H.4) ,4H.5) ,4H.6) ,4H.7) ,4H.8) /                        WAPR  38
      DATA      FMH/4H   (,4H1H0,,4H16X,,4H1H0,,4H    ,4HX,I3,4H)) /       WAPR  39
      DATA      FMH5/4H5(17,4H4(22,4H3(30,4H4(22,4H5(17,4H4(22,4H5(17/     WAPR  40
C                                                                          WAPR  41
C     PRINT OF IDENTIFICATION                                              WAPR  42
```

```
C                                                                       WAPR 43
      DUR=FLOAT(NN)*DT                                                  WAPR 44
      WRITE(6,601) NAME,AMAX,UNIT,DUR                                   WAPR 45
C                                                                       WAPR 46
C     PRINT OF VERTICAL AXIS                                            WAPR 47
C                                                                       WAPR 48
      IF(IAXIS.EQ.1) GO TO 140                                          WAPR 49
      M=IFIX(ALOG10(AMAX))                                              WAPR 50
      IF(ALOG10(AMAX).LT.0.0) M=M-1                                     WAPR 51
      IF(M.LT.-7) GO TO 240                                             WAPR 52
      DO 120 J=1,7                                                      WAPR 53
      IF(AMAX/10.0**M.LE.SMAX(J)) GO TO 130                             WAPR 54
  120 CONTINUE                                                          WAPR 55
  130 SMAXJ1=SMAX(J)*10.0**M                                            WAPR 56
      SMAXJ2=-SMAXJ1                                                    WAPR 57
      IF(M.GT.0) FMV(3)=4H.0)                                           WAPR 58
      IF(M.LE.0) FMV(3)=FMV3(1-M)                                       WAPR 59
      COR=20.0/SMAXJ1                                                   WAPR 60
C                                                                       WAPR 61
C     PRINT OF WAVE                                                     WAPR 62
C                                                                       WAPR 63
  140 DUR1=FLOAT(NN-1)*DT                                               WAPR 64
      DO 150 J=1,7                                                      WAPR 65
      IF(DUR1.LE.TMAX(J)) GO TO 160                                     WAPR 66
  150 CONTINUE                                                          WAPR 67
      J=7                                                               WAPR 68
  160 DTI=TMAX(J)/100.0                                                 WAPR 69
      AA(1)=A(1)*COR                                                    WAPR 70
      AB=A(1)                                                           WAPR 71
      TB=0.0                                                            WAPR 72
      TI=DTI                                                            WAPR 73
      I=2                                                               WAPR 74
      DO 190 M=2,NN                                                     WAPR 75
      TF=TB+DT                                                          WAPR 76
      AF=A(M)                                                           WAPR 77
  170 IF(TI.GT.TF) GO TO 180                                            WAPR 78
      AA(I)=((TI-TB)/DT*(AF-AB)+AB)*COR                                 WAPR 79
      I=I+1                                                             WAPR 80
      TI=TI+DTI                                                         WAPR 81
      GO TO 170                                                         WAPR 82
  180 TB=TF                                                             WAPR 83
      AB=AF                                                             WAPR 84
  190 CONTINUE                                                          WAPR 85
      NMAX=I-1                                                          WAPR 86
      DO 220 LINE=1,41                                                  WAPR 87
      L(1)=1HI                                                          WAPR 88
      LI=1H                                                             WAPR 89
      IF(LINE.EQ.21) LI=1H-                                             WAPR 90
      DO 200 I=2,101                                                    WAPR 91
      L(I)=LI                                                           WAPR 92
  200 CONTINUE                                                          WAPR 93
      BU=FLOAT(21-LINE)+0.5                                             WAPR 94
      BL=FLOAT(21-LINE)-0.5                                             WAPR 95
      DO 210 I=1,NMAX                                                   WAPR 96
      IF(AA(I).GT.20.5.OR.AA(I).LT.-20.5) GO TO 250                     WAPR 97
      IF(AA(I).GE.BU.OR.AA(I),LT.BL) GO TO 210                          WAPR 98
      L(I)=1H*                                                          WAPR 99
  210 CONTINUE                                                          WAPR100
      WRITE(6,602)                                                      WAPR101
      IF(LINE.EQ. 1) WRITE(6,FMV) SMAXJ1                                WAPR102
      IF(LINE.EQ.21) WRITE(6,FMV) SO                                    WAPR103
      IF(LINE.EQ.41) WRITE(6,FMV) SMAXJ2                                WAPR104
      WRITE(6,603) L                                                    WAPR105
  220 CONTINUE                                                          WAPR106
C                                                                       WAPR107
C     PRINT OF HORIZONTAL AXIS                                          WAPR108
```

```
C                                                                       WAPR109
      LSTEPJ=LSTEP(J)                                                   WAPR110
      DO 230 I=1,LSTEPJ                                                 WAPR111
      LL(I)=INCR(J)*I                                                   WAPR112
  230 CONTINUE                                                          WAPR113
      FMH(5)=FMH5(J)                                                    WAPR114
      WRITE(6,FMH) (LL(I),I=1,LSTEPJ)                                   WAPR115
      WRITE(6,604)                                                      WAPR116
      RETURN                                                            WAPR117
  240 WRITE(6,605)                                                      WAPR118
      STOP                                                              WAPR119
  250 WRITE(6,606)                                                      WAPR120
      STOP                                                              WAPR121
C                                                                       WAPR122
C     FORMAT STATEMENTS                                                 WAPR123
C                                                                       WAPR124
  601 FORMAT(1H1/2(1H0/)/1H ,7X,12A4,32X,4HMAX.,7X,G11.4,2A4/           WAPR125
     1       1H ,87X,8HDURATION,F10.2,4X,3HSEC/1H0)                     WAPR126
  602 FORMAT(1H )                                                       WAPR127
  603 FORMAT(1H+,16X,101A1)                                             WAPR128
  604 FORMAT(1H0,62X,9HTIME(SEC))                                       WAPR129
  605 FORMAT(1H1/10(1H0/)/1H ,30X,27HMAX. AMPLITUDE IS TOO SMALL)       WAPR130
  606 FORMAT(1H1/10(1H0/)/1H ,30X,                                      WAPR131
     1       38HAMPLITUDE IS LARGER THAN PREVIOUS WAVE)                 WAPR132
C                                                                       WAPR133
      END                                                               WAPR134
```

이제 자유도계의 운동방정식 (8.52) 즉

$$\ddot{x}_{t+\Delta t}+2h\omega\dot{x}_{t+\Delta t}+\omega^2 x_{t+\Delta t}=-\ddot{y}_{t+\Delta t} \tag{8.56}$$

에서, 질점의 상대가속도 $\ddot{x}$에 대해서도, 역시 그림 8.6과 같이 선형변화를 가정하면 (8.54)식과 같이

$$\left.\begin{aligned}\dot{x}_{t+\Delta t}&=\dot{x}_t+\frac{(\Delta t)}{2}\ddot{x}_t+\frac{(\Delta t)}{2}\ddot{x}_{t+\Delta t}\\ x_{t+\Delta t}&=x_t+(\Delta t)\dot{x}_t+\frac{(\Delta t)^2}{3}\ddot{x}_t+\frac{(\Delta t)^2}{6}\ddot{x}_{t+\Delta t}\end{aligned}\right\} \tag{8.57}$$

이 되고, (8.57)식을 (8.56)식에 대입하여 정리하면, 결국

$$\left.\begin{aligned}\ddot{x}_{t+\Delta t}&=-\frac{1}{R}(\ddot{y}_{t+\Delta t}+2h\omega E_t+\omega^2 F_t)\\ \dot{x}_{t+\Delta t}&=E_t+\frac{(\Delta t)}{2}\ddot{x}_{t+\Delta t}\\ x_{t+\Delta t}&=F_t+\frac{(\Delta t)^2}{6}\ddot{x}_{t+\Delta t}\\ R&=1+2h\omega\frac{(\Delta t)}{2}+\omega^2\frac{(\Delta t)^2}{6}\\ E_t&=\dot{x}_t+\frac{(\Delta t)}{2}\ddot{x}_t\\ F_t&=x_t+(\Delta t)\dot{x}_t+\frac{(\Delta t)^2}{3}\ddot{x}_t\end{aligned}\right\} \tag{8.58}$$

이 되고, 주어진 지반진동가속도에 대한 질점의 가속도응답, 속도응답, 변위응답이 순차수치적으로 구해진다. 이 경우 초기치는 앞의 (8.47)식으로부터 알 수 있는 바와같이

$$\left.\begin{aligned} x_{t=0}&=0 \\ \dot{x}_{t=0}&=-y_{t=0}\Delta t \\ (\ddot{x}+\ddot{y})_{t=0}&=2h\omega y_{t=0}\Delta t \end{aligned}\right\} \quad (8.59)$$

이다.

미분방정식의 수치해법에는 이외에도 여러가지 고차원적인 것이 있지만 실용적인 정확도의 견지에서 보면 이와같이 간단한 선형가속도법으로 충분하다.

이상으로 1자유도계 응답의 수치해법으로서 합적계산법, Fourier 변환법, 직접적분법 3가지에 대해 설명하였다. 이제 각 방법의 소요계산시간을 비교해 보자. 계산기는 동경대학 계산기 센타의 HITAC 8700/8800, 계산에는 El Centro 지진파(데이타수 800)을 입력하고, 질점계의 특성으로는 고유주기 0.3sec, 감쇠상수 0.05를 선택하였다. 결과는 표8.1과 같고, 모두 입력지진이 끝날때까지의 응답량, 즉 각각 800번째의 가속도, 속도, 변위 응답치를 계산한 시간이다.

표 8.1 응답계산 소요시간

	합적계산법	Fourier 변환법	직접적분법 (선형가속도법)
소요시간 (sec)	9.4282	3.2816	0.0398

표 8.1에 의하면 다른 2방법에 비해 선형가속도법에 의한 직접적분의 계산시간이 압도적으로 빠르다는 것을 알 수 있다. 따라서 이론적 흥미는 별개로 하면, 실용적인 견지에서, 나중에 서술하는 응답스펙트럼 계산용 프로그램에서는 선형가속도법을 사용한다.

질점계의 고유주기를 $T=0.3$sec, 감쇠상수를 $h=0.05$라 하고, 지반진동으로 El Centro 지진파를 받는 경우 질점의 절대가속도응답, 상대가속도응답 및 상대변위응답의 시간이력을 각각 그림 8.8(a), (b) 및 (c)에 표시

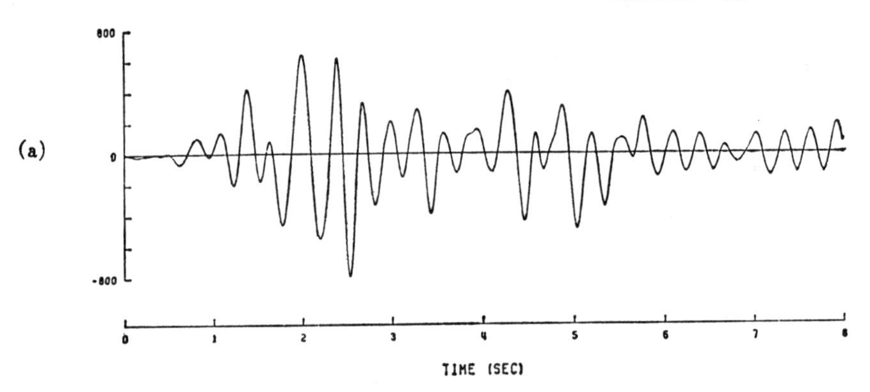

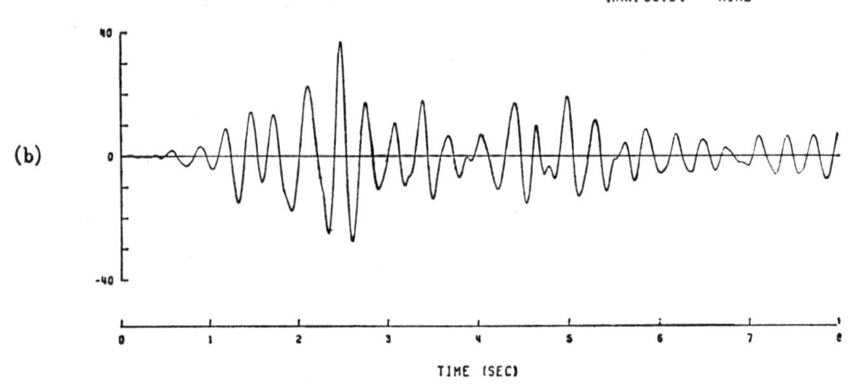

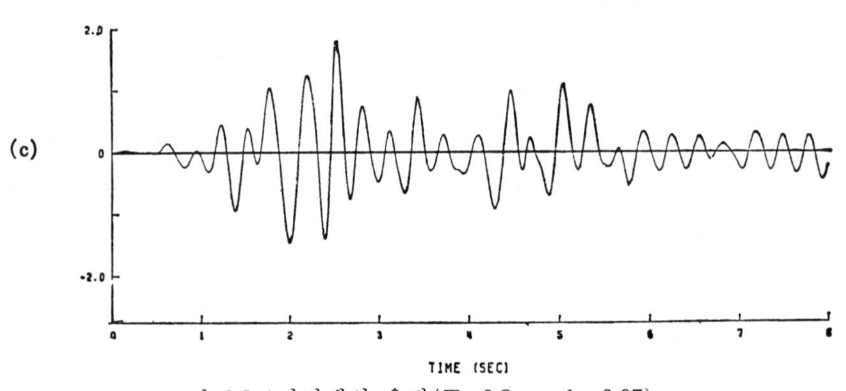

그림 8.8 1질점계의 응답(T=0.3sec, h=0.05)

하였다.

8.8 지진응답 스펙트럼

(8.42)식에서 설명한 바와같이, 구조물의 응답 $x(t)$, $\dot{x}(t)$, $\ddot{x}(t)+\ddot{y}(t)$ 등은, t, w(또는 T), h의 함수로서 시간 t에 따라 변한다. 구조물을 설계하는 입장에서는 응답의 시간적 변화 양상보다는 가속도응답과 속도응답이 최대로 어떠한 값이 될 것인지, 또는 최대의 변위응답은 어느 정도인지, 라는 응답의 최대치를 오히려 알고 싶어 한다. 지금 지진중에, 1자유도계가 받는 최대상대변위, 최대상대속도, 최대절대가속도를 각각 S_d, S_v, S_a라하면 (8.42)식으로 부터

$$\left.\begin{aligned} S_d &= \frac{1}{\omega_d}\left|\int_0^t \ddot{y}(\tau)e^{-h\omega(t-\tau)}\sin\omega_d(t-\tau)d\tau\right|_{max} \\ S_v &= \left|\int_0^t \ddot{y}(\tau)e^{-h\omega(t-\tau)}\left[\cos\omega_d(t-\tau)-\frac{h}{\sqrt{1-h^2}}\sin\omega_d(t-\tau)\right]d\tau\right|_{max} \\ S_a &= \omega_d\left|\int_0^t \ddot{y}(\tau)e^{-h\omega(t-\tau)}\left[\left(1-\frac{h^2}{1-h^2}\right)\sin\omega_d(t-\tau)\right.\right. \\ &\qquad \left.\left.+\frac{2h}{\sqrt{1-h^2}}\cos\omega_d(t-\tau)\right]d\tau\right|_{max} \end{aligned}\right\} \tag{8.60}$$

이 된다.

입력으로 지반진동가속도 이력 $\ddot{y}(t)$가 주어지면 이들은 h와 w의 함수, 또는 감쇠상수 h와 비감쇠고유주기 T의 함수 즉 $S_d(h,T)$, $S_v(h,T)$ 및 $S_a(h,T)$가 된다.

이러한 함수 $S_d(h,T)$, $S_v(h,T)$ 및 $S_a(h,T)$를 감쇠상수 h를 파라메타로하여 비감쇠 고유주기에 대해 그린 것을 각각, 상대변위응답 스펙트럼, 상대속도응답 스펙트럼 및 상대가속도응답 스펙트럼이라 하고, 이들을 총칭하여 지진응답 스펙트럼(earthquake response spectrum)이라 한다. 또는 간단히 변위응답 스펙트럼, 속도응답 스펙트럼, 가속도응답 스펙트럼이라고도하며, 총칭하여 간단히 응답 스펙트럼(response spectrum)이라고도 한다.

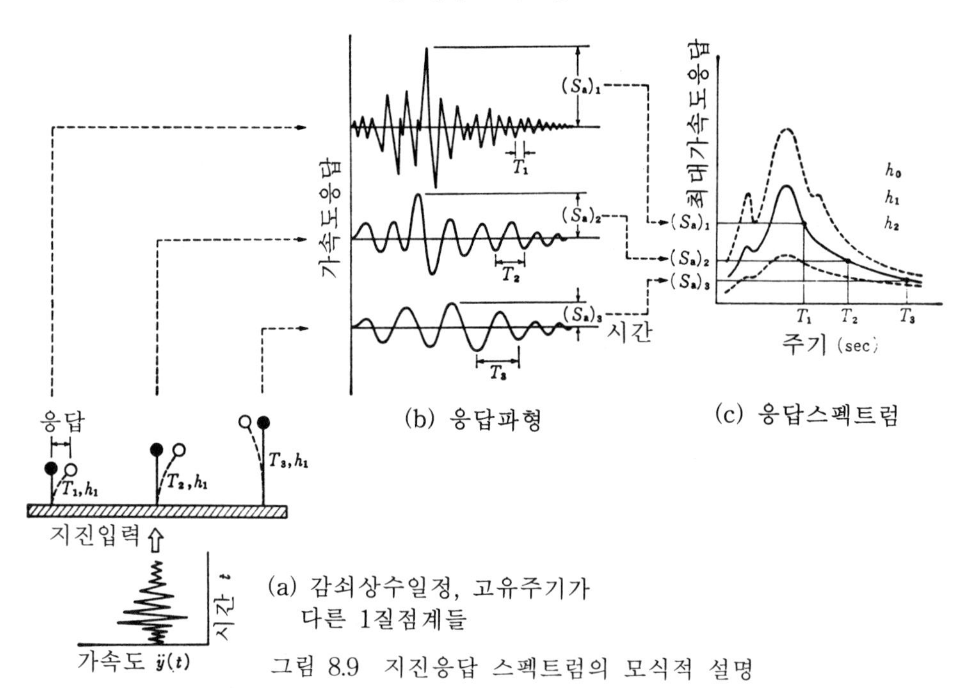

(a) 감쇠상수일정, 고유주기가 다른 1질점계들

(b) 응답파형

(c) 응답스펙트럼

그림 8.9 지진응답 스펙트럼의 모식적 설명

지진응답 스펙트럼의 개념을 도식적으로 설명하면 그림 8.9와 같다. 먼저 그림의 (a)와 같이 하나의 테이블위에 감쇠상수가 모두 h_1으로 일정하고, 고유주기 T가 다른 진자 즉 1질점계를 설치한다. 그림에는 비교적 주기가 짧은 T_1, 중간의 주기 T_2, 긴 주기 T_3를 갖는 3개가 표시되어 있다. 다음에 이 테이블을 어느 지진 가속도로 흔들어 보자. 즉 이들 질점계에 지진가속도를 입력으로 작용시킨다.

그러면 각 질점계는 이와같은 테이블의 움직임에 따라 흔들린다. 즉 입력가속도에 대한 응답을 표시한다. 이제 어떤 방법으로, 각 질점의 응답가속도를 측정하였다면, 그림 8.9(b)에 표시한 응답가속도파형이 기록된다. 당연히 고유주기가 짧은 진자는 빨리 흔들리고, 긴 주기의 진자는 천천히 진동하는 파형을 표시한다. 파형의 진폭이 없어지는 길이는 입력가속도의 파형에 의해 지배되지만, 주기는 입력에는 거의 관계없이, 진자 각각의 고유주기에 거의 가깝다. 앞에 표시한 그림 8.8(a)는 이와같은 응답가속도 파형의 일례이다.

다음에 이러한 파형으로부터, 진폭이 최대인 것을 찾아서, 이 값을 그림에 표시한 바와같이, 각각 $(S_a)_1$, $(S_a)_2$, $(S_a)_3$으로 한다. 그리고 그림 (c)의 주기를 표시하는 횡축상의 주기 T_1, T_2, T_3에서 $(S_a)_1$, $(S_a)_2$, $(S_a)_3$와 같은 높이의 점을 구하면, 그림에서 점으로 표시한 3점이 구해진다.

지금은 주기가 다른 3개의 진자에 대해 설명하였지만, 만약 최초의 그림(a)의 테이블 위에 주기가 약간씩 다른 아주 많은 수의 1질점계를 나열하였다면, 그림 (c)에서는 최대가속도 응답의 점들을 연결하는 실선의 곡선을 얻을 수 있을 것이다. 더우기 지금은 질점계의 감쇠상수는 모두 h_1이었지만, 이 값을 변화시켜 같은 실험을 반복하면, 각각의 감쇠상수에 따라 그림 (c)에 점선으로 표시한 곡선이 얻어진다.

그림 (c)에 표시한 곡선 또는 곡선들은 최초에 입력으로 준 지진가속도 **응답 스펙트럼**이고, 지금의 경우는 질점계의 질점에 작용하는 가속도를 측정하였으므로 가속도응답 스펙트럼이 그려져 있다. 질점의 속도·변위를 측정하면, 같은 요령에 의해 각각 속도응답 스펙트럼, 변위응답 스펙트럼이 구해진다. 감쇠상수가 작을수록 응답치는 커진다는 것은 말할 것도 없다.

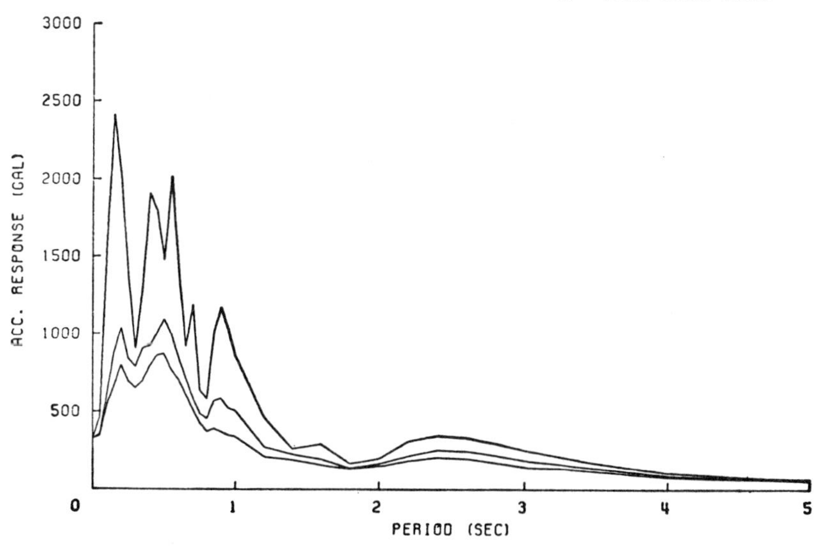

그림 8.10 El Centro 지진파의 가속도 응답스펙트럼

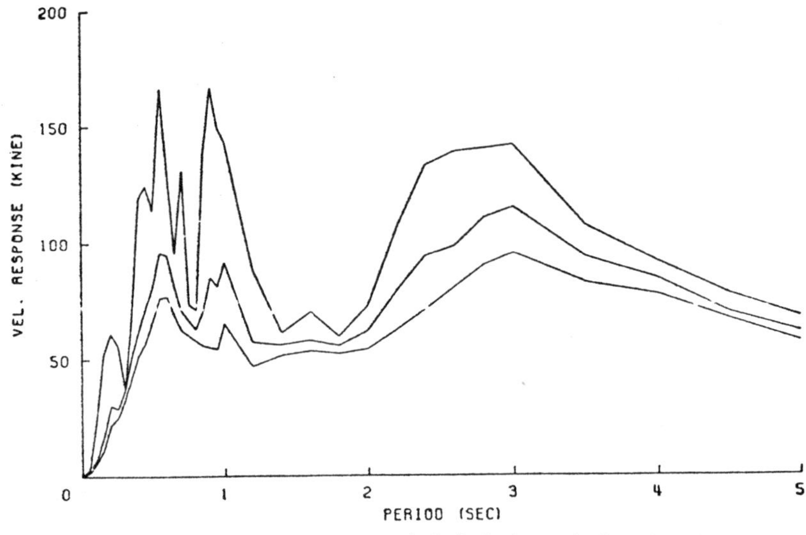

그림 8.11 El Centro 지진파의 속도 응답스펙트럼

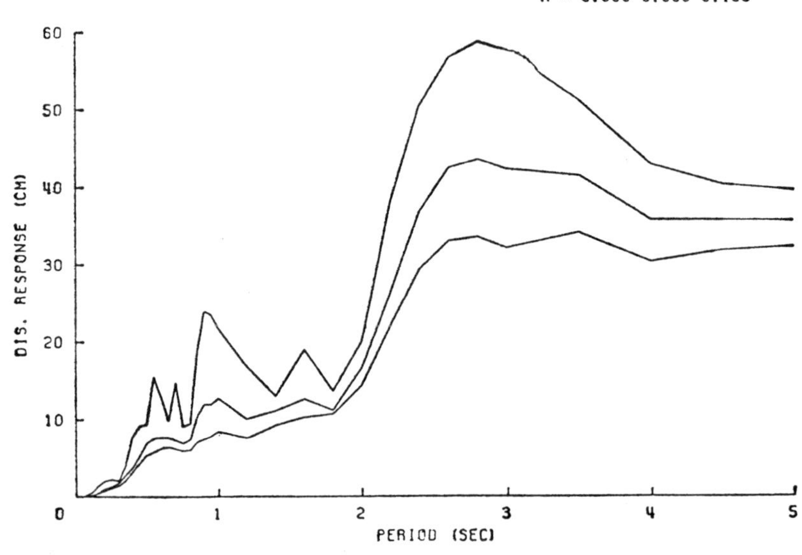

그림 8.12 El Centro 지진파의 변위 응답스펙트럼

그림 8.10, 8.11, 8.12에 El Centro 지진파의 가속도응답 스펙트럼, 속도 응답 스펙트럼 및 변위응답 스펙트럼을 표시하였다. 감쇠상수로서 h=0,

표 8.2 응답계산 주기(단위 sec)

0.00	0.05	0.10	0.15	0.20	0.25	0.30
0.35	0.40	0.45	0.50	0.55	0.60	0.65
0.70	0.75	0.80	0.85	0.90	0.95	1.00
1.20	1.40	1.60	1.80	2.00	2.20	2.40
2.60	2.80	3.00	3.50	4.00	4.50	5.00

0.05, 0.10의 3개의 값을 사용하였고, 또한 각각의 그림에는 El Centro 지진파 자체의 최대가속도, 최대속도, 최대변위의 값도 기입되어 있다. 그리고 모든 그림의 곡선은 표 8.2의 주기에 대한 최대응답량을 구하고, 이들 사이를 직선으로 연결한 것이다.

통상의 구조물에서는 감쇠상수 h는 1에 비해 작은 값이다. 따라서 근사적으로

$$\sqrt{1-h^2} \fallingdotseq 1$$

이고 (8.24)식에 의하면

$$\omega_d \fallingdotseq \omega$$

이다. 더욱이, 1과 비교하여 h의 차수까지 무시하면 (8.60)식은

$$\left.\begin{aligned} S_d &= \frac{1}{\omega}\left|\int_0^t \ddot{y}(\tau)e^{-h\omega(t-\tau)}\sin\omega(t-\tau)d\tau\right|_{max} \\ S_v &= \left|\int_0^t \ddot{y}(\tau)e^{-h\omega(t-\tau)}\cos\omega(t-\tau)d\tau\right|_{max} \\ S_a &= \omega\left|\int_0^t \ddot{y}(\tau)e^{-h\omega(t-\tau)}\sin\omega(t-\tau)d\tau\right|_{max} \end{aligned}\right\} \tag{8.61}$$

이 된다. 그리고 지금은 최대치만을 문제로 하고 있으므로 윗식에서 sin과 cos을 동일시 하면, S_d, S_v, S_a 사이에는 근사적으로 다음과 같은 간단한 관계가 성립한다.

$$\left.\begin{aligned} S_d &\fallingdotseq \frac{1}{\omega}S_v = \frac{T}{2\pi}S_v \\ S_v &= S_v \\ S_a &\fallingdotseq \omega S_v = \frac{2\pi}{T}S_v \end{aligned}\right\} \tag{8.62}$$

그림 8.11에 표시한 El Centro 지진파의 속도응답 스펙트럼에는 주기 0.5~1sec 사이와 3sec 부근에 큰 산이 있다. 대부분 지진파의 속도 스펙트럼을 보면 평균적으로 그림 8.13에 표시한 바와같이, 매우 짧은 주기

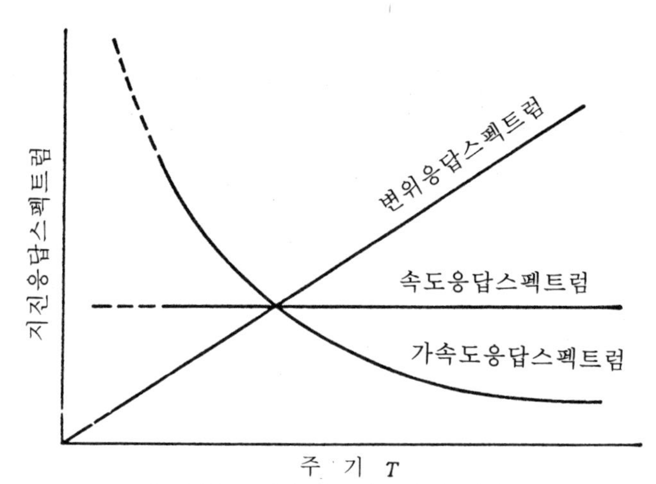

그림 8.13 지진응답스펙트럼의 개략적인 형

성분을 제외하면 횡축의 주기축에 평행한 직선이 된다. 즉

$$S_v \fallingdotseq \text{const.}$$

따라서 (8.62)식에 의하면, 그림 8.13에 표시한 바와같이 가속도응답 스펙트럼 및 변위응답 스펙트럼의 개략적인 형은 각각 쌍곡선과 원점을 통과하는 우상(右上)의 직선이 된다.

속도 스펙트럼 S_v를 먼저 계산하고, 이로부터 (8.62)식의 관계를 이용하여 근사적으로 구한 S_a, S_d를 각각 의사가속도응답 스펙트럼, 의사변위응답 스펙트럼이라고 부른다.

(8.42)식과 (8.60)식에 의하면

$$\left.\begin{aligned} S_d &= x_{max} \\ S_a &= (\ddot{x}+\ddot{y})_{max} \end{aligned}\right\} \tag{8.63}$$

이므로 (8.62)식에 의하면

$$\frac{(\ddot{x}+\ddot{y})_{max}}{x_{max}} = \omega^2 = \left(\frac{2\pi}{T}\right)^2 \tag{8.64}$$

이 된다.

(8.62)식의 관계를 이용하여, 속도응답 스펙트럼 S_v를, 가속도응답 스펙트럼 S_a 또는 변위응답 스펙트럼 S_d와 동시에 읽을 수 있는 노모그램적인 표현법이 있다. 이와같은 그림을 3중응답 스펙트럼 또는 Tripartite 응답 스펙트럼이라 한다. 그림 8.14에 El Centro 지진파의 3중 응답스펙트

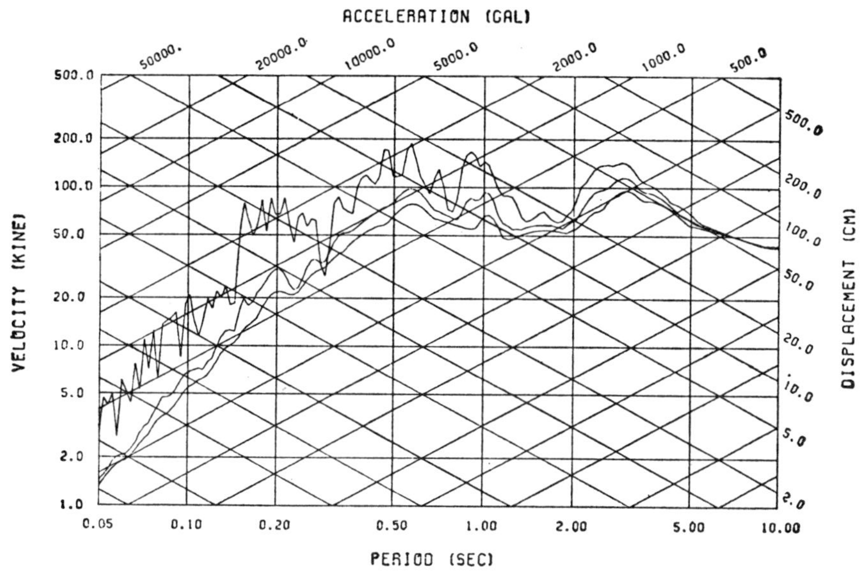

그림 8.14 El Centro 지진파의 3중 응답스펙트럼

럼을 표시하였다.

8.9 규준화응답 스펙트럼

그림 8.15(a)와 같이 질량 m, 스프링 상수 k, 감쇠상수 h, 고유주기 T (또는 고유원 진동수 w)의 1질점계에 지반 진동가속도 $\ddot{y}(t)$가 작용한다고 하자. 질점의 지면에 대한 상대변위를 $x(t)$라 하면 질점에 작용하는 절대가속도는 $\ddot{x}(t)+\ddot{y}(t)$이다.

이제 다음식과 같이 질점에 작용하는 절대 가속도의 최대치, 즉 최대가속도응답과 지반가속도의 최대치의 비를 $\bar{q}_a$라는 무차원양으로 정의한다.

$$\bar{q}_a=\frac{(\ddot{x}+\ddot{y})_{max}}{\ddot{y}_{max}} \tag{8.65}$$

$\bar{q}_a$는 지반진동에 대한 일종의 가속도응답 배율이다.

(8.64)식으로부터

$$(\ddot{x}+\ddot{y})_{max}=\omega^2\cdot x_{max}$$

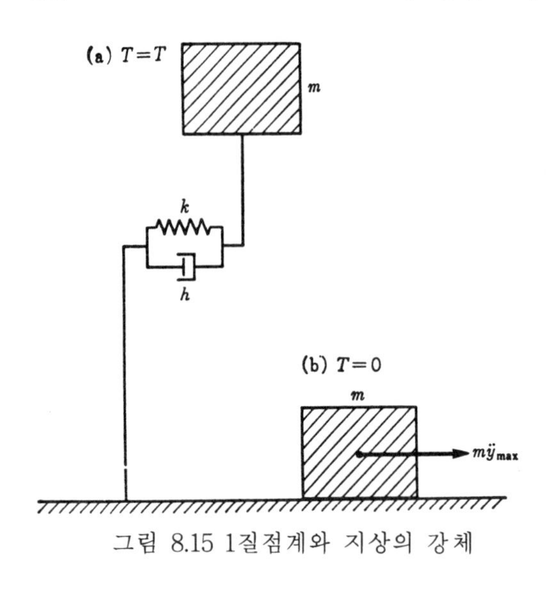

그림 8.15 1질점계와 지상의 강체

이고, (8.6)식에 의하면

$$\omega^2=\frac{k}{m}$$

이므로

$$(\ddot{x}+\ddot{y})_{max}=\frac{k\cdot x_{max}}{m} \tag{8.66}$$

따라서 (8.65)식은

$$\bar{q}_a=\frac{k\cdot x_{max}}{m\ddot{y}_{max}} \tag{8.67}$$

이 된다. 이식의 분자는 스프링상수와 질점의 최대변위의 곱이므로 그림 8.15(a)에 표시한 질점계에 작용하는 최대전단력이 된다.

그리고 (8.67)식의 분모는, 그림 8.15(b)와 같이, 질점 m의 강체가 지상에 밀착되어 설치된 경우 이 강체에 작용하는 최대관성력이다. 따라서 $\bar{q}_a$는 1질점계에 작용하는 최대전단력과, 동일 질량의 강체가 지상에 설치된 경우, 이것에 작용하는 최대 힘과의 비를 나타낸다. 그런데 1질점계의 스프링을 극단적으로 단단히 한 극한 상태가 강체이므로 강체의 고유주기는 $T=0$이 된다.

(8.63)식에 의하면 $\bar{q}_a$는 또한

$$\bar{q}_a=\frac{S_a}{\ddot{y}_{max}} \tag{8.68}$$

이 된다. 앞에서도 언급한 바와같이 S_a는 질점계의 감쇠상수 h와 비감쇠 고유주기 T의 함수이므로 $\bar{q}_a$도 h와 T의 함수 즉 $\bar{q}_a(h, T)$가 된다.

여기서 앞의 응답스펙트럼의 경우와 같이, $\bar{q}_a(h, T)$를 감쇠상수 h를 파라메타로 하여 고유주기에 대해 그린 것을 **규준화 가속도응답 스펙트럼**이라 한다. 그림 8.16에 El Centro 지진파의 규준화 가속도응답 스펙트럼을 표시하였다. 앞의 그림 8.10등과 같이 위의 곡선으로부터 순차적으로 h=0, 0.05, 0.10에 대한 스펙트럼이다.

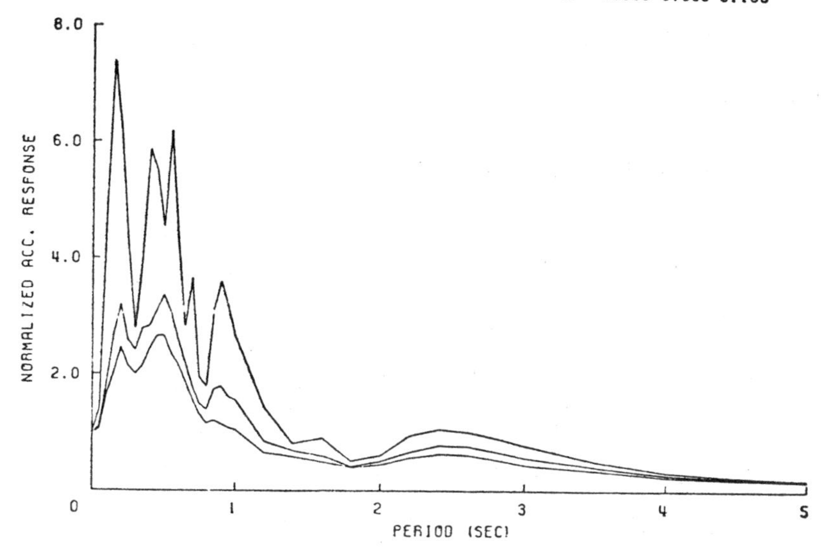

그림 8.16 El Centro 지진파의 규준화 가속도 응답스펙트럼

$T=0$은 강체의 고유주기이므로 분명히

$$\bar{q}_a(h,0)=1$$

이 된다. 따라서 지진파의 종류에 관계없이, 또한 감쇠상수가 어떠한 값이어도 규준화 가속도응답 스펙트럼은 종축의 값이 1인 점에서 시작한다. (8.65)식 또는 (8.68)식과 같이

$$\left.\begin{aligned}\bar{q}_v(h,T)&=\frac{\dot{x}_{\max}}{\dot{y}_{\max}}=\frac{S_v}{\dot{y}_{\max}}\\ \bar{q}_d(h,T)&=\frac{x_{\max}}{y_{\max}}=\frac{S_d}{y_{\max}}\end{aligned}\right\}\qquad(8.69)$$

를 정의하여, 각각 **규준화 속도응답 스펙트럼**, **규준화 변위응답 스펙트럼**이라하고, 앞의 규준화 가속도응답 스펙트럼과 함께 이들을 총칭하여 **규준화 응답 스펙트럼**(normalized response spectrum)이라 한다. 일반적으로 규준화란, 임의 변량을 같은 변량의 일정치로 나누어 무차원양으로 표시한 것을 말한다. (8.65)식 및 (8.69)식에 표시한 바와같이 규준화 응답 스펙트럼이란, 응답 스펙트럼을 각각 지반운동의 최대치로 나누어 규

준화한 것이다. 따라서 그림 8.10과 8.16을 비교하면 알 수 있듯이 양자는 종축의 값이 다를뿐 곡선의 형은 같다. 규준화한 응답스펙트럼은, 가속도의 값이 다른 둘 이상의 지진파의 응답특성만을 비교하는 경우에 자주 이용된다.

8.10 응답 스펙트럼의 의의

(1) 기록을 보는 것만으로는 분명하지 않은 지진파의 여러가지 특성, 특히 구조물에 미치는 영향을 명확히 알 수 있다. 앞의 Fourier 스펙트럼은 지진파 자체의 주파수 특성을 나타내는 것이고, 여기에는 구조물의 개념은 전혀 포함되지 않았다. 이에 반해, 응답 스펙트럼은 지진파가 1질점계로 표시되는 구조물에 미치는 최대의 영향을 나타내는 것이다. 따라서 Fourier 스펙트럼 보다 훨씬 공학적이라고 할 수 있다.

예를 들어 그림 8.10의 가속도 응답 스펙트럼을 보면, El Centro 지진파는 고유주기가 0.2~0.5sec 또는 고유주기 2.4sec 부근의 구조물에 대해서는 큰 영향을 주지만, 고유주기가 1.8sec 부근이면 구조물에 주는 영향은 그다지 크지 않음을 알 수 있다.

(2) 가속도 응답 스펙트럼은, 구조물에 작용하는 힘 즉 지반으로 부터 구조물에 주는 지진입력을 나타낸다. 구조물의 고유주기와 감쇠상수에 따라 가속도 응답 스펙트럼으로부터 읽은 응답치 $(\ddot{x}+\ddot{y})_{max}$이, 구조물에 작용하는 최대 절대 가속도이고, 이것에 구조물의 질량 m을 곱한 것이, 지진시 구조물에 생기는 최대전단력 Q_{max}, 즉

$$Q_{max}=m(\ddot{x}+\ddot{y})_{max} \tag{8.70}$$

이 된다. 이 최대전단력과 구조물의 중량 $W=mg$의 비

$$C=\frac{Q_{max}}{W}=\frac{(\ddot{x}+\ddot{y})_{max}}{g}=\frac{S_a(h,T)}{g} \tag{8.71}$$

을 지반전단계수(base shear coefficient)라 한다. 이것은 구조물에 작용하는 지지력과 중량의 비, 즉 통상의 정적 내진설계에서 $k \fallingdotseq 0.2$로 한 정적 진도 k에 대응하는 것으로 **동적진도**라고 부르는 경우도 있다.

El Centro 지진파의 최대가속도는, 지금까지 여러차례 언급된 바와 같

이 실제로는 326gal이지만, 지금 가상적으로 이것을 0.2g라 두고, 고유주기 0.4sec, 감쇠상수 0.05의 구조물 및 고유주기 4.0sec, 감쇠상수 0.02의 구조물에 대해 (8.71)식으로부터 지반전단계수를 구해보자. 이러한 구조물은 개략적으로 각각 저층의 철근콘크리트 구조 및 고층의 철골건축물에 해당된다. 결과는 표 8.3과 같다.

표 8.3 지반전단계수 예

구 조 물		지반전단계수
고유주기(sec)	감쇠상수	
0.4	0.05	0.578
4.0	0.02	0.062

표 8.3으로 부터 알 수 있는바와 같이, 같은 지진을 받아도, 받는 측의 건물의 고유주기와 감쇠상수, 즉 구조물 자체의 특성에 따라 입력의 크기는 현저히 달라진다. 이러한 사실은, 일률적인 진도를 가정하는 정적내진설계의 모순을 말해준다. 특히 단주기 구조물의 지반전단계수는 0.2에 비해 상당히 크다. 역으로 장주기의 경우 지진입력이 작은데, 이것이 초고층 건물의 내진설계를 가능하게 하는 것이다.

(3) 속도 응답 스펙트럼은 지반진동이 구조물에 미치는 최대 에너지를 표시한다. 즉 구조물의 스프링상수를 k, 최대변위를 x_{max}이라하면

최대변형율에너지 $\frac{1}{2}kx^2_{max}$

단위질량당 최대에너지 $\frac{1}{2}\cdot\frac{k}{m}x^2_{max}$

$$=\frac{1}{2}(\omega x_{max})^2$$

$$=\frac{1}{2}S_v^2$$

따라서 속도 응답 스펙트럼은 일종의 파워 스펙트럼이라고 해석할 수도 있다. 단, 예를들면 그림 5.1에 표시한 원래의 파워 스펙트럼의 횡축은 진동의 각 성분파의 진동수 또는 주기였다. 이에 반해 속도 응답 스펙트럼의 횡축은 진동을 받는 구조물의 주기로서, 의미가 다른 것에 주의해야 한다.

구조물과 그 부재의 주기에는 여러가지가 있고 또한 국부적인 파괴가

일어나면 이들의 고유주기는 변한다. 그러나 어느 정도 강성이 높은 구조물에서는, 주요한 부재는 대략 0.1sec~2.5sec 사이에 있으므로 이들 사이의 에너지의 총합을 표시하는 적분치

$$I_h=\int_{0.1}^{2.5} S_v(h, T)\mathrm{d}T \tag{8.72}$$

를 이용하여, 지진의 파괴력을 표시하는 하나의 지표로 되는 것을 G.W. Housner가 제시하였다. (8.72)식의 I_h는 **스펙트럼 강도**(spectral inensity) 라고 부르고, 그림 8.17의 속도 응답 스펙트럼에서 빗금친 부분의 면적에 해당한다.

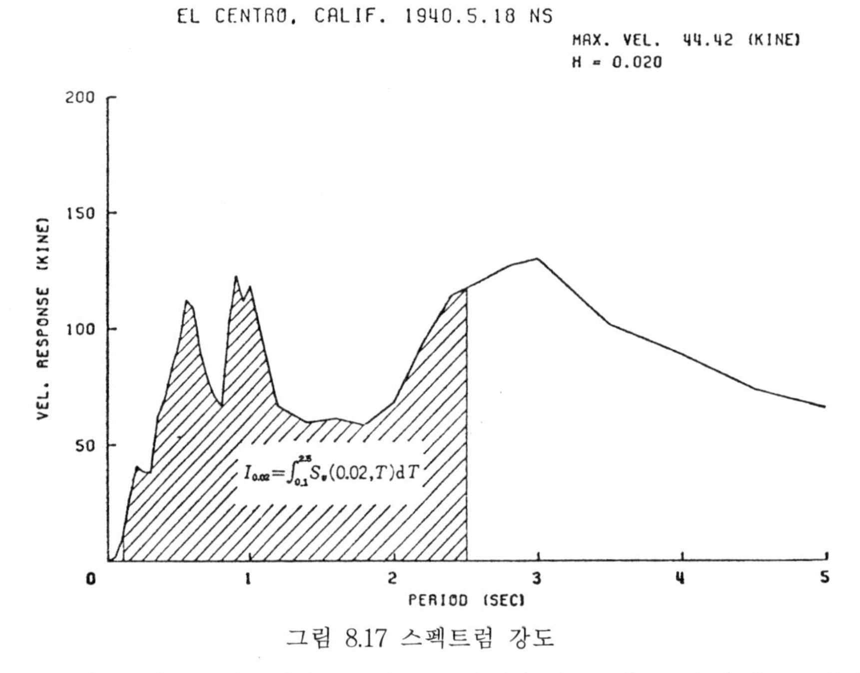

그림 8.17 스펙트럼 강도

(4) 변위 응답 스펙트럼은 변위 즉 변형율의 크기를 나타내고, 따라서 구조물내에 생기는 응력과 관계가 있다. 고유주기와 감쇠상수에 따라, 변위 응답 스펙트럼으로 부터 읽어 들이는 값은 최대의 변위 x_{max}이고, 이것에 스프링상수 k를 곱하면 최대전단력

$$Q_{max}=kx_{max} \tag{8.73}$$

이 얻어진다. 당연히 (8.66)식의 관계를 이용하면 (8.73)식은 (8.70)식과

같게 된다.

(5) 응답 스펙트럼은 원래 간단한 1질점계에 관한 개념이다. 그러나 복잡한 다질점계 구조물의 진동도 이것을 간단한 1질점계의 진동성분 - 모드(mode)라고 한다 - 으로 분해하여, 응답 스펙트럼에 의해 각각의 성분의 응답을 구하고 이들을 다시 합성하면 복잡한 모델의 응답을 구할 수 있다. 여기서는 상세히 설명하지 않지만, 이와같은 해석법을 모드해석(modal analysis)라하고 구조물의 동적설계에 널리 이용되는 방법이다.

8.11 응답 스펙트럼과 Fourier 스펙트럼의 관계

(8.42)식에 표시한 바와같이 1질점계의 변위응답 및 속도응답은

$$\left.\begin{aligned} x(t)&=-\frac{1}{\omega_d}\int_0^t \ddot{y}(\tau)e^{-h\omega(t-\tau)}\sin\omega_d(t-\tau)d\tau \\ \dot{x}(t)&=-\int_0^t \ddot{y}(\tau)e^{-h\omega(t-\tau)}\left[\cos\omega_d(t-\tau)-\frac{h}{\sqrt{1-h^2}}\sin\omega_d(t-\tau)\right]d\tau \end{aligned}\right\}$$

이었다. 지금 감쇠가 없다면 $h=0$이고 절대치를 취하면

$$\left.\begin{aligned} x(t)&=\frac{1}{\omega}\int_0^t \ddot{y}(\tau)\sin\omega(t-\tau)d\tau \\ \dot{x}(t)&=\int_0^t \ddot{y}(\tau)\cos\omega(t-\tau)d\tau \end{aligned}\right\} \quad (8.74)$$

이 된다. 윗식의 속도응답은

$$\begin{aligned} \dot{x}(t)&=\cos\omega t\int_0^t \ddot{y}(\tau)\cos\omega\tau d\tau+\sin\omega t\int_0^t \ddot{y}(\tau)\sin\omega\tau d\tau \\ &=\sqrt{\left[\int_0^t \ddot{y}(\tau)\cos\omega\tau d\tau\right]^2+\left[\int_0^t \ddot{y}(\tau)\sin\omega\tau d\tau\right]^2}\cos(\omega t+\phi) \end{aligned} \quad (8.75)$$

$$\phi=-\tan^{-1}\frac{\int_0^t \ddot{y}(\tau)\sin\omega\tau d\tau}{\int_0^t \ddot{y}(\tau)\cos\omega\tau d\tau}$$

이 되고 (8.75)식의 최대치 즉

$$S_{v,h=0}=\left|\sqrt{\left[\int_0^t \ddot{y}(\tau)\cos\omega\tau d\tau\right]^2+\left[\int_0^t \ddot{y}(\tau)\sin\omega\tau d\tau\right]^2}\cos(\omega t+\phi)\right|_{max} \quad (8.76)$$

은 감쇠 $h=0$인 경우의 속도 응답 스펙트럼이다.

한편 지진의 지속시간을 $t=0$에서 $t=T$까지라 하면, 지진파 $\ddot{y}(t)$의 Fourier 변환은 (4.92)에 표시한 것과 같이

$$F(\omega)=\int_0^T \ddot{y}(\tau)e^{-i\omega\tau}d\tau=\int_0^T \ddot{y}(\tau)\cos\omega\tau d\tau-i\int_0^T \ddot{y}(\tau)\sin\omega\tau d\tau$$

이 된다. 따라서 Fourier 진폭 스펙트럼은

$$|F(\omega)|=\sqrt{\left[\int_0^T \ddot{y}(\tau)\cos\omega\tau d\tau\right]^2+\left[\int_0^T \ddot{y}(\tau)\sin\omega\tau d\tau\right]^2} \qquad (8.77)$$

으로 표시된다.

응답 스펙트럼과 Fourier 스펙트럼 즉 (8.76)식과 (8.77)식을 비교해 보아도 양자의 대소관계는 일률적으로 말할 수 없다.

w는 원진동수이므로, $2\pi/w$는 항상 주기를 나타낸다. 단 앞에서도 언급한 바와같이 (8.76)식의 응답 스펙트럼의 경우 $2\pi/w$는 지반진동을 받는 1질점계의 주기이고, (8.77)식의 Fourier 스펙트럼의 경우의 $2\pi/w$는 지반진동의 각 성분파의 주기이다. 그러나 지금은 이와같은 의미의 차이는 무시하고, 속도 응답 스펙트럼과 Fourier 스펙트럼을 모두 주기에 대해 중첩하여 그리면 대부분의 지진파의 경우, 속도 응답 스펙트럼이 Fourier 스펙트럼보다 크다. 그림 8.18은 일례로서 El Centro 지진파에 대해 이와같은 비교를 한 것이다.

지반진동이 종료되어도 구조물은 계속 진동한다. 이와같이 지반진동 종료후에 남아 있는 진동을 **잔류진동**(residual vibration)이라하고, 잔류진동의 응답 스펙트럼을 **잔류 스펙트럼**(residual spectrum)이라 한다. 지반진동이 끝난 후에는 당연히 지반은 정지하고 있으므로 잔류진동은 자유진동이 되고 비감쇠 즉 $h=0$이면, 운동방정식은

$$\ddot{x}+\omega^2 x=0$$

이 된다. 이 방정식의 해는 의미 (8.8)식 및 (8.9)식에서 구한 바와같이

$$x(t)=A\cos\omega t+B\sin\omega t$$

$$\dot{x}(t)=-A\omega\sin\omega t+B\omega\cos\omega t$$

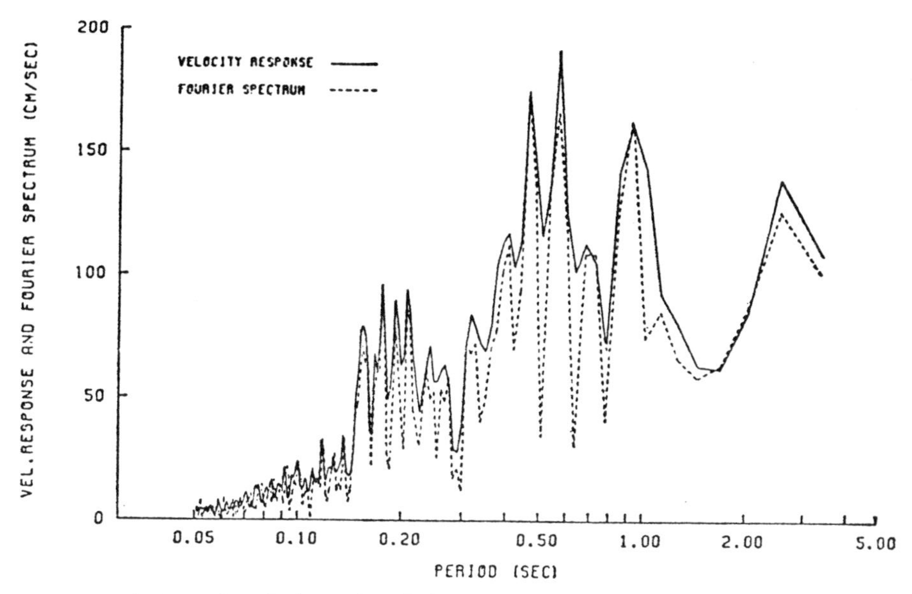

그림 8.18 속도응답 스펙트럼과 Fourier 스펙트럼(El Centro 지진파)

이다. 잔류진동이 시작하는 시간을 $t=0$이라하고, 초기변위를 x_0, 초기속도를 $\dot{x}_0$라 하면 이것도 이미 (8.10)식, (8.11)식에서 구한 바와같이

$$\left.\begin{aligned} A&=x_0 \\ B&=\frac{\dot{x}_0}{\omega} \end{aligned}\right\}$$

$$\left.\begin{aligned} \therefore\ \dot{x}(t)&=\sqrt{(x_0\omega)^2+\dot{x}_0^{\,2}}\cos(\omega t+\phi) \\ \phi&=\tan^{-1}\left(\frac{x_0\omega}{\dot{x}_0}\right) \end{aligned}\right\} \tag{8.78}$$

이 된다. 지반진동이 작용하는 동안의 변위, 속도는 (8.74)식으로 표시되지만, 지반진동 완료시점이 잔류진동의 시작점이므로, 잔류진동의 초기변위 및 속도는 (8.74)식에서 $t=T$ 일때의 값, 즉

$$\left.\begin{aligned} x_0\omega&=\int_0^T \ddot{y}(\tau)\sin\omega(T-\tau)d\tau \\ &=\sin\omega T\int_0^T \ddot{y}(\tau)\cos\omega\tau d\tau+\cos\omega T\int_0^T \ddot{y}(\tau)\sin\omega\tau d\tau \\ \dot{x}_0&=\int_0^T \ddot{y}(\tau)\cos\omega(T-\tau)d\tau \end{aligned}\right\} \tag{8.79}$$

$$=\cos\omega T\int_0^T \ddot{y}(\tau)\cos\omega\tau d\tau-\sin\omega T\int_0^T \ddot{y}(\tau)\sin\omega\tau d\tau \quad \Big\}$$

이 된다. (8.79)식에서

$$\sqrt{(x_0\omega)^2+\dot{x}_0^{\,2}}=\sqrt{\left[\int_0^T \ddot{y}(\tau)\cos\omega\tau d\tau\right]^2+\left[\int_0^T \ddot{y}(\tau)\sin\omega\tau d\tau\right]^2} \qquad (8.80)$$

이 된다. (8.78)식에 의하면 (8.80)식이 잔류진동의 속도진폭이고, 지금은 감쇠를 h=0라 가정하였으므로, 잔류진동은 이러한 진폭을 갖고 무한히 반복적인 단현(單弦)진동을 한다. 따라서 (8.80)식이 잔류진동의 속도 응답 스펙트럼이 된다.

(8.80)식과 Fourier 스펙트럼의 식 (8.77)식을 비교하면 양자는 같다. 따라서 지반진동의 Fourier 스펙트럼은 비감쇠 1질점계의 지반진동에 대한 잔류속도 스펙트럼과 같다는 것을 알 수 있다.

9. 응답 스펙트럼을 구하는 프로그램

9.1 계산 프로그램

이 프로그램 RESS(Response Spectra)는, 가속도 시간이력의 절대가속도 응답 스펙트럼, 상대속도 응답 스펙트럼 및 상대변위 응답 스펙트럼을 주어진 감쇠상수에 대하여 계산하는 프로그램이다. 입력으로 주어진 가속도 시간이력의 최대가속도, 최대속도 및 최대변위도 동시에 계산한다.

프로그램의 전반부 **MAXIMA OF INPUT**에서는, 입력가속도 및 이것을 적분한 속도, 변위의 최대치를 구한다. 계산방법은, 먼저 (8.55)식에 의해 적분의 초기치를 준 후, 선형가속도법에 의한 (8.54)식을 이용하여 적분을 실시하고, 순차로 최대치를 찾는다. 결과는 가속도·속도·변위 각각의 최대치를 배열 **EQMAX**(3)에 저장한다.

프로그램의 후반부 **RESPONSES**에서는, 주어진 주기 및 감쇠상수에 대해 1자유도계의 최대응답치를 구하는 서브루틴 **RESP**를 부르고, 결과를 배열 **RES**에 저장한다. 3차원 배열 **RES**의 제1첨자는 주기, 제2첨자는 감쇠상수의 값에 대응하고, 제3첨자는

제3첨자　1 : 절대가속도응답
　　　　　2 : 상대속도응답
　　　　　3 : 상대변위응답

을 나타낸다. 즉 예를들면 **RES**(17, 3, 2)에는 배열 **T**의 17번째의 주기, 배열 **H**의 3번째에 있는 감쇠상수에 대한 상대속도 응답의 값이 저장되어 있다.

이 프로그램의 사용예는 감쇠상수 h=0.02의 경우, 규준화 가속도, 속도 및 변위 스펙트럼을 라인프린트로 인쇄하는 주프로그램이다. 입력지

진파 데이타의 카드 편성은 앞에서 표시한 그림 2.9와 같고, 스펙트럼의 값은 표 8.2에 표시한 35개의 주기에 대해 계산한다. 사용례 중에 이용되는 서브루틴 **REPR**에 대해서는 다음 절에서 설명한다.

RESS (응답 스펙트럼의 계산)

목 적

주어진 감쇠상수에 대해 가속도 시간이력의 절대 가속도 응답 스펙트럼, 상대속도 응답 스펙트럼 및 상대변위 응답 스펙트럼을 계산한다. 입력시간이력의 최대가속도, 최대속도 및 최대변위도 동시에 계산한다.

사용법

(1) 접속방법

CALL RESS (NH, H, ND1, NT, T, ND 2, DT, NN, DDY, ND 3, RES, EQMAX)

인 수	형	부프로그램을 부르는 경우의 내용	부프로그램으로부터 읽어들이는 내용
NH	I	감쇠상수의 총수	좌 동
H	R 1차원배열(ND1)	감쇠상수의 값(무차원 소수)	좌 동
ND1	I	주프로그램에서 H의 차원	좌 동
NT	I	응답을 계산하는 주기의 수	좌 동
T	R 1차원배열(ND2)	응답을 계산하는 주기 (단위 sec)	좌 동
ND2	I	주프로그램에서 T의 차원	좌 동
DT	R	가속도이력의 시간간격 (단위 sec)	좌 동
NN	I	가속도이력의 데이타총수	좌 동
DDY	R 1차원배열(ND3)	가속도이력(단위 gal)	좌 동
ND3	I	주프로그램에서 DDY의 차원	좌 동

RES	R 3차원배열 (ND2, ND1, 3)	무엇이든 좋다	제3첨자=1:절대가속도응답 스펙트럼(단위gal) 제3첨자=2:상대속도응답 스펙트럼(단위 kine) 제3첨자=3:상대변위응답 스펙트럼(단위 cm)
EQMAX	R 1차원배열(3)	무엇이든 좋다	EQMAX(1) : 최대입력가속도 (단위 gal) EQAMX(2) : 최대입력속도 (단위 kine) EQAMX(3) : 최대입력변위 (단위 cm)

(2) 필요한 서브루틴 및 함수프로그램

RESP

프로그램 리스트

```
C  * * * * * * * * * * * * * * * * * * * * * * * * * * * * *              RESS   1
C     SUBROUTINE FOR COMPUTATION OF RESPONSE SPECTRA                        RESS   2
C  *.* * * * * * * * * * * * * * * * * * * * * * * * * * * *              RESS   3
C                                                                           RESS   4
C                                       CODED BY Y.OHSAKI                   RESS   5
C                                                                           RESS   6
C     PURPOSE                                                               RESS   7
C       TO COMPUTE ABSOLUTE ACCELERATION, RELATIVE VELOCITY AND             RESS   8
C       RELATIVE DISPLACEMENT RESPONSE SPECTRA OF ACCELEROGRAM              RESS   9
C       FOR SPECIFIED DAMPING FACTORS. MAXIMUM INPUT ACCELEPATION,          RESS  10
C       VELOCITY AND DISPLACEMENT ARE ALSO COMPUTED                         RESS  11
C                                                                           RESS  12
C     USAGE                                                                 RESS  13
C       CALL RESS(NH,H,ND1,NT,T,ND2,DT,NN,DDY,ND3,RES,EQMAX)                RESS  14
C                                                                           RESS  15
C     DESCRIPTION OF PARAMETERS                                             RESS  16
C       NH               - TOTAL NUMBER OF DAMPING FACTORS                  RESS  17
C       H(ND1)           - DAMPING FACTORS IN DECIMAL FRACTION              RESS  18
C       ND1              - DIMENSION OF H IN CALLING PROGRAM                RESS  19
C       NT               - TOTAL NUMBER OF PERIODS FOR WHICH RESPONSES      RESS  20
C                          ARE COMPUTED                                     RESS  21
C       T(ND2)           - PERIODS IN SEC FOR WHICH RESPONSES ARE           RESS  22
C                          COMPUTED                                         RESS  23
C       ND2              - DIMENSION OF T IN CALLING PROGRAM                RESS  24
C       DT               - TIME INCREMENT IN ACCELEROGRAM IN SEC            RESS  25
C       NN               - TOTAL NUMBER OF DATA IN ACCELEROGRAM             RESS  26
C       DDY(ND3)         - ACCELEROGRAM IN GALS                             RESS  27
C       ND3              - DIMENSION OF DDY IN CALLING PROGRAM              RESS  28
C       RES(ND2,ND1,3)   - FOR LAST SUBSCRIPT = 1,2,3, ABSOLUTE             RESS  29
C                          ACCELERATION, RELATIVE VELOCITY AND RELATIVE     RESS  30
C                          DISPLACEMENT RESPONSES, RESPECTIVELY             RESS  31
C       EQMAX(3)         - FOR SUBSCRIPT = 1,2,3, MAX. INPUT ACCELERATION,RESS  32
C                          VELOCITY AND DISPLACEMENT, RESPECTIVELY          RESS  33
C                                                                           RESS  34
C     SUBROUTINES AND FUNCTION SUBPROGRAMS REQUIRED                         RESS  35
C       RESP                                                                RESS  36
C                                                                           RESS  37
      SUBROUTINE RESS(NH,H,ND1,NT,T,ND2,DT,NN,DDY,ND3,RES,EQMAX)            RESS  38
C                                                                           RESS  39
      DIMENSION H(ND1),T(ND2),DDY(ND3),RES(ND2,ND1,3),EQMAX(3)              RESS  40
C                                                                           RESS  41
C     MAXIMA OF INPUT                                                       RESS  42
C                                                                           RESS  43
      DY=DDY(1)*DT                                                          RESS  44
      Y=0.0                                                                 RESS  45
```

```
      DDYMAX=ABS(DDY(1))                                                RESS 46
      DYMAX=ABS(DY)                                                     RESS 47
      YMAX=0.0                                                          RESS 48
      DO 110 M=2,NN                                                     RESS 49
      Y=Y+(DY+DDY(M-1)*DT/3.0+DDY(M)*DT/6.0)*DT                         RESS 50
      DY=DY+(DDY(M-1)+DDY(M))*DT/2.0                                    RESS 51
      DDYMAX=AMAX1(DDYMAX,ABS(DDY(M)))                                  RESS 52
      DYMAX=AMAX1(DYMAX,ABS(DY))                                        RESS 53
      YMAX=AMAX1(YMAX,ABS(Y))                                           RESS 54
  110 CONTINUE                                                          RESS 55
      EQMAX(1)=DDYMAX                                                   RESS 56
      EQMAX(2)=DYMAX                                                    RESS 57
      EQMAX(3)=YMAX                                                     RESS 58
C                                                                       RESS 59
C     RESPONSES                                                         RESS 60
C                                                                       RESS 61
      DO 130 L=1,NH                                                     RESS 62
      DO 120 K=1,NT                                                     RESS 63
      CALL RESP(H(L),T(K),DT,NN,DDY,ND3,DDYMAX,ACCMAX,VELMAX,DISMAX)    RESS 64
      RES(K,L,1)=ACCMAX                                                 RESS 65
      RES(K,L,2)=VELMAX                                                 RESS 66
      RES(K,L,3)=DISMAX                                                 RESS 67
  120 CONTINUE                                                          RESS 68
  130 CONTINUE                                                          RESS 69
      RETURN                                                            RESS 70
      END                                                               RESS 71
```

사용예

```
      DIMENSION H(1),T(35),NAME(12),FMT(5),DDY(800),RES(35,1,3),EQMAX(3)      1
      DATA      T/0.0,0.05,0.1,0.15,0.2,0.25,0.3,0.35,0.4,0.45,0.5,0.55,      2
     1          0.6,0.65,0.7,0.75,0.8,0.85,0.9,0.95,1.0,1.2,1.4,1.6,1.8,      3
     2          2.0,2.2,2.4,2.6,2.8,3.0,3.5,4.0,4.5,5.0/                      4
C                                                                             5
      READ(5,501) NAME,DT,NN,FMT                                              6
      READ(5,FMT) (DDY(M),M=1,NN)                                             7
      H(1)=0.02                                                               8
      CALL RESS(1,H,1,35,T,35,DT,NN,DDY,800,RES,EQMAX)                        9
      DO 120 IRES=1,3                                                        10
      DO 110 K=1,35                                                          11
      RES(K,1,IRES)=RES(K,1,IRES)/EQMAX(IRES)                                12
  110 CONTINUE                                                               13
  120 CONTINUE                                                               14
      CALL REPR(NAME,1,H,1,35,T,35,RES,EQMAX,111,1,0)                        15
C                                                                            16
  501 FORMAT(12A4//F7.0/I5/5A4)                                              17
      STOP                                                                   18
      END                                                                    19
```

다음 프로그램 **RESP**(Maximum **Resp**onses of One-Degree-of-Freedom System)는, 일정한 고유주기와 일정한 감쇠상수를 갖는 1질점계의 최대응답치를 구하는 프로그램이다. 응답 스펙트럼을 구하는 경우에는, 앞에서 언급한 바와같이, 이 서브루틴은 프로그램 **RESS**내에서 부른다.

계산방법은, 1질점계의 진동을 지배하는 미분방정식 (8.52)를, (8.59)식에 표시한 초기치를 이용하여 (8.58)식의 직접적분에 의해 응답의 최대치를 구하는 간단한 것이므로 특별한 설명이 필요없을 것이다.

사용예는, 프로그램 **RESS**와는 관계없이 이 프로그램을 독립적으로 사용하여 표 8.3의 지반 전단계수를 구하는 주프로그램이다.

RESP (1절점계의 최대응답)

목 적

고유주기와 감쇠상수가 일정한 1질점계에 주어진 가속도 시간이력으로부터 최대절대가속도응답, 최대상대속도응답 및 최대상대변위응답을 선형가속도법에 의해 계산한다.

사용법

(1) 접속방법

CALL RESP (H, T, DT, NN, DDY, ND, DDYMAX, ACCMAX,
VELMAX, DISMAX)

인 수	형	부프로그램을 부르는 경우의 내용	부프로그램으로부터 읽어들이는 내용
H	R	감쇠상수(무차원소수)	좌 동
T	R	고유주기(단위 sec)	좌 동
DT	R	가속도이력의 시간간격 (단위 sec)	좌 동
NN	I	가속도이력의 데이터 총수	좌 동
DDY	R 1차원배열(ND)	가속도이력(단위 gal)	좌 동
ND	I	주프로그램에서 DDY의 차원	좌 동
DDYMAX	R	최대 입력가속도(단위 gal)	좌 동
ACCMAX	R	무엇이든 좋다	최대가속도응답(단위 gal)
VELMAX	R	무엇이든 좋다	최대속도응답(단위 kine)
DISMAX	R	무엇이든 좋다	최대변위응답(단위 cm)

(2) 필요한 서브루틴 및 함수 프로그램은 없다

프로그램 리스트

```
C  * * * * * * * * * * * * * * * * * * * * * * * * *                       RESP   1
C     SUBROUTINE FOR MAX. RESPONSES OF 1-DOF SYSTEM                         RESP   2
C  * * * * * * * * * * * * * * * * * * * * * * * * *                       RESP   3
C                                                                           RESP   4
C                                      CODED BY Y.OHSAKI                    RESP   5
C                                                                           RESP   6
C     PURPOSE                                                               RESP   7
C       TO COMPUTE MAXIMUM ABSOLUTE ACCELERATION, RELATIVE VELOCITY AND    RESP   8
C       RELATIVE DISPLACEMENT OF ONE-DEGREE-OF FREEDOM SYSTEM WITH         RESP   9
C       GIVEN NATURAL PERIOD AND DAMPING FACTOR EXCITED BY GIVEN INPUT     RESP  10
C       ACCELEROGRAM, BASED ON ASSUMPTION OF LINEAR ACCELERATION           RESP  11
C                                                                           RESP  12
C     USAGE                                                                 RESP  13
C       CALL RESP(H,T,DT,NN,DDY,ND,DDYMAX,ACCMAX,VELMAX,DISMAX)            RESP  14
C                                                                           RESP  15
C     DESCRIPTION OF PARAMETERS                                             RESP  16
C       H        - DAMPING FACTOR IN DECIMAL FRACTION                       RESP  17
C       T        - NATURAL PERIOD IN SEC                                    RESP  18
C       DT       - TIME INCREMENT IN ACCELEROGRAM IN SEC                    RESP  19
C       NN       - TOTAL NUMBER OF DATA IN ACCELEROGRAM                     RESP  20
C       DDY(ND)  - ACCELEROGRAM IN GALS                                     RESP  21
C       ND       - DIMENSION OF DDY IN CALLING PROGRAM                      RESP  22
C       DDYMAX   - MAX. INPUT ACCELERATION IN GALS                          RESP  23
C       ACCMAX   - MAX. ABSOLUTE ACCELERATION RESPONSE IN GALS              RESP  24
C       VELMAX   - MAX. RELATIVE VELOCITY RESPONSE IN KINES                 RESP  25
C       DISMAX   - MAX. RELATIVE DISPLACEMENT RESPONSE IN CM                RESP  26
C                                                                           RESP  27
C     SUBROUTINES AND FUNCTION SUBRROGRAMS REQUIRED                         RESP  28
C       NONE                                                                RESP  29
C                                                                           RESP  30
      SUBROUTINE RESP(H,T,DT,NN,DDY,ND,DDYMAX,ACCMAX,VELMAX,DISMAX)         RESP  31
C                                                                           RESP  32
      DIMENSION DDY(ND)                                                     RESP  33
C                                                                           RESP  34
C     INITIALIZATION                                                        RESP  35
C                                                                           RESP  36
      IF(T.EQ.0.0) GO TO 120                                                RESP  37
      W=6.283185/T                                                          RESP  38
      R=1.0+H*W*DT+(W*DT)**2/6.0                                            RESP  39
      DDX=(2.0*H*W*DT-1.0)*DDY(1)                                           RESP  40
      DX=-DDY(1)*DT                                                         RESP  41
      X=0.0                                                                 RESP  42
      ACCMAX=ABS(DDX+DDY(1))                                                RESP  43
      VELMAX=ABS(DX)                                                        RESP  44
      DISMAX=0.0                                                            RESP  45
C                                                                           RESP  46
C     RESPONSE COMPUTATIONS                                                 RESP  47
C                                                                           RESP  48
      DO 110 M=2,NN                                                         RESP  49
      E=DX+DDX*DT/2.0                                                       RESP  50
      F=X+DX*DT+DDX*DT**2/3.0                                               RESP  51
      DDX=-(DDY(M)+2.0*H*W*E+W**2*F)/R                                      RESP  52
      DX=E+DDX*DT/2.0                                                       RESP  53
      X=F+DDX*DT**2/6.0                                                     RESP  54
      ACCMAX=AMAX1(ACCMAX,ABS(DDX+DDY(M)))                                  RESP  55
      VELMAX=AMAX1(VELMAX,ABS(DX))                                          RESP  56
      DISMAX=AMAX1(DISMAX,ABS(X))                                           RESP  57
  110 CONTINUE                                                              RESP  58
      RETURN                                                                RESP  59
  120 ACCMAX=DDYMAX                                                         RESP  60
      VELMAX=0.0                                                            RESP  61
      DISMAX=0.0                                                            RESP  62
      RETURN                                                                RESP  63
      END                                                                   RESP  64
```

사용예

```
      DIMENSION NAME(12),FMT(5),DDY(800),H(2),T(2)                      1
      DATA      H/0.05,0.02/,T/0.4,4.0/                                 2
C                                                                       3
      READ(5,501) NAME,DDYMAX,DT,NN,FMT                                 4
      READ(5,FMT) (DDY(M),M=1,NN)                                       5
      CALL RESP(H(1),T(1),DT,NN,DDY,800,DDYMAX;ACCMAX,DUMMY,DUMMY)      6
      BSC1=ACCMAX/DDYMAX*200,0/980.0                                    7
      CALL RESP(H(2),T(2),DT,NN,DDY,800,DDYMAX,ACCMAX,DUMMY,DUMMY)      8
      BSC2=ACCMAX/DDYMAX*200.0/980 0                                    9
      WRITE(6,601) NAME,T(1),H(1),BSC1,T(2),H(2),BSC2                  10
      STOP                                                             11
C                                                                      12
  501 FORMAT(12A4/F12.0/F7.0/I5/5A4)                                   13
  601 FORMAT(1H1/10(1H0/)/1H ,40X,12A4/1H0,43X,6HT(SEC),5X,1HH,5X,16HBAS 14
     1E SHEAR COEF.//(1H ,44X,F4.1,F9.2,F13.3))                        15
      END                                                              16
```

9.2 출력 프로그램

이 프로그램 **REPR**(**Re**sponse Spectrum-**Pr**int)는, 응답스펙트럼의 개략적인 형을 라인 프린터로 인쇄하기 위한 서브루틴이다. 사용목적과 프로그램의 성격은 앞의 6.2절에서 언급한 **SPAR**의 경우와 같다. 이 프로그램의 사용예는 이미 프로그램 **RESS**에 언급되어 있고, 그 결과는 그림

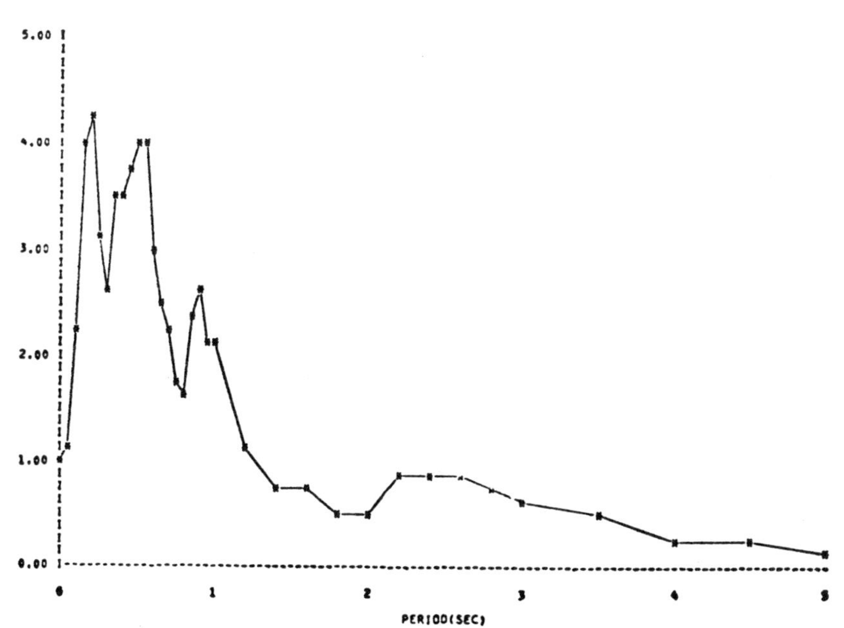

그림 9.1 El Centro 지진파의 규준화 가속도응답 스펙트럼

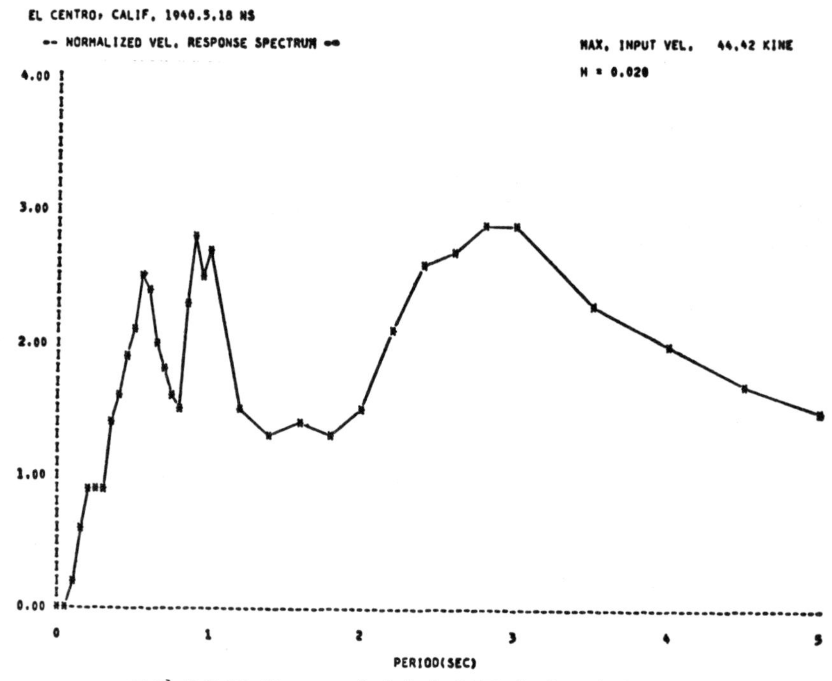

그림 9.2 El Centro 지진파의 규준화 속도응답 스펙트럼

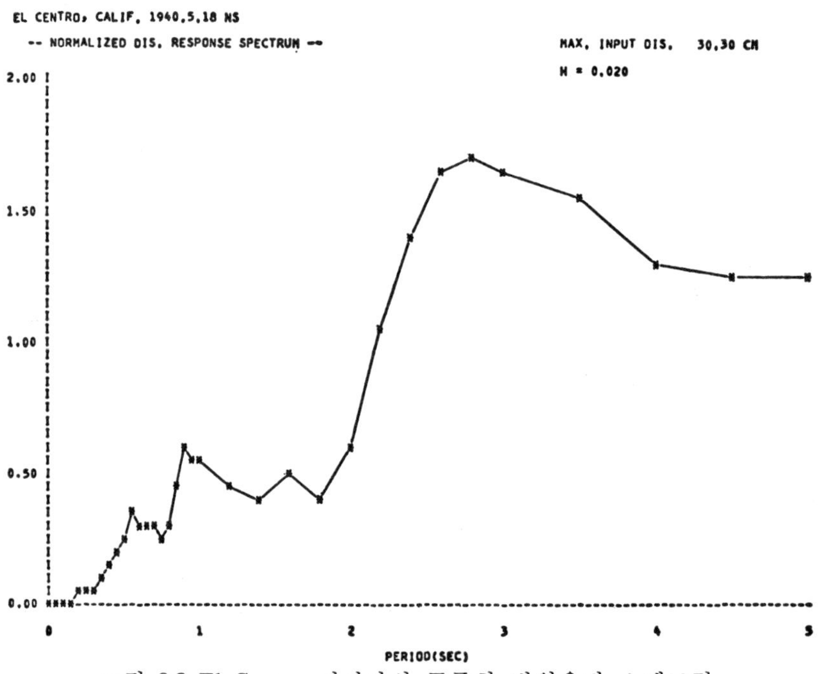

그림 9.3 El Centro 지진파의 규준화 변위응답 스펙트럼

9.1～그림 9.3과 같다.

REPR (응답 스펙트럼의 인쇄)

목 적

서브루틴 RESS에 의해 계산된 가속도·속도·변위 응답 스펙트럼의 개략적인 형을 라인프린트로 인쇄한다.

사용법

(1) 접속방법

CALL REPR (NAME, NH, H, ND1, NT, T, ND2, RES, EQMAX, IND1, IND2, IAXIS)

인 수	형	부프로그램을 부르는 경우의 내용	부프로그램으로부터 읽어들이는 내용
NAME	I 1차원배열(12)	가속도이력의 명칭을 표시하는 문자열	좌 동
NH	I	감쇠상수의 총수	좌 동
H	R 1차원배열(ND1)	감쇠상수의 값 (무차원 소수)	좌 동
ND1	I	주프로그램에서 H의 차원	좌 동
NT	I	응답을 계산한 주기의 총수	좌 동
T	R 1차원배열(ND2)	응답을 계산한주기 (단위 sec)	좌 동
ND2	I	주프로그램에서 T의 차원	좌 동
RES	R 3차원배열 (ND2, ND1, 3)	응답스펙트럼의 값 (RESS의 사용법 참조)	좌 동
EQMAX	R 1차원배열(3)	입력의 최대치 (RESS의 사용법참조	좌 동
IND1	I	인쇄의 대상을 지정하는 Index den 100 : 가속도 스펙트럼 010 : 속도 스펙트럼 001 : 변위 스펙트럼	좌 동
IND2	I	0 : 스펙트럼이 규준화되지 않는 경우 1 : 스펙트럼이 규준화되는 경우	좌 동

IAXIS	I	0 : 종축이 새로이 정해진다 1 : 앞에서 이 프로그램을 부른 경우의 종축이 보존된다	좌 동

(2) 주의사항

인수 IND1은 중첩할 수 있다. 예를들면 IND1=110(100+010)의 경우 가속도 스펙트럼과 속도 스펙트럼이 인쇄된다.

(3) 필요한 서브루틴 및 함수 프로그램은 없다.

프로그램 리스트

```
C  * * * * * * * * * * * * * * * * * * * * * * * * * *                  REPR   1
C     SUBROUTINE FOR PRINT OF RESPONSE SPECTRA                           REPR   2
C  * * * * * * * * * * * * * * * * * * * * * * * * * *                  REPR   3
C                                                                        REPR   4
C                          CODED BY Y.OHSAKI                             REPR   5
C                                                                        REPR   6
C     PURPOSE                                                            REPR   7
C       TO PRINT BY LINE-PRINTER ACCELERATION, RELATIVE VELOCITY AND/OR  REPR   8
C       RELATIVE DISPLACEMENT RESPONSE SPECTRA COMPUTED BY SUBROUTINE    REPR   9
C       RESS                                                             REPR  10
C                                                                        REPR  11
C     USAGE                                                              REPR  12
C       CALL REPR(NAME,NH,H,ND1,NT,T,ND2,RES,EQMAX,IND1,IND2,IAXIS)      REPR  13
C                                                                        REPR  14
C     DESCRIPTION OF PARAMETERS                                          REPR  15
C       NAME(12)        - EARTHQUAKE NAME                                REPR  16
C       NH              - TOTAL NUMBER OF DAMPING FACTORS                REPR  17
C       H(ND1)          - DAMPING FACTORS IN DECIMAL FRACTION            REPR  18
C       ND1             - DIMENSION OF H IN CALLING PROGRAM              REPR  19
C       NT              - TOTAL NUMBER OF PERIODS                        REPR  20
C       T(ND2)          - PERIODS IN SEC AT WHICH RESPONSES ARE PRINTED  REPR  21
C       ND2             - DIMENSION OF T IN CALLING PROGRAM              REPR  22
C       RES(ND2,ND1,3)  - RESPONSES                                      REPR  23
C       EQMAX(3)        - MAX. ACCELERATION, VELOCITY AND DISPLACEMENT   REPR  24
C                         OF INPUT EARTHQUAKE                            REPR  25
C       IND1            - 100 FOR ACCELERATION RESPONSE SPECTRUM         REPR  26
C                         010 FOR VELOCITY RESPONSE SPECTRUM             REPR  27
C                         001 FOR DISPLACEMENT RESPONSE SPECTRUM         REPR  28
C       IND2            - 0 WHEN RESPONSES ARE NOT NORMALIZED            REPR  29
C                         1 WHEN RESPONSES HAVE BEEN NORMALIZED          REPR  30
C       IAXIS           - IF 0, VERTICAL SCALE IS NEWLY DEFINED          REPR  31
C                         IF 1, VERTICAL SCALE IN PREVIOUS CALL IS       REPR  32
C                               RETAINED                                 REPR  33
C                                                                        REPR  34
C     REMARKS                                                            REPR  35
C       PARAMETER IND1 IS ADDIBLE. IF, FOR INSTANCE, IND1=110(100+010),  REPR  36
C       ACCELERATION AND VELOCITY RESPONSE SPECTRA ARE PRINTED           REPR  37
C                                                                        REPR  38
C     SUBROUTINES AND FUNCTION SUBPROGRAMS REQUIRED                      REPR  39
C       NONE                                                             REPR  40
C                                                                        REPR  41
      SUBROUTINE REPR(NAME,NH,H,ND1,NT,T,ND2,RES,EQMAX,IND1,IND2,IAXIS)  REPR  42
C                                                                        REPR  43
      DIMENSION NAME(12),H(ND1),T(ND2),RES(ND2,ND1,3),EQMAX(3)           REPR  44
      DIMENSION NAME1(3),UNIT(3),SMAX(5),STEP(5),LSTEP(5),L(101),        REPR  45
     1          LD(3),SMAXI(3),STEPI(3),LSTEPI(3)                        REPR  46
      DATA      NAME1/4HACC.,4HVEL.,4HDIS./,UNIT/4HGAL ,4HKINE,4HCM  /,  REPR  47
     1          SMAX/2.,4.,5.,8.,10./,STEP/0.5,2*1.,2*2./,               REPR  48
     2          LSTEP/10,10,8,10,8/                                      REPR  49
```

```
C                                                                       REPR 50
      LD(1)=IND1/100                                                    REPR 51
      LD(2)=MOD(IND1,100)/10                                            REPR 52
      LD(3)=MOD(IND1,10)                                                REPR 53
      DO 260 IPRINT=1,3                                                 REPR 54
      IF(LD(IPRINT).EQ.0) GO TO 260                                     REPR 55
      DO 250 IH=1,NH                                                    REPR 56
C                                                                       REPR 57
C     HEADING                                                           REPR 58
C                                                                       REPR 59
      WRITE(6,601) NAME                                                 REPR 60
      IF(IND2.NE.1) WRITE(6,602) NAME1(IPRINT)                          REPR 61
      IF(IND2.EQ.1) WRITE(6,603) NAME1(IPRINT)                          REPR 62
      WRITE(6,604) NAME1(IPRINT),EQMAX(IPRINT),UNIT(IPRINT),H(IH)       REPR 63
      WRITE(6,605)                                                      REPR 64
C                                                                       REPR 65
C     VERTICAL SCALE                                                    REPR 66
C                                                                       REPR 67
      IF(IH.NE.1) GO TO 170                                             REPR 68
      IF(IAXIS.NE.0) GO TO 170                                          REPR 69
      RESMAX=0.0                                                        REPR 70
      DO 130 K=1,NT                                                     REPR 71
      RESMAX=AMAX1(RESMAX,RES(K,1,IPRINT))                              REPR 72
  130 CONTINUE                                                          REPR 73
      M=IFIX(ALOG10(RESMAX))                                            REPR 74
      IF(ALOG10(RESMAX).LT.0.0) M=M-1                                   REPR 75
      DO 150 J=1,5                                                      REPR 76
      IF(RESMAX/10.0**M.LE.SMAX(J)) GO TO 160                           REPR 77
  150 CONTINUE                                                          REPR 78
  160 SMAXI(IPRINT)=SMAX(J)*10.0**M                                     REPR 79
      STEPI(IPRINT)=STEP(J)*10.0**M                                     REPR 80
      LSTEPI(IPRINT)=LSTEP(J)                                           REPR 81
C                                                                       REPR 82
C     PRINT                                                             REPR 83
C                                                                       REPR 84
  170 COR=40.0/SMAXI(IPRINT)                                            REPR 85
      SCALE=SMAXI(IPRINT)                                               REPR 86
      DO 240 LINE=1,41                                                  REPR 87
      L(1)=1HI                                                          REPR 88
      LI=1H                                                             REPR 89
      IF(LINE.EQ.41) LI=1H-                                             REPR 90
      DO 200 I=2,101                                                    REPR 91
      L(I)=LI                                                           REPR 92
  200 CONTINUE                                                          REPR 93
      DO 210 K=1,NT                                                     REPR 94
      IF(T(K).GT.5.0) GO TO 220                                         REPR 95
      IF(RES(K,IH,IPRINT)*COR.GE.FLOAT(41-LINE)+0.5) GO TO 210          REPR 96
      IF(RES(K,IH,IPRINT)*COR.LT.FLOAT(41-LINE)-0.5) GO TO 210          REPR 97
      L(IFIX(T(K)*20.0+0.5)+1)=1H*                                      REPR 98
  210 CONTINUE                                                          REPR 99
  220 WRITE(6,606)                                                      REPR100
      IF(MOD(LINE,LSTEPI(IPRINT)).NE.1) GO TO 230                       REPR101
      WRITE(6,607) SCALE                                                REPR102
      SCALE=SCALE-STEPI(IPRINT)                                         REPR103
  230 WRITE(6,608) L                                                    REPR104
  240 CONTINUE                                                          REPR105
C                                                                       REPR106
C     HORIZONTAL SCALE                                                  REPR107
C                                                                       REPR108
      WRITE(6,609)                                                      REPR109
  250 CONTINUE                                                          REPR110
  260 CONTINUE                                                          REPR111
      RETURN                                                            REPR112
C                                                                       REPR113
C     FORMAT STATEMENTS                                                 REPR114
C                                                                       REPR115
  601 FORMAT(1H1/1H0/1H0/1H0,10X,12A4/1H0,12X,3H-- )                    REPR116
  602 FORMAT(1H+,15X,A4,21H RESPONSE SPECTRUM --)                       REPR117
```

```
  603 FORMAT(1H+,15X,11HNORMALIZED ,A4,21H RESPONSE SPECTRUM --)        REPR118
  604 FORMAT(1H+,82X,11HMAX. INPUT ,A4,F8.2,1X,A4/1H0,82X,3HH =,F6.3)   REPR119
  605 FORMAT(1H0/1H )                                                    REPR120
  606 FORMAT(1H )                                                        REPR121
  607 FORMAT(1H+,F13.2)                                                  REPR122
  608 FORMAT(1H+,14X,101A1)                                              REPR123
  609 FORMAT(1H0,14X,1H0,19X,1H1,19X,1H2,19X,1H3,19X,1H4,19X,1H5/1H0,59XREPR124
     1,11HPERIOD(SEC))                                                   REPR125
C                                                                        REPR126
      END                                                                REPR127
```

10. 시간영역과 주파수 영역

Fourier 해석의 의의에 대해서는 이미 4.10절에서 언급하였다. 즉 시간이력에 포함된 진동수성분의 검출과 시간영역으로 부터 주파수영역으로의 변환이다. 그러나 통상적으로는 진동수 성분을 검출하는 쪽이 중요시 된다고 할 수 있다. 예를들면 구조물의 지반진동에 대한 응답계산에서도 계산은 모두 시간의 세계에서 이루어지고, 원래의 입력 지반진동과 계산결과 얻어진 구조물의 진동특성을 주파수 영역에서의 스펙트럼으로 나타내는 즉 주파수영역은 단순히 전시(展示)를 위한 세계로서 생각하는 경우가 많다.

그러나 실제로는 그렇치 않다. 8.7(2)절에서 주파수영역에서의 응답계산법에 대해 약간 언급하였지만, 실제로는 주파수영역도 또한 시간영역과 같은 연산이 가능한 세계이다. 적어도 선형계에 대한 연산에 대해서는 양자사이에 완전히 1대1의 대응관계가 있다. 단지 이것뿐만 아니라, 경우에 따라서는 - 예를들면 다음에 언급하는 이산치로 주어진 시간이력의 미분과 같이 - 시간영역에서는 어려운 연산이 오히려 주파수 영역에서는 간단히 실시되는 경우도 있다.

이와같은 사실때문에 스펙트럼해석의 공학분야에서의 응용면은, 무한히 넓을뿐만 아니라 깊어서 이 입문서의 목적과는 다소 차이가 있다. 따라서 여기서는, 주파수세계에서의 연산의 몇가지 예와, 시간영역과 주파수영역의 대응관계를 약간 언급하여, 이책을 마감하고자 한다.

10.1 미 분

일반적으로 시간함수 $f(t)$의 Fourier 변환을 $F(w)$라하면, (4.93)식과 같이

$$f(t)=\frac{1}{2\pi}\int_{-\infty}^{\infty}F(\omega)e^{i\omega t}d\omega \tag{10.1}$$

이고, (4.94)식과 같이, 이 관계를 기호적으로

$$f(t)\longleftrightarrow F(\omega)$$

로 쓴다. 기호 ↔는 시간영역에서 $f(t)$와 주파수영역에서의 $F(w)$가 **짝** (pair)을 이루고, 서로 Fourier 변환 또는 Fourier 역변환 관계에 있음을 표시한다.

(10.1)식을 시간 t에 대해 미분하면

$$\frac{df(t)}{dt}=\frac{1}{2\pi}\int_{-\infty}^{\infty}i\omega F(\omega)e^{i\omega t}d\omega$$

이고 따라서

$$\frac{df(t)}{dt}\longleftrightarrow i\omega F(\omega) \tag{10.2}$$

의 관계에 있음을 알 수 있다. 즉 시간영역에서의 연산 d/dt와, 주파수영역에서 iw을 곱한 연산은 같다는 것이다. (10.2)식의 미분을 반복하면

$$\frac{d^n f(t)}{dt^n}\longleftrightarrow (i\omega)^n F(\omega) \tag{10.3}$$

이 성립한다. 미리 말해두지만 (10.3)식은 $f(t)$의 미분이 항상 존재한다는 것을 의미하는 것은 아니다. 만약 존재한다면, 이와같은 관계에 있다는 것을 말하는데 지나지 않는다.

지금까지와 같이 시간이력을 $x(t)$라 두고, 이것이 Δt마다 N개의 시간

$$t=m\Delta t \quad m=0,1,2,\cdots\cdots,N-1 \tag{10.4}$$

에서 N개의 이산치

$$x_m=x(m\Delta t) \quad m=0,1,2,\cdots\cdots,N-1 \tag{10.5}$$

로 주어진다고 하면, 이산치 x_m을 Fourier 변환한 경우의 복소 Fourier 계수는 (4.65)식에 표시한 바와같이

$$C_k=\frac{1}{N}\sum_{m=0}^{N-1}x_m e^{-i(2\pi km/N)} \quad k=0,1,2,\cdots\cdots,N-1 \tag{10.6}$$

이 된다.

(4.24)식으로 부터 함수 $x(t)$의유한 Fourier 근사는

$$\tilde{x}(t)=\frac{A_0}{2}+\sum_{k=1}^{N/2-1}\left[A_k\cos\frac{2\pi kt}{N\Delta t}+B_k\sin\frac{2\pi kt}{N\Delta t}\right]+\frac{A_{N/2}}{2}\cos\frac{2\pi(N/2)t}{N\Delta t} \tag{10.7}$$

으로 나타낼 수 있다. 이것은 (10.5)식에 표시한 N개의 이산점을, 삼각함수의 합으로 표시되는 매끄러운 곡선으로 보간한 연속곡선이다. 약간 복습해 보면, (10.7)식 중에 있는 유한 Fourier 계수 A_k, B_k와, (10.6)식의 유한복소 Fourier 계수 C_k 사이에는 (4.63)식에서 정의한 관계

$$\left.\begin{aligned} C_k &= \frac{A_k-iB_k}{2} \\ C_k^* &= \frac{A_k+iB_k}{2} \end{aligned}\right\} k=0,1,2,\cdots\cdots,N/2 \tag{10.8}$$

또는 역으로 (4.66)식, 즉

$$\left.\begin{aligned} A_k &= 2\Re(C_k) \\ B_k &= -2\Im(C_k) \end{aligned}\right\} k=0,1,2,\cdots\cdots,N/2 \tag{10.9}$$

의 관계가 있다. 이로서 실수인 A_k, B_k와 (10.6)식에 표시한 복소수의 수열의 전반부가 결부되고, 또한 복소수열 C_k의 전반부와 후반부는, (4.67)식에 표시한 바와같이 중앙에서 절곡되고 공액인 중요한 관계

$$C_{N-k}^*=C_k \quad k=1,2,\cdots\cdots,N/2-1 \tag{10.10}$$

에 있다. 전술한 바와같이 * 는 공액복소수를 나타내는 기호이다.

(10.7)식을 시간 t로 미분하면

$$\frac{d\tilde{x}(t)}{dt}=\sum_{k=1}^{N/2-1}\frac{2\pi k}{N\Delta t}\left[-A_k\sin\frac{2\pi kt}{N\Delta t}+B_k\cos\frac{2\pi kt}{N\Delta t}\right]$$
$$-\frac{A_{N/2}}{2}\cdot\frac{\pi}{\Delta t}\sin\frac{2\pi(N/2)t}{N\Delta t}$$

가 된다. 이 미분도 역시 시간간격 Δt의 N개의 이산치로 표시하여

$$\dot{x}_m=\left(\frac{d\tilde{x}}{dt}\right)_{t=m\Delta t} \quad m=0,1,2,\cdots\cdots,N-1$$

로 쓰고, 윗 식의 t에 (10.4)식을 대입하면

$$\dot{x}_m=\frac{2\pi}{N\Delta t}\sum_{k=1}^{N/2-1}k\left[-A_k\sin\frac{2\pi km}{N}+B_k\cos\frac{2\pi km}{N}\right]-\frac{A_{N/2}}{2}\cdot\frac{\pi}{\Delta t}\sin\pi m$$

이 된다. 단 마지막 항은 0이므로

$$\dot{x}_m=\frac{2\pi}{N\Delta t}\sum_{k=1}^{N/2-1}k\left[-A_k\sin\frac{2\pi km}{N}+B_k\cos\frac{2\pi km}{N}\right] \tag{10.11}$$

이 된다.

그런데 4.5절에서 언급한 바와같이

$$\cos\frac{2\pi km}{N}=\frac{1}{2}\left[e^{i(2\pi km/N)}+e^{-i(2\pi km/N)}\right]$$

$$\sin\frac{2\pi km}{N}=-\frac{1}{2}i\left[e^{i(2\pi km/N)}-e^{-i(2\pi km/N)}\right]$$

따라서 이것을 대입하면 (10.11)식의 괄호속은

$$-A_k\sin\frac{2\pi km}{N}+B_k\cos\frac{2\pi km}{N}$$

$$=i\left[\frac{A_k-iB_k}{2}e^{i(2\pi km/N)}-\frac{A_k+iB_k}{2}e^{-i(2\pi km/N)}\right]$$

또는 (10.8)식으로 부터

$$=i\,[C_k e^{i(2\pi km/N)}-C_k^*\,e^{-i(2\pi km/N)}]$$

이 되고 더우기 (4.61)식 즉 $e^{-i(2\pi km/N)}=e^{i\{2\pi(N-k)m/N\}}$을 이용하면

$$=i\,[C_k e^{i(2\pi km/N)}-C_k^*\,e^{i\{2\pi(N-k)m/N\}}]$$

이 된다.

따라서 (10.11)식은

$$\dot{x}_m=\frac{2\pi}{N\Delta t}\left[\sum_{k=1}^{N/2-1}ikC_k e^{i(2\pi km/N)}-\sum_{k=1}^{N/2-1}ikC_k^*\,e^{i\{2\pi(N-k)m/N\}}\right]$$

이 되지만, 제2항의 합에서 k대신 $N-k$라 두면

$$\sum_{k=1}^{N/2-1}ikC_k^*\,e^{i\{2\pi(N-k)m/N\}}\longrightarrow\sum_{k=N-1}^{N/2+1}i(N-k)C_{N-k}^*\,e^{i(2\pi km/N)}$$

으로 쓸 수 있으므로 결국

$$\dot{x}_m=\frac{2\pi}{N\Delta t}\left[\sum_{k=1}^{N/2-1}ikC_k e^{i(2\pi km/N)}-\sum_{k=N/2+1}^{N-1}i(N-k)C_{N-k}^*\,e^{i(2\pi km/N)}\right] \tag{10.12}$$

이 된다. 이 식의 k에 대한 합의 계산에서는 $k=0$이 아닌 $k=1$ 부터 $N/2-1$ 까지 더하고, $k=N/2$에서 건너뛰고, 다음에 $k=N/2+1$번째부터 마지막 $N-1$까지 더하는 것에 주의해야 한다.

여기서 (10.12)식을 (4.64)식에 표시한 Fourier 역변환의 표준형, 즉 $k=0$ 부터 $k=N-1$까지의 합의 형으로 바꾸어 쓰면

$$\dot{x}_m=\frac{2\pi}{N\Delta t}\sum_{k=0}^{N-1}D_k e^{i(2\pi km/N)}$$

이 되고, 이 경우 복소계수 D_k는 다음과 같이 된다.

$$\left.\begin{aligned} &D_0= D_{N/2} = 0 \\ &D_k= ikC_k \qquad k=1,2,\cdots\cdots,N/2-1 \\ &D_k=-i(N-k)C_{N-k}{}^* \quad k=N/2+1,N/2+2,\cdots\cdots,N-1 \end{aligned}\right\}$$

그런데, 3번째 식에서 다시 k 대신 $N-k$로 두면

$$D_{N-k}=-ikC_k{}^* \qquad k=1,2,\cdots\cdots,N/2-1$$

이 된다. 이 식의 우변 $-ikC_k{}^*$와 2번째 식의 우변 ikC_k는 서로 공액이므로

$$D_{N-k}=D_k{}^*$$

의 관계에 있다. 실제로 이것은 (4.67)식에서 설명한 바와같이 $\dot{x}_m$가 실수이므로 당연한 것이다.

이상의 사항을 정리하여 간결한 형으로 쓰면

$$\dot{x}_m=\frac{2\pi}{N\Delta t}\sum_{k=0}^{N-1}D_k e^{i(2\pi km/N)} \qquad m=0,1,2,\cdots\cdots,N-1 \tag{10.13}$$

$$\left.\begin{aligned} &D_0 =0 \\ &D_k =ikC_k,\ D_{N-k}=D_k{}^* \quad k=1,2,\cdots\cdots,N/2-1 \\ &D_{N/2}=0 \end{aligned}\right\} \tag{10.14}$$

이 된다. 이로서 시간영역에서 이산치로 주어진 시간함수 x_m의 미분 $\dot{x}_m$가 구해졌다. 주파수영역에서 복소 Fourier 계수 D_k가 결국 (10.2)식에서 일반형을 표시한 $iwF(w)$의 형으로 된다는 것에 주목해야 한다.

10.2 적분

시간영역에서 이산치로 주어진 함수를, 그대로 시간영역에서 적분하는 방법은 여러가지가 있다. 예를들면 가속도 시간이력이 주어진 경우 이것을 적분하여 속도·변위를 구하기 위한 선형가속도법에 의한 계산식을 (8.54)식에 표시하였다. 이 방식에 의하면, 실용상 특히 문제로 되는 것은 없다. 따라서 여기서 다시 적분의 또다른 방법을 소개할 필요는 없지 않을까 생각된다. 그러나 한가지 앞에서 언급한 미분에 대응하여, 또 하나는 시간영역에서의 연산과 주파수영역에서의 연산과의 대응이라는 개념을 더욱 분명히 하기위해, 다음에 주파수의 개념을 도입하여 실시하는 시간함수의 적분법에 대해 약간 언급한다.

지금의 경우도, $f(t)$을 시간함수, $F(w)$를 이것의 Fourier 변환, 즉

$$f(t) \longleftrightarrow F(\omega) \tag{10.15}$$

라 둔다. 다음에

$$\phi(t) = \int_{-\infty}^{t} f(t)\mathrm{d}t \tag{10.16}$$

또는

$$\frac{\mathrm{d}\phi(t)}{\mathrm{d}t} = f(t) \tag{10.17}$$

이 되는 시간함수 $\phi(t)$를 생각하고, $\phi(t)$의 Fourier 변환을 $\Phi(w)$, 즉

$$\phi(t) \longleftrightarrow \Phi(\omega) \tag{10.18}$$

라 둔다. (10.2)식에 의하면, (10.18)식으로 부터

$$\frac{\mathrm{d}\phi(t)}{\mathrm{d}t} \longleftrightarrow \mathrm{i}\omega\Phi(\omega)$$

따라서 (10.17)식으로 부터

$$f(t) \longleftrightarrow \mathrm{i}\omega\Phi(\omega)$$

이 되고, 이것과 (10.15)식을 비교하면

$$F(\omega) = \mathrm{i}\omega\Phi(\omega)$$

따라서

$$\Phi(\omega)=\frac{F(\omega)}{\mathrm{i}\omega}$$

가 됨을 알 수 있다. 여기서 (10.16)식과 윗식을, (10.18)식의 양변에 대입하면

$$\int_{-\infty}^{t} f(t)\,\mathrm{d}t \longleftrightarrow \frac{F(\omega)}{\mathrm{i}\omega} \tag{10.19}$$

이 되고 시간영역에서의 적분이 주파수영역에서는 $i\omega$로 나눈것에 대응한다는 것을 나타낸다.

구체적인 이산치를 다루기 위해서는 다시 (10.7)식의 유한 Fourier 근사

$$\tilde{x}(t)=\frac{A_0}{2}+\sum_{k=1}^{N/2-1}\left[A_k\cos\frac{2\pi kt}{N\Delta t}+B_k\sin\frac{2\pi kt}{N\Delta t}\right]+\frac{A_{N/2}}{2}\cos\frac{2\pi(N/2)t}{N\Delta t}$$

를 이용한다. 이 식의 부정적분을 구하면

$$\int\tilde{x}(t)\,\mathrm{d}t=\frac{A_0}{2}t+\sum_{k=1}^{N/2-1}\frac{N\Delta t}{2\pi k}\left[A_k\sin\frac{2\pi kt}{N\Delta t}-B_k\cos\frac{2\pi kt}{N\Delta t}\right]$$
$$+\frac{A_{N/2}}{2}\cdot\frac{\Delta t}{\pi}\sin\frac{2\pi(N/2)t}{N\Delta t}+C$$

이 되고 여기서 C는 적분상수이다. 이 식에서 $t=0$으로 두면, 적분의 초기치가 구해지고, 초기치를 v_0라 두면

$$v_0=-\frac{N\Delta t}{2\pi}\sum_{k=1}^{N/2-1}\frac{B_k}{k}+C$$

따라서

$$C=v_0+\frac{N\Delta t}{2\pi}\sum_{k=1}^{N/2-1}\frac{B_k}{k}$$

가 되고, 윗식의 적분은

$$\int_0^t\tilde{x}(t)\,\mathrm{d}t=v_0+\frac{N\Delta t}{2\pi}\sum_{k=1}^{N/2-1}\frac{B_k}{k}+\frac{A_0}{2}t+\frac{N\Delta t}{2\pi}\sum_{k=1}^{N/2-1}\left[\frac{A_k}{k}\sin\frac{2\pi kt}{N\Delta t}\right.$$
$$\left.-\frac{B_k}{k}\cos\frac{2\pi kt}{N\Delta t}\right]+\frac{A_{N/2}}{2}\cdot\frac{\Delta t}{\pi}\sin\frac{2\pi(N/2)t}{N\Delta t}$$

가 된다. 적분한 값도 $t=m\Delta t$인 시간간격 Δt 마다 N개의 이산치로 주어지고, 간단히 이산치를

$$\left(\int_0^t x\mathrm{d}t\right)_m=\int_0^{t=m\Delta t}\tilde{x}(t)\mathrm{d}t \quad m=0,1,2,\cdots\cdots,N-1$$

로 쓰면, 윗식에 $t=m\Delta t$를 대입하여

$$\left(\int_0^t x\mathrm{d}t\right)_m = v_0 + \frac{N\Delta t}{2\pi}\sum_{k=1}^{N/2-1}\frac{B_k}{k} + \frac{A_0}{2}m\Delta t$$

$$+\frac{N\Delta t}{2\pi}\sum_{k=1}^{N/2-1}\left[\frac{A_k}{k}\sin\frac{2\pi km}{N} - \frac{B_k}{k}\cos\frac{2\pi km}{N}\right]$$

또는

$$\left(\int_0^t x\mathrm{d}t\right)_m = \frac{N\Delta t}{2\pi}\left[\frac{2\pi v_0}{N\Delta t} + \sum_{k=1}^{N/2-1}\frac{B_k}{k} + \frac{\pi A_0}{N}m\right.$$

$$\left.+\sum_{k=1}^{N/2-1}\left\{\frac{A_k}{k}\sin\frac{2\pi km}{N} - \frac{B_k}{k}\cos\frac{2\pi km}{N}\right\}\right] \tag{10.20}$$

이 얻어진다.

결국 이 식의 우변을 Fourier 변환하여 복소 Fourier 계수를 구하고, 이 식의 좌변을 (4.64)식에 표시한 Fourier 역변환의 표준형으로 나타내면 좋지만 (10.20)식의 우변이 길어 이해하기 어렵기 때문에 항별로 나누어 각각 Fourier 변환을 구하게 된다.

처음에 곱하는 계수 $N\Delta t/2\pi$는 잠시두고, 먼저 괄호속의 제1항과 제2항을 보면 복잡한 형으로 되어 있지만, m과는 관계없이 요컨데 하나의 상수가 된다. 훨씬 앞의 (4.27)식에서 a=일정한 상수라하면 이것의 Fourier 변환은 (4.28)식으로 구해진다. 지금은

$$a=\frac{2\pi v_0}{N\Delta t}+\sum_{k=1}^{N/2-1}\frac{B_k}{k}$$

이고 또한 (10.8)식 또는 (10.9)식을 참조하여, 복소 Fourier 계수의 형식으로 쓰면

$$\frac{2\pi v_0}{N\Delta t}+\sum_{k=1}^{N/2-1}\frac{B_k}{k}=\sum_{k=}^{N-1}E_k e^{i(2\pi km/N)} \quad m=0,1,2,\cdots\cdots,N-1 \tag{10.21}$$

$$\left.\begin{aligned} E_0 &= \frac{2\pi v_0}{N\Delta t} - 2\sum_{k=1}^{N/2-1}\frac{\mathfrak{I}(C_k)}{k} \\ E_k &= 0, \quad E_{N-k}=E_k^* \quad k=1,2,\cdots\cdots,N/2-1 \\ E_{N/2} &= 0 \end{aligned}\right\} \tag{10.22}$$

가 된다.

그리고 (10.20)식의 괄호속의 3번째항은, $(\pi A_0/N)m$ 이고, 이미 (4.29)

식 즉

$$x_m = m \quad m=0,1,2,\cdots\cdots,N-1$$

인 경우의 Fourier 변환이 (4.34)식으로 구해진다. 지금의 경우는 이것을 $(\pi A_0/N)$배하면 좋으므로

$$\frac{\pi A_0}{N}m = \sum_{k=0}^{N-1} P_k e^{i(2\pi km/N)} \quad m=0,1,2,\cdots\cdots,N-1 \tag{10.23}$$

$$\left.\begin{aligned} P_0 &= \frac{\pi(N-1)C_0}{N} \\ P_k &= \frac{\pi C_0}{N}[-1+i\cot(\pi k/N)], \quad P_{N-k}=P_k^* \\ &\qquad\qquad k=1,2,\cdots\cdots,N/2-1 \\ P_{N/2} &= -\frac{\pi C_0}{N} \end{aligned}\right\} \tag{10.24}$$

이 된다. (10.24)식에서 P_k는 (4.34)식의 A_k, B_k로부터 구하지만, $P_{N-k}=P_k^*$로 둔것은 (4.67)식에서 언급한 바와같이 (10.23)식의 좌변이 실수이기 때문이다.

끝으로 (10.20)식의 괄호속의 마지막 항

$$\sum_{k=1}^{N/2-1}\left\{\frac{A_k}{k}\sin\frac{2\pi km}{N}-\frac{B_k}{k}\cos\frac{2\pi km}{N}\right\}$$

은 앞의 (10.11)식의 합의 기호에서, $-kA_k$를 A_k/k로, kB_k를 $-B_k/k$로 치환한 것에 지나지 않는다. (10.11)식은 (10.13)식과 같이 표시되고, 이것의 복소 Fourier 계수는 (10.14)식으로 주어졌으므로, 지금의 경우

$$\sum_{k=1}^{N/2-1}\left\{\frac{A_k}{k}\sin\frac{2\pi km}{N}-\frac{B_k}{k}\cos\frac{2\pi km}{N}\right\}=\sum_{k=0}^{N-1}Q_k e^{i(2\pi km/N)}$$

$$m=0,1,2,\cdots\cdots,N-1 \tag{10.25}$$

$$\left.\begin{aligned} Q_0 &= 0 \\ Q_k &= -\frac{iC_k}{k}, \quad Q_{N-k}=Q_k^* \quad k=1,2,\cdots\cdots,N/2-1 \\ Q_{N/2} &= 0 \end{aligned}\right\} \tag{10.26}$$

이 된다는 것은 쉽게 알 수 있다. 그리고 Q_k의 형은, (10.19)식의 일반형 $F(w)/iw$에 대응하는 것에도 유의하는 것이 좋다.

이로서 (10.20)식 우변의 괄호속의 각항이, 각각 모두 Fourier 역변환의 형으로 표시되고, 각각의 복수 Fourier 계수가 (10.22)식, (10.24)식 및 (10.26)식과 같이 구해졌다. 따라서 (10.20)식 좌변의 이산적분치를 Fourier 역변환의 형으로 표시하면, 그 복소 Fourier 계수는 이들을 전부 합하고, 그 결과에 $N\Delta t/2\pi$를 곱한 것이 된다는 것은 분명하다.

즉 시간영역에서 이산치로 주어진 시간함수 $x_m(m=0,1,2,\cdots,N-1)$의 적분은 먼저 x_m을 Fourier 변환하고 주파수영역에서 복소 Fourier 계수 $C_k(k=0,1,2,\cdots,N/2-1)$를 구하고 이로부터 (10.28)식에 의해 계수 $S_k(k=0,1,2,\cdots,N/2-1)$을 구한 후, (10.27)식의 Fourier 역변환에 따라 다시 시간영역으로 되돌아오면 결정된다.

$$\left(\int_0^t x\mathrm{d}t\right)_m = \frac{N\Delta t}{2\pi}\sum_{k=0}^{N-1} S_k \mathrm{e}^{\mathrm{i}(2\pi km/N)} \quad m=0,1,2,\cdots\cdots,N-1 \qquad (10.27)$$

$$\left.\begin{aligned} S_0 &= \frac{2\pi v_0}{N\Delta t} - 2\sum_{k=1}^{N/2-1}\frac{\Im(C_k)}{k} + \frac{\pi(N-1)C_0}{N} \\ S_k &= \frac{\pi C_0}{N}[-1+\mathrm{i}\cot(\pi k/N)] - \frac{\mathrm{i}C_k}{k}, \quad S_{N-k}=S_k^* \\ &\qquad\qquad\qquad k=1,2,\cdots\cdots,N/2-1 \\ S_{N/2} &= -\frac{\pi C_0}{N} \end{aligned}\right\} \qquad (10.28)$$

윗식에서 v_0는 일반적으로 $t=0$에서 적분의 초기치를 주는 것이다. 단 x_m을 가속도 시간이력으로 하고 이것을 적분하여 속도를 구하는 경우의 초기치는 (8.59)식에 의하면

$$v_0 = x_0\Delta t$$

가 되고, 더우기 속도를 적분하여 변위를 구하는 경우는

$$v_0 = 0$$

이 된다.

10.3 미분 · 적분 프로그램

다음에 표시하는 프로그램 **DIFR**(**Di**fferentiation by **F**ourier Transform)은, 시간영역에서 주어진 데이타를 Fourier 변환하여 주파수 영역에서의 복소수 Fourier 계수를 구하고 이에대해 (10.14)식의 연산을 수행한 후 (10.13)식에 따라 Fourier 역변환하여 주어진 데이타의 미분을 구하는 서브루틴이다.

이와같이, Fourier 변환에 의한 적분 프로그램 **INFR**(**In**tegration by **F**ourier Transform)은 (10.13)식 및 (10.14)식 대신, 시간영역에서의 적분에 대응하는 주파수영역에서의 연산식, 즉 (10.27)식과 (10.28)식이 사용된다는 것이 다를 뿐이다.

어떠한 경우에도 Fourier 변환 및 Fourier 역변환에는 고속 Fourier 변환 프로그램 **FAST** 사용한다. FAST를 사용하기 위해, 후속의 0을 붙여 총 데이타의 수를 먼저 2의 누승수로 하고, 데이타를 복소수화 하는 조작도 각각의 프로그램중의 **INITIALIZATIŌN**에서 수행한다. 더우기 적분 **INFR**의 경우에는 임의의 적분 초기치를 줄 수 있다.

사용예로서는, El Centro 지진파를 먼저 INFR로서 적분하여 속도파를 구하고, 다음에 이것을 DIFR로 미분하여 원래의 가속도파형을 재생한다. 결과는 그림 10.1에 표시하였다. 파형은 인쇄프로그램 **WAPR**을 사용하여 출력한다. 그림 10.1(c)가 그림(a)의 원래의 파형과 거의 유사하게 재생되었고, 그림(b)는 선형가속도법으로 구한 그림 8.7(b)와 같은 적분치가 된다는 것을 알 수 있다.

(10.2)식에서 알 수 있듯이, 미분에서는 스펙트럼 $F(w)$에 주파수 w가 곱해져 있고, (10.14)식에는 각 성분파의 진폭을 표시하는 계수 C_k에 차수 k가 곱해져 있다. 역으로 적분에서는, (10.19)식 또는 (10.26)식으로부터 알 수 있듯이, 각 성분파의 진폭이 차수로 나누어져 있다. 따라서 차수 k가 큰 고주파성분이 미분의 경우에는 강조되어 파형의 요철이 심하고, 적분의 경우에는 고주파의 영향이 작아 파형이 매끄럽게 되는 것은 당연하다.

프로그램 **DIFR** 및 **INFR**을 사용함에 있어서 약간의 주의가 필요한다. 먼저 미분의 경우는, 미분하는 시간이력에 매우 큰 불연속부가 있으면

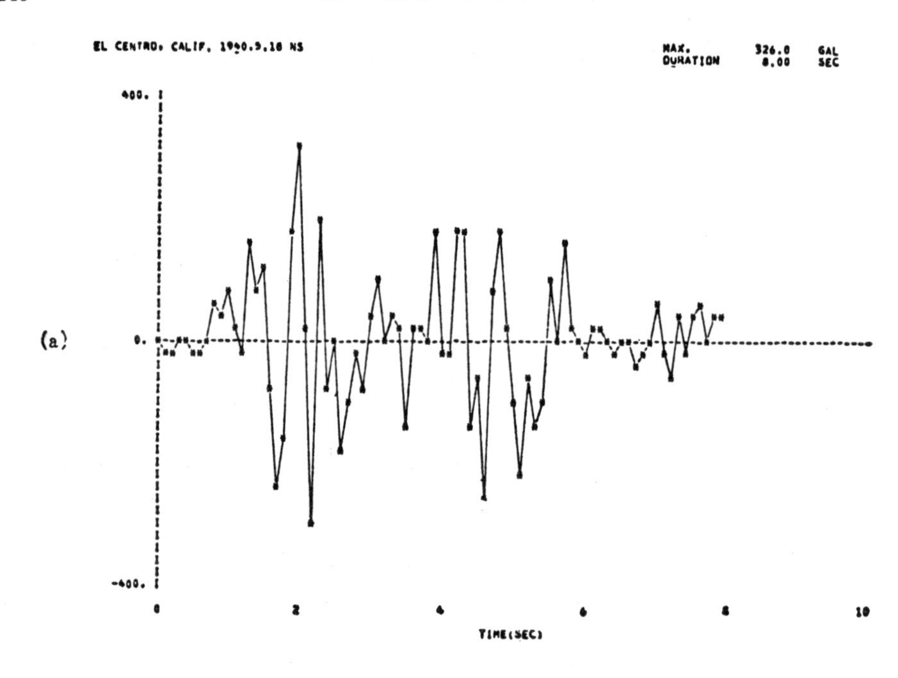

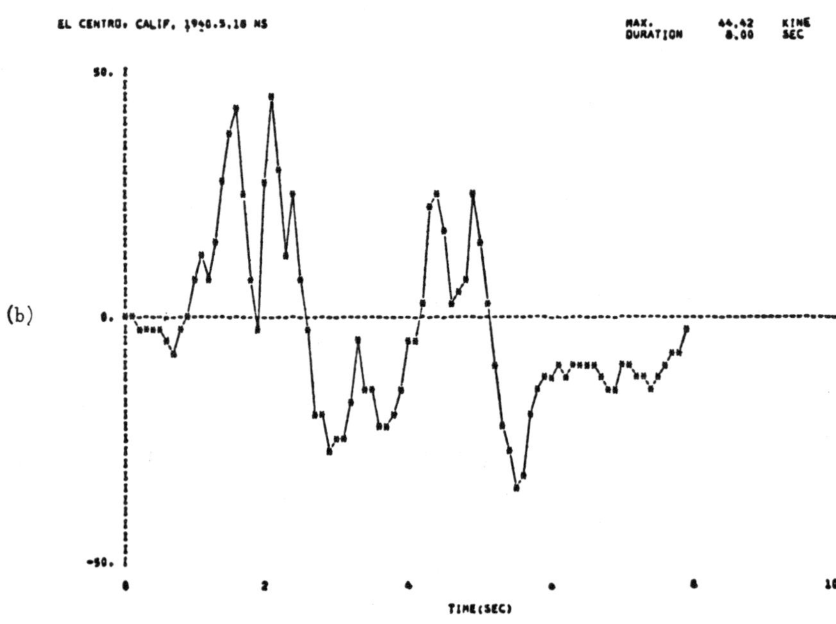

그림 10.1 (1) El Centro 지진파의 적분과 미분
(a) 원래의 시간이력 (b) 적분치

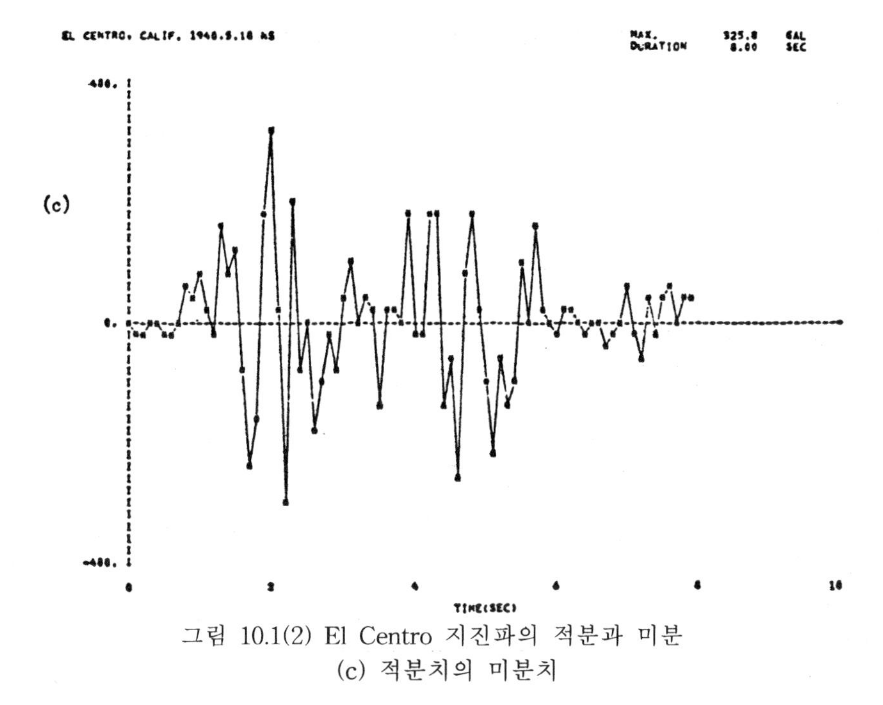

그림 10.1(2) El Centro 지진파의 적분과 미분
(c) 적분치의 미분치

오차가 크게 된다. 더우기, 가령 그림 8.7(c)와 같이 파형의 종료부에서 끊어져 있는 데이타를 함부로 미분하면 이 부근에서 큰 오차가 생기게 된다. 단 적분의 경우에는 이와같은 염려는 없다.

다음에 (10.11)식에서 언급한 바와같이, 미분한 결과를 이산치로 표시하는 경우에는, $A_{N/2}$에 관한 항이 없어진다는 것에 주의해야 한다. 적분의 경우인 (10.20)식에 대해서도 같다. 바꾸어 말하면 원래의 데이타에 포함되어 있는 최고차의 성분파에 대한 정보가 없어져 버린다. 일단 없어진 정보는 회복 불가능하다. 이것은 실용상 거의 문제는 되지 않는다. 그러나 예제파와 같이 매우 짧은 파를 일단 적분한 후 미분하여 원래의 파를 재생시키는 경우, 도중에 정보를 잃어 버리기 때문에 결과가 다소 이상하게 된다는 것에 주의해야 한다. 이러한 사항은 독자 자신이 확인해 시도해 보기 바란다.

DIRF (Fourier 변환에 의한 미분)

목 적

고속 Fourier 변환을 이용하여, 등시간간격의 시간이력 데이타를 미분한다.

사용법

(1) 접속방법

CALL DIFR (N, X, ND, DT)

인 수	형	부프로그램을 부르는 경우의 내용	부프로그램으로부터 읽어들이는 내용
N	I	데이타의 총수	좌 동
X	R 1차원배열(ND)	미분되는 데이타	미분된 데이타
ND	I	주프로그램에서 X의 차원	좌 동
DT	R	데이타의 시간간격 (단위 sec)	좌 동

(2) 주의사항

N≦8192가 되어야 한다.

(3) 필요한 서브루틴 및 함수 프로그램

FAST

프로그램 리스트

```
C  * * * * * * * * * * * * * * * * * * * * * * * * * * * * *           DIFR   1
C     SUBROUTINE FOR DIFFERENTIATION BY FOURIER TRANSFORM                DIFR   2
C  * * * * * * * * * * * * * * * * * * * * * * * * * * * * *           DIFR   3
C                                                                        DIFR   4
C                           CODED BY Y.OHSAKI                            DIFR   5
C                                                                        DIFR   6
C     PURPOSE                                                            DIFR   7
C       TO DIFFERENTIATE AN EQUI-SPACED TIME HISTORY BY APPLICATION OF   DIFR   8
C       FAST FOURIER TRANSFORM                                           DIFR   9
C                                                                        DIFR  10
C     USAGE                                                              DIFR  11
C       CALL DIFR(N,X,ND,DT)                                             DIFR  12
C                                                                        DIFR  13
C     DESCRIPTION OF PARAMETERS                                          DIFR  14
C       N      - TOTAL NUMBER OF DATA   N.LE.8192                        DIFR  15
C       X(ND)  - ORIGINAL/DIFFERENTIATED DATA AT CALL/RETURN             DIFR  16
C       ND     - DIMENSION OF X IN CALLING PROGRAM                       DIFR  17
C       DT     - TIME INCREMENT IN DATA                                  DIFR  18
C                                                                        DIFR  19
C     SUBROUTINES AND FUNCTION SUBPROGRAMS REQUIRED                      DIFR  20
C       FAST                                                             DIFR  21
C                                                                        DIFR  22
      SUBROUTINE DIFR(N,X,ND,DT)                                         DIFR  23
```

```
C                                                               DIFR 24
      COMPLEX    C(8192)                                        DIFR 25
      DIMENSION X(ND)                                           DIFR 26
C                                                               DIFR 27
C     INITIALIZATION                                            DIFR 28
C                                                               DIFR 29
      DO 110 M=1,N                                              DIFR 30
      C(M)=CMPLX(X(M),0.0)                                      DIFR 31
  110 CONTINUE                                                  DIFR 32
      NT=2                                                      DIFR 33
  120 IF(NT.GE.N) GO TO 130                                     DIFR 34
      NT=NT*2                                                   DIFR 35
      GO TO 120                                                 DIFR 36
  130 IF(NT.EQ.N) GO TO 150                                     DIFR 37
      DO 140 M=N+1,NT                                           DIFR 38
      C(M)=(0.0,0.0)                                            DIFR 39
  140 CONTINUE                                                  DIFR 40
  150 NFOLD=NT/2+1                                              DIFR 41
C                                                               DIFR 42
C     FOURIER TRANSFORM                                         DIFR 43
C                                                               DIFR 44
      CALL FAST(NT,C,8192,-1)                                   DIFR 45
C                                                               DIFR 46
C     DIFFERENTIATION                                           DIFR 47
C                                                               DIFR 48
      C(1)=(0.0,0.0)                                            DIFR 49
      DO 160 K=2,NFOLD-1                                        DIFR 50
      C(K)=CMPLX(0.0,FLOAT(K-1))*C(K)                           DIFR 51
      C(NT-K+2)=CONJG(C(K))                                     DIFR 52
  160 CONTINUE                                                  DIFR 53
      C(NFOLD)=(0.0,0.0)                                        DIFR 54
C                                                               DIFR 55
C     FOURIER INVERSE TRANSFORM                                 DIFR 56
C                                                               DIFR 57
      CALL FAST(NT,C,8192,+1)                                   DIFR 58
      P=6.283185/FLOAT(NT)**2/DT                                DIFR 59
      DO 170 M=1,N                                              DIFR 60
      X(M)=REAL(C(M))*P                                         DIFR 61
  170 CONTINUE                                                  DIFR 62
      RETURN                                                    DIFR 63
      END                                                       DIFR 64
```

INFR (Fourier 변환에 의한 적분)

목 적

고속 Fourier 변환을 이용하여 등시간간격의 시간이력 데이타를 적분한다.

사용법

(1) 접속방법

CALL INFR (N, X, ND, DT, V0)

인 수	형	부프로그램을 부르는 경우의 내용	부프로그램으로부터 읽어들이는 내용
N	I	데이타의 수	좌 동
X	R 1차원배열(ND)	적분되는 데이타	적분된 데이타

ND	I	주프로그램에서 X의 차원	좌 동
DT	R	데이타의 시간간격 (단위 sec)	좌 동
V0	R	초기치	좌 동

(2) 주의사항

N≦8192가 되어야 한다.

(3) 필요한 서브루틴 및 함수 프로그램

FAST

프로그램 리스트

```
C  * * * * * * * * * * * * * * * * * * * * * * * * * * * * *          INFR   1
C       SUBROUTINE FOR INTEGRATION BY FOURIER TRANSFORM                  INFR   2
C  * * * * * * * * * * * * * * * * * * * * * * * * * * * * *          INFR   3
C                                                                        INFR   4
C                                        CODED BY Y.OHSAKI               INFR   5
C                                                                        INFR   6
C       PURPOSE                                                          INFR   7
C         TO INTEGRATE AN EQUI-SPACED TIME HISTORY BY APPLICATION OF     INFR   8
C         FAST FOURIER TRANSFORM                                         INFR   9
C                                                                        INFR  10
C       USAGE                                                            INFR  11
C         CALL INFR(N,X,ND,DT,V0)                                        INFR  12
C                                                                        INFR  13
C       DESCRIPTION OF PARAMETERS                                        INFR  14
C         N      - TOTAL NUMBER OF DATA   N.LE.8192                      INFR  15
C         X(ND)  - INTEGRAND/INTEGRATED DATA AT CALL/RETURN              INFR  16
C         ND     - DIMENSION OF X IN CALLING PROGRAM                     INFR  17
C         DT     - TIME INCREMENT IN DATA                                INFR  18
C         V0     - INITIAL VALUE                                         INFR  19
C                                                                        INFR  20
C       SUBROUTINES AND FUNCTION SUBPROGRAMS REQUIRED                    INFR  21
C         FAST                                                           INFR  22
C                                                                        INFR  23
        SUBROUTINE INFR(N,X,ND,DT,V0)                                    INFR  24
C                                                                        INFR  25
        COMPLEX   C(8192)                                                INFR  26
        DIMENSION X(ND)                                                  INFR  27
C                                                                        INFR  28
C       INITIALIZATION                                                   INFR  29
C                                                                        INFR  30
        DO 110 M=1,N                                                     INFR  31
        C(M)=CMPLX(X(M),0.0)                                             INFR  32
  110   CONTINUE                                                         INFR  33
        NT=2                                                             INFR  34
  120   IF(NT.GE.N) GO TO 130                                            INFR  35
        NT=NT*2                                                          INFR  36
        GO TO 120                                                        INFR  37
  130   IF(NT.EQ.N) GO TO 150                                            INFR  38
        DO 140 M=N+1,NT                                                  INFR  39
        C(M)=(0.0,0.0)                                                   INFR  40
  140   CONTINUE                                                         INFR  41
  150   NFOLD=NT/2+1                                                     INFR  42
        PN=3.141593/FLOAT(NT)                                            INFR  43
C                                                                        INFR  44
C       FOURIER TRANSFORM                                                INFR  45
```

```
C                                                                 INFR 46
      CALL FAST(NT,C,8192,-1)                                     INFR 47
C                                                                 INFR 48
C     INTEGRATION                                                 INFR 49
C                                                                 INFR 50
      C1=REAL(C(1))                                               INFR 51
      CR=(V0/DT*FLOAT(NT)+FLOAT(NT-1)/2,0*C1)*PN                  INFR 52
      DO 160 K=2,NFOLD-1                                          INFR 53
      CR=CR-AIMAG(C(K))/FLOAT(K-1)                                INFR 54
      C(K)=CMPLX(-1,0,COTAN(FLOAT(K-1)*PN))*C1*PN                 INFR 55
     1     -(0.0,1.0)*C(K)/FLOAT(K-1)                             INFR 56
      C(NT-K+2)=CONJG(C(K))                                       INFR 57
  160 CONTINUE                                                    INFR 58
      C(1)=CMPLX(CR*2.0,0.0)                                      INFR 59
      C(NFOLD)=CMPLX(-C1*PN,0.0)                                  INFR 60
C                                                                 INFR 61
C     FOURIER INVERSE TRANSFORM                                   INFR 62
C                                                                 INFR 63
      CALL FAST(NT,C,8192,+1)                                     INFR 64
      DO 170 M=1,N                                                INFR 65
      X(M)=REAL(C(M))/6.283185*DT                                 INFR 66
  170 CONTINUE                                                    INFR 67
      RETURN                                                      INFR 68
      END                                                         INFR 69
```

사용예

```
      DIMENSION NAME(12),FMT(5),DATA(800),UNIT(2),UNIT1(3)             1
      DATA      UNIT1/4HGAL ,4HKINE,4HGAL /                            2
C                                                                      3
      READ(5,501) NAME,AMAX,DT,NN,FMT                                  4
      READ(5,FMT) (DATA(M),M=1,NN)                                     5
      UNIT(2)=4H                                                       6
      DO 160 I=1,3                                                     7
      GO TO (150,110,120),I                                            8
  110 V0=DATA(1)*DT                                                    9
      CALL INFR(NN,DATA,800,DT,V0)                                    10
      GO TO 130                                                       11
  120 CALL DIFR(NN,DATA,800,DT)                                       12
  130 AMAX=0.0                                                        13
      DO 140 M=1,NN                                                   14
      AMAX=AMAX1(AMAX,ABS(DATA(M)))                                   15
  140 CONTINUE                                                        16
  150 UNIT(1)=UNIT1(I)                                                17
      CALL WAPR(NAME,AMAX,DT,NN,DATA,800,UNIT,0)                      18
  160 CONTINUE                                                        19
      STOP                                                            20
C                                                                     21
  501 FORMAT(12A4/F12.0/F7.0/I5/5A4)                                  22
      END                                                             23
```

10.4 응답해석의 체계

1질점 감쇠계가 지반위에 지지되어 있고, 이 지반에 지진과 같은 가속도가 주어진 경우 질점의 진동, 즉 응답에 대해서는 이미 8.6절에서 상세히 설명하였다. 또한 응답을 계산하는 여러가지 방법에 대해서는 8.7절에서 설명한 바 있다.

여기서는 이러한 응답해석 방법을 다시 한번 개략적으로 살펴보면서,

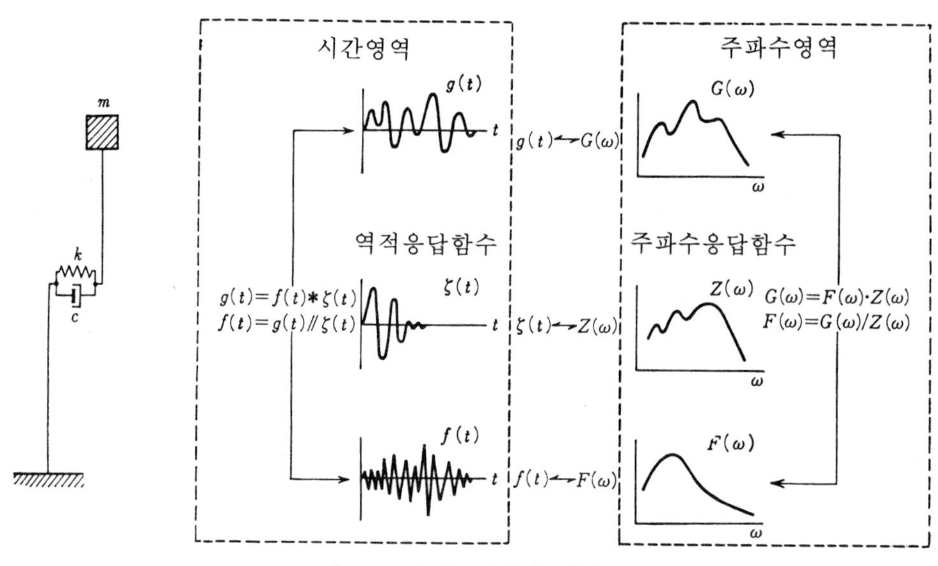

그림 10.2 응답 해석의 체계

시간영역과 주파수영역의 대응관계를 분명히 해 두고자 한다. 먼저 그림 10.2에 응답해석의 체계를 나타내는 그림이 제시되어 있다. 이후에 설명하는 것은 이 그림을 참조하면 이해하기 쉬울 것이다.

지금 지반진동 및 질점의 응답의 시간이력, 즉 계의 입력과 출력을, 각각 $f(t)$, $g(t)$라 한다. 물론 시간 t의 함수이다.

시간이력 $f(t)$ 및 $g(t)$의 Fourier 변환을 각각 $F(w)$, $G(w)$라 한다. 이들은 모두 주파수 w의 함수로서 (4.92)식 즉

$$\left.\begin{aligned} F(\omega)&=\int_{-\infty}^{\infty} f(t)e^{-i\omega t}dt \\ G(\omega)&=\int_{-\infty}^{\infty} g(t)e^{-i\omega t}dt \end{aligned}\right\} \qquad (10.29)$$

에 의해 구한다. $F(w)$ 및 $G(w)$는 넓은 의미의 Fourier 스펙트럼이라 한다. 단 그림 4.5 또는 그림 4.12에 예시된 바와같이 — 그림 10.2에도 유사한 그림이 있지만 — 단순히 절대치만을 나타내는 협의의 Fourier 진폭스펙트럼이 아니고, 그림 4.6에 표시한 Fourier 위상 스펙트럼으로 표시되는 바와같이 위상특성도 함께 갖는 복소함수이다.

윗식과 역의 연산 즉 (4.93)식의 Fourier 역변환에 의하면

$$\left.\begin{aligned} f(t)&=\frac{1}{2\pi}\int_{-\infty}^{\infty}F(\omega)e^{i\omega t}d\omega \\ g(t)&=\frac{1}{2\pi}\int_{-\infty}^{\infty}G(\omega)e^{i\omega t}d\omega \end{aligned}\right\} \quad (10.30)$$

이다. 이와같이 서로 Fourier 변환 및 Fourier 역변환의 관계에 있는 시간함수와 주파수함수를 Fourier 변환쌍이라고 하고, 기호로는

$$\left.\begin{aligned} f(t)&\longleftrightarrow F(\omega) \\ g(t)&\longleftrightarrow G(\omega) \end{aligned}\right\} \quad (10.31)$$

로 나타낸다.

질점계가 단위 역적을 받는 경우 질점의 응답 $\zeta(t)$를 일반적으로 역적응답함수라 한다. 응답을 변위·속도·가속도로 표시하는 경우 역적응답함수는 각각 (8.44)식의 3가지식으로 표시되고, 그 구체적인 형은 예를들면 그림 8.5에 표시한 시간이력이 된다. 역적응답함수는 질점계의 질량 m, 감쇠상수 c 및 스프링상수 k, 즉 계의 특성만에 의해 정해진다. 계가 선형이고, 입력 $f(t)$를 무한히 짧은 시간에 작용하는 역적의 연속이라고 생각하면, (8.35)식과 같이 응답 $g(t)$는 일반적으로

$$g(t)=\int_{-\infty}^{\infty}f(\tau)\zeta(t-\tau)d\tau \quad (10.32)$$

인 함수 $f(t)$와 함수 $\zeta(t)$의 합적으로 표현된다. 이것을 기호로

$$g(t)=f(t)*\zeta(t) \quad (10.33)$$

으로 쓴다. 이것은 입력이 주어진 경우 응답을 구하는 시간영역에서의 계산법이다.

역으로 질점의 응답 $g(t)$가 주어지고, 입력 $f(t)$를 구하고자하는 경우가 있다. 이와같은 경우에는 (10.32)식의 합적의 좌변이 이미 알고 있는 함수이고 우변의 f(t)를 구하면 된다. 이와같이 합적의 역의 연산도 가능하여, 이것을 역합적(deconvolution)이라 한다. 그림 10.2에는 (10.33)식의 역연산을 임의로 기호

$$f(t)=g(t)/\!/\zeta(t) \quad (10.34)$$

로 나타낸다.

이로서 그림 10.2에 표시한 시간 영역내에서는 아래에서 위로 또는 위에서 아래로 왕래가 매우 자유로이 된다는 것을 알았다. 단 역역적에 대해서는, 이론적으로도 이책의 범위를 벗어나고 실제 계산에서도 여러가지 번거로움이 있어서 이 입문서에서는 취급하지 않는다.

이제 그림 10.2의 우측에 있는 주파수영역으로 이동해 보자. 주파수 영역의 함수인 Fourier 스펙트럼 $F(w)$와 $G(w)$가 (10.31)식의 관계에 의해 $f(t)$ 및 $g(t)$와 관계있다는 것은 이미 설명하였다. 주파수 영역에서 진동계의 특성을 나타내는 것이 **주파수 응답함수**(frequency response funtion)이다. 이 입문서에서는 역적응답함수의 쪽에 중점을 두므로 주파수 응답함수는 거의 접촉하지 않았다. (8.51)식에서 약간 그림자만 나타나 있을 뿐이다.

지반이 단위진폭을 갖는 sin파 또는 cos파와 같이 규칙적이고 진동수가 일정한 진동, 즉 소위 조화진동을 하면, 질점의 진폭은 몇배되어 역시 같은 진동수를 갖는 조화진동을 한다. 이 배율이 주파수 응답이고, 배율은 진동수에 따라 다르고, 이것을 주파수 w의 함수 $Z(w)$로 나타낸 것이 주파수 응답함수이다. 주파수 응답함수는 질점계의 질량 m, 감쇠상수 c 및 스프링 상수 k에 의해 정해지는 복소함수이고, 역시 계의 특성을 나타낸다.

앞에서 몇번 언급하였지만, Fourier 스펙트럼 $F(w)$는 지반진동의 시간이력 $f(t)$를 단순한 조화진동성분으로 분해한 것이다. 따라서 각 성분마다 배율 $Z(w)$를 곱한 것이, 응답시간이력 $g(t)$의 조화진동성분이 된다. 따라서 $g(t)$의 Fourier 스펙트럼 $G(w)$는

$$G(\omega)=F(\omega)\cdot Z(\omega) \qquad (10.35)$$

과 같이 곱으로 표시된다. 당연하지만, 역으로 $G(w)$를 알고있는 경우 $F(w)$는

$$F(\omega)=G(\omega)/Z(\omega) \qquad (10.36)$$

과 같이 구해진다. 이로서 주파수 영역에서도 상・하로 움직임이 자유롭다는 것을 알았다.

여기서, 시간영역과 주파수영역을, 그림 10.2에서 좌우대응시켜 보면 이미 (10.31)식에 표시한 바와같이, $f(t)$와 $F(w)$, $g(t)$와 $G(w)$는 Fourier 변환 관계에 의해 결부되어 있다. 또한 (10.33)식과 (10.35)식, (10.34)식과 (10.36)식을 대비하여 보면, 시간영역에서의 합적 및 역합적의 연산은, 각각 주파수 영역에서의 곱셈과 나눗셈으로 구해지는 연산에 대응한다는 것을 알 수 있다.

여기까지 알게되면, $\zeta(t)$와 $Z(w)$ 즉 시간영역에서 역적응답함수와 주파수영역에서 주파수응답함수 사이에는 Fourier 변환관계에 있지 않을까 하는 상상이 감상적으로 떠오르지 않으면 안된다.

(10.33)식에 표시한 바와같이

$$g(t)=f(t)*\zeta(t)$$

이고 따라서 양변을 Fourier 변환하면

$$G(\omega)=\int_{-\infty}^{\infty}[f(t)*\zeta(t)]\mathrm{e}^{-i\omega t}\mathrm{d}t$$

가 된다. 그런데 스펙트럼 평활화에서, 2개의 시간함수의 합적의 Fourier 변환은, 각각의 함수의 Fourier 변환의 곱이 된다는 관계, 즉 (7.6)식의 관계가 성립한다는 것을 설명하였다. 이것을 윗식의 우변에 적용하면

$$G(\omega)=\int_{-\infty}^{\infty}f(t)\mathrm{e}^{-i\omega t}\mathrm{d}t\int_{-\infty}^{\infty}\zeta(t)\mathrm{e}^{-i\omega t}\mathrm{d}t$$

$$=F(\omega)\cdot\int_{-\infty}^{\infty}\zeta(t)\mathrm{e}^{-i\omega t}\mathrm{d}t$$

이 되고, 이것과 (10.35)식을 비교하면

$$\int_{-\infty}^{\infty}\zeta(t)\mathrm{e}^{-i\omega t}\mathrm{d}t=Z(\omega)$$

가 되어, 상상한 바와같이 역적응답함수의 Fourier 변환은 주파수 응답함수가 되고

$$\zeta(t)\longleftrightarrow Z(\omega) \qquad (10.37)$$

라는 관계가 성립함을 알 수 있다.

다시 그림 10.2를 보자. 시간영역에서 $f(t)$, $g(t)$, $\zeta(t)$중 어느 2함수가 주어지면 나머지 함수는 구해진다. 같은 요령으로 주파수 영역에서도

$F(w)$, $G(w)$, $Z(w)$ 중 임의의 하나는, 다른 두개가 주어지면 쉽게 구할 수 있다. 즉 양영역 모두 각각의 영역내로의 교통은 완전히 자유롭다.

더우기 시간영역과 주파수영역은 3가지 Fourier 변환이라는 다리에 의해 연결되어 있다. 이들 다리도 어느쪽에서 다른쪽으로 자유롭게 교통된다. 따라서 시간·주파수 양영역을 통하여 어떠한 통로로도 자유로이 선택할 수 있게 된다. 일방통행이나 도중에 정지되는 것은 없다. 무리해서 말하면 경사진 황단은 없다는 것이다.

예를들면 지반진동 $f(t)$와 질점의 응답 $g(t)$가 측정되고, 계의 특성을 나타내는 역적응답함수 $\zeta(t)$를 시간영역에서 구하기 위해서는

$$\zeta(t)=g(t)/\!\!/f(t)$$

라는 역합적 계산이 필요하다. 이 연산은 앞에서도 언급한 바와같이 매우 번거롭다. 그러나 다리를 좌에서 우로 건너, $g(t)$로 부터 $G(w)$를, $f(t)$로부터 $F(w)$를 구하고, 주파수 영역에서

$$Z(\omega)=G(\omega)/F(\omega)$$

연산을 하여, 주파수 응답함수 $Z(w)$를 구하고, 다시 중간다리를 우에서 좌로 건너면 $\zeta(t)$가 쉽게 구해진다. 이와같은 문제의 성질에 따라 보다 효율적이고 지체되지 않는 길을 찾으면 좋을 것이다. 지금은 Fourier 변환의 다리는 대부분 순간적으로 건널수 있다. 여기에 4.6절에서 설명한 고속 Fourier 변환의 혁명적인 위력이 있다.

그림 10.2에는 설명을 간단히 하기위해 1질점계의 경우를 예로 들었다. 그러나 실은 1질점계가 아닌 다질점계에도, 연속체에도 또는 층이 있는 지반과 같은 경우에도 적용할 수 있다. 지반의 경우에 대해 언급하면, 기반층의 진동을 알고 있고 지표면에서의 지반진동을 구하고자 하는 경우, 역으로 지표면에서의 진동이 기록되어 있고 기반으로의 입사파를 추정하는 경우, 또는 기반과 지표면에서의 동시 관측기록이 있고 이로부터 지반의 특성을 결정하는 문제등이 이것에 해당한다. 중요한 것은 계의 특성이 선형이면, 또는 실제로는 소성적인 거동을 하여 비선형인 경우에도 어떠한 기법에 의해 등가선형계로 치환할 수 있는 경우에는 항상 적용할

수 있는 관계이다.

다시말하면 그림 10.2에 표시한 해석체계는, 간단한 계의 최하부와 최상부 사이뿐만 아니라 동일계에 속하는 임의의 2점사이에도 성립한다. 8층 건물이면, 2층과 5층사이의 관계로 생각해도 좋다. 지반의 경우이면 같은 연약층에서 깊이가 다른 2점사이의 관계로 보아도 좋다. 이와같은 경우에는 $\zeta(t)$ 또는 $Z(w)$의 구체적인 형이 각각의 경우에 따라 다르다는 것 뿐이다.

응답해석의 체계에 대해 개략적인 것을 설명하였다. 시간의 세계와 주파수의 세계에서, 취급하는 정보양은 모두 같지만, 양과양, 연산과 연산의 사이에 이상과 같이 대응 및 변환의 관계가 있다. 양으로도 연산으로도 서로 교환될 수 있는 관계에 있는 것을, 수학에서는 일반적으로 영상이라고 부른다. 응답해석의 체계에 성립하는 정연한 영상의 관계는 반드시 확실히 인식해 두기 바란다.

11. 맺음말

최초에 언급한 바와같이, 여러가지 스펙트럼의 종류와 해석방법, 해석결과의 공학적 의미등에 대해서 가능한 쉽게 설명하는 것이 이 입문서의 목적이었다. 알기쉽게 설명할려는 목적은 어느정도 이루어 졌다고 생각하지만 반면에 대단히 번거로움도 많았다.

지진파의 스펙트럼해석 이라고하는 제목과 같이, 이 입문서에서는 대상을 지진파에 한정하였지만, 여기서 언급한 것은 바람·파도등에도 그대로 적용된다. 더욱 넓게 말하면 스펙트럼은 시간적으로도 공간적으로도 변화하는 것에는 모두 적용될 수 있는 개념이다.

대상을 지반진동에 한정시켜 보아도, 스펙트럼 해석의 응용범위는 대단히 넓다. 지진공학, 내진공학의 모든 분야에 관련되어 있다고 해도 과언이 아니다. 그러나 이 입문서에는 스펙트럼 해석의 응용면에는 거의 취급하지 않았다. 또한 1개의 변량에 대한 스펙트럼만을 취급하고 둘이상의 변량 — 예를들면 지반진동의 NS성분과 EW성분등 — 의 관계를 나타내는 크로스 스펙트럼에 대해서는 접촉할 여유가 없었다. 만약 이 입문서에 흥미가 있는 독자는, 더욱 깊고 넓은 스펙트럼의 해석·응용면에 스스로 공부하여 앞서 나간다면 대단히 기쁜일일 것이다.

쉽게 설명하기 위해서, 애매한 기술을 하지 않고, 논리적으로 비약하지 않도록 열심히 심혈을 기울였다. 또한 고도의 독자를 위해 사양해 둔것은, Fourier 급수·Fourier 적분에서 급수의 수렴조건과 적분순서의 변화에 대해 보다 이론적인 언급이 없었다는 것이다.

이 입문서의 원고를 쓰기 위해, 특히 참조하거나 참고한 문헌은 없다. 사실 이 입문서는 현재 필자가 대학에서 강의하고 있는 「하중·외력」에 관한 강의중 「지진력」의 부분을, 그것도 극히 일부를 초보자용으로 바꾸어 쓴 것이다. 참고로 이 정도의 내용을 강의하기 위해서는 횟수로는 3~4회, 시간적으로는 약 5~6시간 정도 소요될 것이다.

이 입문서에는 몇가지의 프로그램은 그대로 사용하도록 게재하였다. 물론 어느 프로그램도 필요한 경우 자유롭게 이용하여도 상관이 없다. 특별히 어려운 것은 없고 어느 사람이 써도 같은 것이 되는 프로그램일 뿐이다. 그러나 필자로서는 어느 것이든 상당한 노력과 시간을 투자하여 작성한 것이다. 따라서 독자가 만약 이러한 프로그램에 의한 결과를 어디에 공식적으로 발표해야 될 경우가 있으면 필자의 프로그램을 참조했다는 것을 첨언해 주기를 부탁하는 바이다.

관련도서 안내

건축설계와 건축기술 *편집부 역 / A4 · 287p / 13,000원*

건축학과 설계를 공부하는 학생들과, 설계마다 형태와 기능을 조정하는 전문 건축가로부터 지적인 초보자와 건축애호가까지 다양한 독자를 대상으로 하였고 빌딩에 작용하는 여러가지 물리적인 힘과 그것을 견디어내는 골조시스템을 개관하고 있으며 200여 개의 도면과 사진을 포함한 사례연구를 들어 설계작업 기술에 대한 인식에 도움을 주고 있다.

건축의 그래픽 *건축의 그래픽편찬회 역 / A4 · 854p / 60,000원*

Architectural Graphic Standards를 번역한 것으로 나날이 중요시되고 있는 경골구조, 지붕과 방수, 거튼월구조, 에너지보존, 내진설계, 특수실, 내부마감, 전통양식의 보존에 세심한 주의를 기울였다.

건축사문제 경향과 대책 - 시공편 *편집부 / B5 · 250p / 13,000원*

시공편의 건축사시험을 준비하는 독자를 대상으로 교과서적인 냉용은 과감히 빼고 과거의 출제 예를 중심으로 히여 현재의 출제경향에 맞추어 골자만을 수록하였다.

건축기사 1급 실기 문제연구 *기사시험연구회 / B5 · 771p / 23,000원*

각종 학원교재 및 정보, 전공서적, 문제집 등을 총 망라하여 철저한 기출문제의 분석 등으로 엄선된 문제를 수록하였다..

실무에서 본 건축설비의 배관 *이의종 역 / B5 · 426p / 15,000원*

건축설비시스템 중에서 중요한 역할을 수행하는 건축설비배관에 대하여, 도면작성에 필요한 기초지식, 실시설계에 필요한 실무지식, 시공에 관한 지식,배관의 유지 관리에 관한 사항, 배관설비에 관한 법규의 해설 등을 포함하고 있다.

건축계획각론 *건축사문제연구회 / B5 · 526p / 28,000원*

건축사시험 과목의 이론을 세부적으로 집중 분석하고, 기출문제와 예상문제를 나량 수록하여 건축사시험을 준비하는 분들이 단계별로 차분히 공부해 나갈 수 있게 구성한 수험준비서이다.

건축계획원론 *건축사문제연구회 / B5 · 428 / 25,000원*

건축사시험 과목의 이론을 원론적으로 집중 분석하고, 기출문제와 예상문제를 다량 수록하여 건축사시험을 준비하는 분들이 단계별로 차분히 공부해 나갈 수 있게 구성한 수험준비서이다.

건 축 구 조

건축사문제연구회 / B5 · 347p / 25,000원

本書는 建築士, 技術士, 기타 모든 건축시험의 준비를 위한 지침서로서, 최단시간내에 건축구조를 이해할 수 있도록 요점과 문제를 수록 · 해설하였으며, 각종 국가자격시험에 대비할 수 있도록 한 참고서이다.

크게는 구조계산과 일반구조로 분류하여, 구조계산에서는 재료역학과 구조역학분야의 문제를 수록 · 해설하였으며, 일반구조에서는 木構造 · 특수콘크리트구조 · 철근콘크리트구조 등의 각종 문제를 종합 수록하였다.

최신구조해석공식집

이용 외5 역 / A5 · 1531p/ 90,000원

재료에 관한 식을 제공하고자 설계엔지니어들을 대상으로 한 공식집이다. 응력 및 변형에 관한 식 외에 인성 및 질량행렬과 같은 구조행렬에 관한 표를 포함하고 있다.

실무에서 본 철골구조설계

편집부 역 / B5 · 429p/ 20,000원

새로운 내진설계법시행으로 "행정에서 본 건축구조설계"에서 "실무에서 본 건축구조설계"로 탈피하였다. 실용적방법을 밝힌 책이 많지 않은 현 상황에서 실용설계법에 대한 자료를 수집하고 그것을 비교 · 검토하여 법적, 이론적으로 증명하였으며, 구조설계의 정석과 실무도표를 망라 하였고, 설계예와 법령 · 지침규준을 수록하였다.

콘크리트의 비파괴시험

이의종 역 / *A5 · 372p/ 15,000원*

재료상으로도 복잡하고 다면적인 성질을 가진 콘크리트구조물의 비파괴시험방법에 대해 일본의 비파괴검사 전문 기술자와 학계의 비차괴시험 연구자들이 수년간 연구한 결과를 수록하였고, 이제부터 해결하여야 할 문제도 포함되어있다. 부록으로서 NDIS 3418, NDIS 2416을 수록하였다.

지진파의 스펙트럼 해석 입문

발 행 일 | 2007년 1월 20일 재판 발행

원　　저 | 大崎順彦
역　　자 | 이희현 · 채원규 · 남순성
발 행 인 | 박승합
발 행 처 | 도서출판 골드
주　　소 | 서울특별시 용산구 갈월동 11-50
전　　화 | 754-1867
팩　　스 | 753-1867
등　　록 | 1988. 1. 21 제3-163호
홈페이지 | gold.hompee.com

정가 18,000

ISBN 978-89-86172-37-9-93540
* 낙장 및 파본은 교환하여 드립니다.